LA FRANCE
ESPAGNOLE

DU MÊME AUTEUR

Les Juifs du roi d'Espagne.
Oran, 1509-1669
Hachette, 1999

Portugal dos Filipes
Lisbonne, Horizonte, 2001

La Vice-royauté espagnole au Portugal
au temps du comte-duc d'Olivares (1621-1640)
Madrid, Casa de Velázquez, 2001

JEAN-FRÉDÉRIC SCHAUB

LA FRANCE ESPAGNOLE

LES RACINES HISPANIQUES DE L'ABSOLUTISME FRANÇAIS

OUVRAGE PUBLIÉ AVEC LE CONCOURS
DU CENTRE NATIONAL DU LIVRE

ÉDITIONS DU SEUIL
27, rue Jacob, Paris VIe

CET OUVRAGE EST PUBLIÉ DANS LA COLLECTION
L'UNIVERS HISTORIQUE

ISBN 2-02-040769-8

www.seuil.com

Pour Léon-Paul et Victor,
champions de l'interaction franco-espagnole

Introduction

À l'acte I de la tragédie *Attila*, Corneille place dans la bouche de Valamir un monologue sur les situations respectives de l'Empire romain et de la France naissante face à la menace des Huns :

> Seigneur, dans le penchant que prennent les affaires,
> Les grands discours ici ne sont pas nécessaires,
> Il ne faut que des yeux, et pour tout découvrir,
> Pour décider de tout on n'a qu'à les ouvrir.
> Un grand destin commence, un grand destin s'achève,
> L'Empire est prêt à choir et la France s'élève [...]
> Soutenir un État chancelant et brisé,
> C'est chercher par sa chute à se voir écrasé.
> Appuyez donc la France et laissez tomber Rome [...] [1].

Ces vers semblent reprendre un thème développé dix ans plus tôt par Desmarets de Saint-Sorlin dans son poème épique consacré à Clovis :

> Les dieux sont irritez ; et de cent empereurs
> Sur Rome vont punir l'orgueil et les fureurs.
> Évitez ces torrens de Scythes et de Getes,
> Par qui le ciel rendra leurs provinces sujetes.

1. Pierre Corneille, *Œuvres complètes*, Paris, Gallimard, coll. « Bibliothèque de la Pléiade », 1987, t. III, p. 647 (vers 137-141 et 147-149).

Assez, superbe Rome, ont regné tes destins.
François, laissez perir l'empire des Latins [2].

Les alexandrins de Saint-Sorlin sont antérieurs à la paix des Pyrénées (1659) et l'on ne saurait en forcer l'interprétation politique. Tout juste peut-on deviner l'affirmation d'une posture « moderne », critiquant la référence et la révérence à l'antique, dont Desmarets, on le sait, est un militant. En revanche, la tirade de Corneille fut composée dans le contexte de la guerre de Dévolution (1667), alors que le poète était chargé de chanter les exploits du roi, et elle revêt un sens plus évident. L'offensive de Louis XIV contre les Pays-Bas espagnols prend prétexte de vouloir restituer à la reine de France, Marie-Thérèse d'Autriche, la part de l'héritage espagnol qui, pour les juristes sollicités par Colbert, devrait lui revenir. Il ne fait guère de doute que l'allusion politique de Corneille porte sur le renversement du rapport de forces dont sa génération a été le témoin, dans le passage de la « prépondérance espagnole » au « Grand Siècle » français. Elle fixe dans le marbre tragique le résultat du traité des Pyrénées (1659), œuvre ultime de Mazarin, par lequel l'abaissement de la monarchie hispanique et le retour de la France, après un siècle de déchirures intérieures, s'annoncent à l'Europe. Les spectateurs de l'hôtel de Bourgogne ne pouvaient s'y tromper. Corneille claironne que, face aux Huns – entendons les Ottomans ou, bientôt, les Hollandais protestants –, la chrétienté doit désormais s'adresser à la France et se détourner de l'Espagne [3].

2. Jean Desmarets de Saint-Sorlin, *Clovis ou La France Chrestienne*, Paris, Augustin Courbé, 1657, p. 29.

3. Ce lever de la France obéit aux lois d'un genre panégyrique qui célébra en termes assez voisins la venue de Charles Quint :

Del sangue d'Austria e d'Aragon io veggio
Nascer sul Reno alla sinistra riva
Un principe, al valor del qual pareggio
Nessun valor, di cui si parla o si scriva.
Per questi meriti la Bontà suprema
Non solamente di quel grande imperio
Ha disegnato ch'abbia il diadema,
Ch'ebbe Augusto, Traian, Marco e Severo ;
Ma d'ogni terra e quinci e quindi estrema,
Che mai nè al Sol nè all'anno apre il sentiero :

La vigueur du trait poétique dessine les lignes maîtresses d'un paradigme littéraire et historiographique dont l'efficacité et la portée atteignent jusqu'au XXe siècle. C'est ce que l'on pourrait appeler l'interprétation dichotomique des relations franco-espagnoles sous l'Ancien Régime. Le début de l'âge d'or français signerait la fin de l'espagnol. Par une sorte de basculement, au mi-temps du XVIIe siècle, le Sud cède le pas au Nord, comme la Méditerranée braudélienne à l'Atlantique. Cette dichotomie n'est cependant pas apparue en un jour, sous les traits de l'évidence. Elle demeure, au contraire, le fruit de représentations et de traditions textuelles qui travaillent en amont et en aval du renversement symbolique et diplomatique de 1659. Il ne faut pas prétendre, sur ce type de problème, séparer de façon schématique les textes historiques, les entreprises historiographiques et les mises en scène littéraires. Reçus dans le désordre, au gré des lectures diversifiées des politiciens et des hommes d'écriture, les nombreux discours sur l'opposition entre la France et l'Espagne se répondent, se contredisent, se contaminent. Ils exercent leur influence sur les acteurs et les spectateurs de la scène politique, dans un monde où cette distinction théâtrale n'a guère de sens. Ils se nourrissent, en retour, des décisions annoncées, des pratiques installées, mais aussi de la circulation des hommes et des livres. L'antithèse des deux pays, nous le verrons, est construite bien avant que Corneille ne fasse dire les alexandrins de Valamir ; elle demeure en outre jusqu'à nos jours une clef, plus ou moins avouée, d'interprétation de l'histoire européenne du XVIIe siècle.

On renonce donc, d'emblée, à établir un état au vrai de ce que furent les deux monarchies, en ce qu'il s'opposerait à une analyse thématique des discours tenus sur leurs différences et leurs différends. Une telle distinction, entre vérité des systèmes politiques et faux-semblants des interprétations, ne devrait plus guère troubler le travail historiographique. Construire les instruments intellectuels d'une comparaison des deux pays suppose qu'on associe étroitement l'étude culturelle et la modélisation politologique, dans la

---

E vuol che sotto a questo Imperatore
Solo un ovile sia solo un pastore.
L'Arioste, *Orlando furioso*, XV, 25 et 26.

longue durée historique. Car, à supposer que la monarchie hispanique et la monarchie française aient jamais été des modèles d'autre chose que d'elles-mêmes, il n'est pas évident que leur comparaison, terme à terme, soit porteuse d'enseignements. En effet, si l'on imagine le résultat d'une réduction symétrique des expériences historiques des deux monarchies à une paire de modèles institutionnels, leur confrontation risque bien d'apparaître décevante.

La titulature royale des monarques respectifs illustre à merveille tout ce qui sépare les deux montages politiques et institutionnels. Le maître des territoires hispaniques ne porte pas le titre de roi d'Espagne et décline l'ensemble de ceux dont il a hérité ou qu'il a conquis : roi de Castille, d'Aragon, du Portugal, des Algarves, de Navarre, de Grenade, de Séville, de Jaén, comte de Barcelone, etc. Face à cette liste analytique, les descendants des Capets, Valois et Bourbons se recommandent par une désignation synthétique : roi de France et de Navarre. Ces modes de nomination ne sont pas seulement symboliques : ils dénotent des modèles politiques et juridictionnels très différents. La monarchie hispanique aux XVIe et XVIIe siècles constitue l'un des exemples de « monarchies composites » dont John H. Elliott a établi la typologie et l'inventaire dans un article célèbre [4]. Même si l'historiographie des dernières décennies a retrouvé tout ce qui dans le fonctionnement institutionnel de la France absolutiste relevait de pratiques transactionnelles, même si l'on doit redonner toute sa fraîcheur à la distinction entre pays d'états et pays d'élections dans le royaume de France, on n'y trouve rien de comparable à la séparation institutionnelle, juridique et symbolique des couronnes espagnoles, traduite par la diversité des *Cortes* hispaniques.

Les historiens ont su explorer avec bonheur les phénomènes d'institutionnalisation de l'espace comme pratiques fondamentales du pouvoir [5]. De ce point de vue, les expériences hispanique et

4. John H. Elliott, « A Europe of Composite monarchies », *Past & Present*, n° 137, 1992, p. 48-71.

5. António Manuel Hespanha, « L'espace politique dans l'Ancien Régime », in *Estudos em Homenagem aos Professores Manuel Paulo Merêa e Guilherme Braga da Cruz*, tiré à part du *Boletim da Faculdade de Direito da Universidade de Coimbra*, Coimbra, FDUC, 1983 ; Daniel Nordman et Jacques Revel,

française ne sauraient être plus dissemblables. L'histoire territoriale de l'Empire espagnol ne s'écrit pas seulement en Europe. On s'interdit de rien saisir à ce que fut la monarchie hispanique si l'on cantonne sa « dimension américaine » à une sorte de supplément de puissance (notamment monétaire) sans implication réelle sur le développement politique de la métropole. Les historiographies latino-américaines et les études latino-américanistes ont appris à construire leurs démarches sur la base d'un dialogue permanent avec l'histoire européenne. Mais, s'il est admis que l'Amérique ne s'entend pas sans l'Espagne, en revanche l'inverse n'est pas acquis pour tous. Le fait que, sous l'Ancien Régime, aucun roi de Castille et d'Aragon n'a jamais traversé l'Atlantique pour éclairer de sa présence et contempler ses possessions américaines ne signifie pas que la dimension ultramarine de la monarchie ait été un phénomène secondaire sur le plan institutionnel et dans la constitution de l'imaginaire politique espagnol. Sur le plan des relations diplomatiques, l'Amérique demeure la carte maîtresse de la monarchie hispanique, même pendant les périodes d'échecs militaires répétés qui se succèdent depuis le milieu du XVIIe siècle. Le respect rendu au roi d'Espagne dans le concert des monarchies et républiques d'Europe tient pour une bonne part à cette situation. Les relations de voisinage, par certains aspects quasiment fusionnelles, entre Espagne et Portugal sont essentiellement commandées par la gestion, en partie commune, de l'héritage institutionnel et spirituel du traité de Tordesillas (1494), qui sanctionne la répartition des territoires au lendemain des Grandes Découvertes. L'ascension de familles castillanes sur la base d'une double implantation physique et sociale, en métropole et en Amérique, dessine un modèle imité dans toutes les régions de la Castille. Les rives du Saint-Laurent, la Louisiane ou encore l'éphémère établissement de Saint-Louis sur le Maranhão ne jouent pas un rôle comparable pour le royaume de France, sur les plans diplomatique, social, politique et idéologique.

« La formation de l'espace français », *in* André Burguière et Jacques Revel (éd.), *Histoire de la France*, t. I, *L'Espace français*, Paris, Éd. du Seuil, 1989, p. 29-169.

La fascination politique et culturelle pour l'« année admirable » de 1492[6] demeure actuelle durant tout l'Ancien Régime. Le triptyque composé par la prise de Grenade, l'expulsion des juifs et l'arrivée de Colomb aux Caraïbes lie les différents événements les uns aux autres dans une sorte d'enchaînement providentiel. L'avenir ici fonde le passé : la conquête du monde promise aux Rois Catholiques montre aux yeux de la chrétienté que la recréation d'une Espagne chrétienne, conquise sur l'Islam depuis Pélage, a bien été une croisade de l'Église militante. Dans cette perspective, explicitement eschatologique, on comprend que la construction territoriale de l'Espagne chrétienne repose sur une culture politique en tout point différente de ce qu'ont été les réunions et captations territoriales réalisées par les Capétiens au détriment de seigneurs non moins chrétiens qu'eux. Dans le cas espagnol, l'acquisition de territoires est, pour l'essentiel, embarquée dans une visée providentielle et pastorale. Avec l'Amérique et les Philippines, l'évangélisation des gentils du Nouveau Monde poursuit l'œuvre croisée de la Péninsule.

Ces éléments relèvent indissociablement de la croyance et de l'établissement politique. Ils ont placé la monarchie hispanique dans une situation particulière au regard de la question du statut des royaumes dans le Saint Empire romain ou face à lui, qui traverse toute l'Europe occidentale depuis la fragmentation de l'Empire carolingien. La structure composite de la monarchie à l'aube du XVIe siècle (Castille, Aragon, Navarre, Flandres, Bourgogne, Naples, Sicile, Milanais), l'immensité territoriale bâtie outre-mer et, finalement, l'élection de Charles de Gand, Ier de Castille, au rang de saint empereur, tout concourt à placer le monde hispanique dans une situation exceptionnelle. Les cours européennes ne s'y sont pas trompées. Leurs ministres savaient bien, à commencer par Richelieu et Mazarin, que la nature vraiment impériale de l'Espagne de la maison de Habsbourg, en association plus ou moins étroite avec la branche viennoise, porteuse de la couronne impériale après Charles Quint, dérivait moins du fait que l'un des monarques

6. Il s'agit de l'expression chère à Bernard Vincent. Cf. Bernard Vincent, *1492, l'année admirable*, Paris, Aubier-Flammarion, 1991 ; rééd., Flammarion, coll. « Champs », 1996.

hispaniques avait accédé à la dignité impériale que de la structure politique et de l'aura eschatologique de sa monarchie. Fer de lance de la catholicité à défaut de pouvoir l'être immédiatement de la chrétienté, l'Espagne au XVIe siècle semblait en mesure d'actualiser le fantasme politique et théologique d'une monarchie universelle qui aurait eu vocation à rassembler mieux que ne le faisait depuis des siècles un Saint Empire ramené à sa dimension régionale.

Les efforts doctrinaux laborieux des hommes de plume des rois de France, dans les derniers siècles du Moyen Âge, pour fonder en droit l'adage *Rex Franciae est imperator in regno suo* ont-ils vraiment emporté l'adhésion au-delà des cercles courtisans auxquels ils appartenaient[7] ? Il est permis d'en douter ; et, à tout prendre, la sainteté de Louis IX, ainsi que la thaumaturgie, constituent des arguments bien plus convaincants pour inventer une mission universelle au royaume de France. Les rapports de la royauté française à l'institution impériale, de la candidature de François Ier à celle de Louis XIV, feront ici l'objet d'une attention soutenue[8]. Mais, le moins que l'on puisse dire, c'est que la France et l'Espagne se trouvent placées dans des situations diamétralement opposées au regard de cette question, dont les Européens ont aujourd'hui trop oublié qu'elle fut essentielle.

Le royaume de France ravagé par les guerres de Religion se trouve dans la plus fâcheuse des postures. L'édit de Nantes devait-il être considéré comme le dispositif qui plaçait le roi de France dans la meilleure position pour convoquer un jour le concile universel qui mettrait fin à la division de la chrétienté ? S'agissait-il, au contraire, d'un obstacle à l'affirmation de la grandeur française ? Si l'on en juge par les politiques religieuses intérieures de Richelieu, Mazarin et Louis XIV, visant à réduire puis à détruire le protestantisme, il paraît évident que la seconde interprétation domine tout le XVIIe siècle français. Il reste que les rois de France,

7. Jacques Krynen, *L'Empire du roi*, Paris, Gallimard, 1994.

8. Il faut ici souligner l'importance des recherches conduites sur ce thème essentiel par Alexandre Y. Haran, dont la somme sur le sujet a été récemment publiée : Alexandre Y. Haran, *Le Lys et le Globe. Messianisme dynastique et rêve impérial en France aux XVIe et XVIIe siècles*, Seyssel, Champ Vallon, 2000.

ne pouvant mobiliser sans gêne les registres de l'orthodoxie et de la sainteté, se sont rabattus sur ceux de la puissance et de la gloire.

L'écart installé entre les deux pays et leurs systèmes politiques respectifs ne facilite guère l'établissement d'analogies. Mais dans le souci, amplement justifié, de comparer les systèmes politiques anciens pour désenclaver les histoires nationales, les monarchies hispanique et britannique paraissent pouvoir être soumises plus aisément à l'exercice. Dans les deux cas, le caractère composite des agrégations territoriales – héritages et conquêtes – se traduit par une institutionnalisation polycentrée : plusieurs royaumes forment les monarchies. En Espagne, la Castille domine l'ensemble de son poids écrasant, sans que l'hispanité puisse être réduite à la « castillanité » ; dans l'archipel britannique, l'Angleterre, écrasante elle aussi, n'absorbe cependant pas toute la « britannité ». L'Amérique, enfin, aventure commune mais partagée seulement à la marge, offre des champs d'expérimentation qui suscitent la comparaison historiographique[9]. Pour reprendre l'heureuse formulation de Pablo Fernández Albaladejo, l'histoire comparée des pays européens devrait parcourir ensemble les chemins croisés de l'*Hispania* et de la *Britannia*[10]. Un programme comparatiste qui prendrait pour objet l'une et l'autre arriverait sans doute à des résultats intéressants, en termes de modélisation et de typologie institutionnelles. Mais entre France et Espagne, l'entreprise est beaucoup plus difficile à conduire. On peut même remarquer que l'un des rares terrains sur lesquels les deux royautés ont fait une expérience comparable, le ministériat (ducs de Lerma et d'Olivares, cardinaux de Richelieu et de Mazarin), ne constitue pas une spécificité limitée aux deux pays, puisque l'Angleterre de Buckingham ou le Portugal de Castelho Melhor, entre autres, participent de cette même inven-

9. Richard L. Kagan et Geoffrey Parker (éd.), *Spain, Europe and the Atlantic World : Essays in Honour of John H. Elliott*, Cambridge, Cambridge University Press, 1995.

10. Pablo Fernández Albaladejo, « De Britania a Hispania », postface à Hugh Kearney, *Las islas británicas. Historia de cuatro naciones*, Madrid, Cambridge University Press, 2001.

tion institutionnelle [11]. Comment expliquer alors que la question franco-espagnole ait suscité des bibliothèques entières ?

On l'aura compris, la comparaison des modèles respectifs ne saurait être le moteur de toute cette production textuelle. S'il est vrai que la France et l'Espagne peuvent difficilement être mesurées l'une à l'aune de l'autre, on peut avancer sans risque, en revanche, que rares sont les pays qui se sont influencés et ont agi l'un sur l'autre avec plus de constance et d'intensité durant tout l'Ancien Régime. Les guerres qui ont opposé et grandi Charles Quint et François Ier, la main visible de Philippe II dans l'utopie ligueuse, les mariages franco-espagnols de 1615, 1659 et 1679, le parcours tourmenté de la Compagnie de Jésus dans la France du XVIIe siècle, l'écrasante domination littéraire de l'Espagne auprès des publics français, l'émigration française en direction des campagnes et des réseaux commerciaux de toute l'Espagne, la progressive réduction de la maison d'Autriche aux marges de la France, du Roussillon aux Flandres en passant par la Franche-Comté, et, *in fine*, l'entrée de la monarchie hispanique dans la maison de Bourbon : tels sont quelques-uns des phénomènes les plus marquants de l'interaction franco-espagnole. C'est, en effet, bien plus en termes d'interaction que de comparaison institutionnelle que la question de la confrontation entre les deux monarchies prend tout son sens.

L'enquête ne porte cependant pas, comme dans la belle étude que Jean-François Dubost a consacrée à la « France italienne », sur l'histoire sociale, politique et culturelle de la présence au cœur de la société française d'une population venue d'ailleurs [12]. La place de l'Espagne au cœur de la construction monarchique française sera ici interrogée à partir de la mise au jour d'un faisceau de formulations, de discours, de ressources argumentaires accumulés pendant le XVIIe siècle pour rendre compte, en France, d'un rapport d'« opposition » et de « conjonction » entre les deux grandes royautés catholiques de ce temps. Prise dans l'histoire dynamique

11. John H. Elliott, *Richelieu et Olivares*, trad. fr. de F. Kearns-Faure, Paris, Presses universitaires de France, coll. « Histoires », 1991 ; John H. Elliott et Lawrence W. Brockliss (éd.), *The World of the Favourite*, New Haven-Londres, Yale University Press, 1999 ; Francesco Benigno, *Specchi della rivoluzione. Conflitto e identità politica nell'Europa moderna*, Rome, Donzelli, 1999.

12. Jean-François Dubost, *La France italienne*, Paris, Aubier, 1997.

des relations entre les deux pays, l'interprétation dichotomique perd en netteté. Si l'on privilégie l'étude des contaminations réciproques, alors le regard porté sur le renversement du rapport de forces du milieu du XVIIe siècle ne peut conclure simplement au triomphe d'un modèle moderne sur un modèle archaïque. Au demeurant, pour peu qu'on y prenne garde, on s'aperçoit que le monologue de Valamir annonce la chute de l'Empire et l'élévation de la France, mais face à un commun ennemi, Attila. Les champions changent mais le combat demeure identique, dans la résistance face à la barbarie. La France de Pharamond et Mérovée ne s'oppose pas à l'empire de Rome : elle se substitue à lui en reprenant son flambeau. Ainsi le Roi Très-Chrétien, maître de Pierre Corneille, assoit sa gloire et sa fortune en devenant aussi un Roi Catholique. Lorsqu'on prête attention aux interactions développées entre la France et l'Espagne aux XVIe et XVIIe siècles, on est conduit à dresser une sorte d'inventaire des emprunts, traductions, contaminations effectués par chacun des adversaires sur l'autre, en amont et en aval du moment où le rapport de forces s'inverse, au profit de Paris contre Madrid, au milieu du XVIIe siècle. La lecture dichotomique tend à minorer l'importance de ces mouvements de translation ; mais une interprétation qu'on nous autorisera à qualifier sommairement de dialectique place au contraire l'accent sur tout ce qui rapproche les ennemis dans le feu même de leur compétition. En somme, une approche comparative fondée sur une interprétation dichotomique, explicite ou implicite, risque de relever de la dissertation scolastique, dans sa forme la plus gratuite. En revanche, un relevé historique des phénomènes d'interaction, travaillant à partir d'une approche dialectique, peut mettre au jour des phénomènes politiques et culturels qui concernent l'histoire des deux pays et demeurent invisibles si on ne les observe pas ensemble [13].

Les premiers pas de cette enquête ont été guidés par une conviction : la lecture dichotomique des rapports franco-espagnols demeurait largement majoritaire dans l'historiographie française depuis

13. Rafael Valladares, « Felipe II y Luis XIV », *Torre de los Lujanes*, nº 33, 1997, p. 143-155 ; « Heredero de quién : Luis XIV y el legado de Felipe II », *in* Alfredo Alvar Ezquerra (éd.), *Imágenes históricas de Felipe II*, Alcalá de Henares, Centro de Estudios cervantinos, 2000, p. 115-140.

sa professionnalisation académique au XIXe siècle. La production nationale d'histoires nationales – nationalistes – devait, suivant notre hypothèse, interdire l'accès à une interprétation dialectique. Or, on le verra, les classiques de la monarchie de Juillet ou de la IIIe République se révèlent bien plus ouverts à l'étude des interactions franco-espagnoles qu'on aurait pu s'y attendre. Pour mobilisés qu'ils fussent par le devoir d'enraciner l'histoire de leur société dans un long passé national, ces historiens ne répugnèrent pas à reconnaître tout ce que la France du Grand Siècle devait à l'Espagne du Siècle d'or. Ils comprirent, mieux que ne le firent leurs héritiers du XXe siècle, que Versailles n'avait pas seulement supplanté l'Escurial mais avait également assumé, dans sa continuité, la direction de la catholicité militante. La France qui humiliait l'Espagne sur les champs de bataille avait, dans le même temps, reçu son roman, son théâtre, c'est-à-dire sa langue, une part de sa spiritualité, ses projections eschatologiques. Cet ensemble de processus qu'on a qualifié ici de dialectique était décrit avec force, alors même que la France du XIXe siècle portait à son expression la plus vive la légende noire d'une Espagne synonyme de mort et de désolation.

Tandis que le personnage de Philippe II était incarné sur les scènes des théâtres parisiens sous les traits d'un moderne Nabuchodonosor, les historiens examinaient avec sérieux le parallèle entre Louis XIV et Philippe II. Cette contradiction peut sembler surprenante, si l'on ne tient pas compte du fait qu'ils demeuraient débiteurs de traditions textuelles séculaires qui les portaient à chercher dans ce type de direction. Non seulement le Refuge protestant avait amplement usé de cette figure polémique après 1685, mais encore le monde des lettres françaises attaché à Versailles assumait, avec privilège royal, l'héritage hispano-habsbourgeois de Louis le Grand. On sait bien qu'une certaine histoire a interprété le ministériat de Richelieu et le gouvernement personnel de Louis XIV comme des modèles d'autonomie politique par rapport à la question religieuse, de la « raison d'État » du cardinal à l'apocryphe « l'État c'est moi » du monarque. Voltaire et Tocqueville ont jeté les bases d'une interprétation laïque de la formation de l'absolutisme à la française, plus sensibles, dans leur programme intellectuel, aux institutions qu'aux idéologies. Mais, outre que leurs raisonnements sont empreints de visées téléologiques, ils ne sont pas suivis par ceux des historiens du XIXe siècle qui identifient chez Louis XIV des traits étrangers au génie français, à commencer par l'intransigeance catholique, et assignés à son héritage habsbourgeois. Et si une part de l'œuvre du maître de Versailles est interprétée comme une importation étrangère à la France, sa source ne se trouve pas ailleurs qu'en Espagne.

La période sur laquelle porte cette enquête coïncide en gros avec un long XVIIe siècle. Étant donné ce découpage chronologique, il serait vain d'attendre ici une quelconque symétrie de traitement entre translations de l'Espagne vers la France et de la France vers l'Espagne. Le renversement de 1659 et surtout l'arrivée de Philippe V d'Anjou au trône de Madrid en 1700 jettent les bases d'une influence française en Espagne qui se déploie au temps des Lumières et, surtout, à partir de la Révolution française. Nous saisissons donc le problème à un moment où la balance des échanges est très largement bénéficiaire pour la maison de Habsbourg. Une France espagnole n'appelle pas simultanément l'existence d'une Espagne française. L'objet de cet ouvrage consiste moins à dresser un état des lieux des interactions hispano-françaises au XVIIe siècle qu'à expliciter les enjeux politiques et culturels d'une série de débats qui ont commenté et contribué à produire ces phénomènes de contamination, depuis la fin du XVIe siècle jusqu'à la formation des grands paradigmes historiographiques académiques. Le détour par le travail des historiens des XIXe et XXe siècles permet de mesurer la portée des thèmes idéologiques, littéraires et historiographiques qui ont été forgés au XVIIe siècle dans des textes de toute nature qui avaient en commun d'intervenir dans les processus de compétition politique, et de transfert culturel, entre France et Espagne. Un examen critique de l'historiographie postérieure permettra, on l'espère, de retrouver dans leur fraîcheur les processus d'échanges effectués à l'âge de l'absolutisme et qui semblent être devenus illisibles. Dans la mesure du possible, on essaiera de rétablir les correspondances oubliées qui se sont nouées entre documents historiques, interprétations historiographiques et création littéraire depuis l'époque visée. Suivant en cela la démarche construite par Michel Espagne et Michael Werner, les lectures que nous proposons sont fondées sur l'idée que les transferts culturels sont des phénomènes de nature politique [14]. L'histoire sociale des phénomènes littéraires nous a appris ces dernières années à récuser la division des tâches, grossièrement déterminée par les concours de recrutement ou, pis encore, par l'essentialisation naïve d'un monde de l'archive – historien – opposé à un monde de l'imprimé et de la création – littéraire [15]. Les processus culturels par lesquels le monde des lettres françaises institue une reconnaissance de dette explicite à l'égard de la fiction, de la poésie, du drame, de la théologie et de la jurisprudence espagnols affectent au premier chef l'histoire politique de la France moderne en cela qu'ils jouent un rôle décisif dans la formation d'une culture politique officielle, attachée aux entourages royaux successifs. En outre, l'hommage rendu par la France à l'Espagne en déclin de puissance passe par des formes d'écriture et la mobilisation de genres très divers. Il n'est pas acceptable de vouloir isoler une historiographie spécialisée des autres formes de langage littéraire, au moins jusqu'à la professionnalisation académique du XIXe siècle. Et encore les correspondances, chères à Baudelaire, entre historiens (Jules Michelet, Edgar Quinet, Ernest Lavisse) et les grands ou petits créateurs littéraires de leur temps frappés d'hispanomanie peuvent-elles être mises en évidence. L'inventaire sera nécessairement très incomplet. Mais il prétend attirer l'attention du lecteur sur l'importance que ces monarchies ont eue l'une pour l'autre, en leur temps, et dans la longue durée de l'histoire culturelle des deux sociétés. L'extrême diversité des textes mobilisés et des auteurs cités interdit de livrer une sociologie textuelle des discours. En amont d'une telle recherche, il fallait repérer des développements et des thèmes qui circulèrent dans le monde social, sous forme de textes imprimés, et qui constituèrent des ressources argumentaires, symboliques et imaginaires disponibles pour les hommes du XVIIe siècle.

14. Michel Espagne et Michael Werner (éd.), *Transferts, les relations interculturelles dans l'espace franco-allemand (XVIIIe-XIXe siècle)*, Paris, Éd. Recherche sur les civilisations, 1988.

15. Fernando Bouza, *Comunicación, conocimiento y memoria en la España de los siglos XVI y XVII*, Salamanque, Sociedad española de historia del libro – Sociedad de estudios medievales y renacentistas, 1999 ; Christian Jouhaud, *Les Pouvoirs de la littérature. Histoire d'un paradoxe*, Paris, Gallimard, 2000.

Il s'agit donc de rassembler les pièces éparses d'un dispositif culturel qui, en dépit de l'hommage rendu à la littérature du *Siglo de Oro*, est demeuré relativement inaperçu. Ce passage à l'ombre ne s'explique, nous semble-t-il, pas seulement, ni même principalement, par la cécité chauvine d'une historiographie nationale à la recherche de sa généalogie autochtone, mais aussi par la nature complexe du rapport à l'Espagne tel qu'il s'est déployé tout au long du XVIIe siècle. Des études d'excellente facture ont dressé l'inventaire des motifs hispanophobes, d'autres ont soigneusement relevé les manifestations d'admiration française pour le monde hispanique. Là encore, les questionnaires ont tranché à vif dans un tissu culturel qui n'opposait pas, lui, amour et haine de l'Espagnol. On ne peut sérieusement bâtir une typologie, à deux colonnes, où viendraient se ranger respectivement contempteurs et admirateurs du monde hispanique. Des critiques ont pu observer que les avertissements des premiers traducteurs de Cervantès manifestaient une répulsion à l'égard du pays voisin, tout en plaçant leur propre talent au service de la diffusion de l'œuvre. On a voulu y voir de l'« ambiguïté [16] », on a tenu ces écarts pour autant de « contorsions [17] ». La notion d'ambivalence, dans l'usage si convaincant qu'en fait Pierre Laborie à propos de l'opinion pendant la Seconde Guerre mondiale, nous semble particulièrement utile pour saisir ce qui se produit entre Espagne et France au XVIIe siècle [18]. La fréquentation des auteurs français livre le spectacle d'une double adhésion, amour et haine, qui les traverse, eux et leurs œuvres, à tous les moments du siècle [19]. Ces propos introductifs n'étaient pas innocemment placés

16. Roger Zuber, « Guez de Balzac et l'Espagne », *in* Charles Mazouer (éd.), *L'Âge d'or de l'influence espagnole. La France et l'Espagne à l'époque d'Anne d'Autriche, 1615-1666*, Mont-de-Marsan, Éd. universitaires, 1991, p. 219-228.

17. Georges Molinié, « L'image de l'Espagne dans la culture romanesque baroque », *ibid.*, p. 365-373.

18. Pierre Laborie, *Les Français des années troubles*, Paris, Desclée de Brouwer, 2001, en particulier p. 25-37.

19. Mercé Boixareu et Robin Lefere (éd.), *La historia de España en la literatura francesa. Una fascinación...*, Madrid, Castalia, 2002. Les articles qui composent ce fort volume sur la construction de l'objet Espagne dans les littératures de France, des Flandres francophones et de la Belgique invitent à nuancer les jugements trop abrupts sur l'admiration ou l'hostilité attribuées à leurs représentants à l'égard de l'Espagne.

sous l'exergue de Corneille. Le poète dramatique demeure le héraut d'un génie français, abreuvé de *comedia*, et inventeur de la querelle littéraire française, avec une pièce sur l'un des personnages emblématiques du mythe de croisade espagnol. Et tout cela, l'année de Corbie (1636), quand Louis XIII ne pouvait plus chasser du côté de Compiègne de crainte de subir le même sort que François Ier à Pavie. Il n'est pas jusqu'à l'âpreté des accusations réciproques lancées depuis la France et l'Espagne, l'une contre l'autre, qui ne soit commandée par une convergence fondamentale : l'adhésion à un modèle, en perpétuelle redéfinition, de la catholicité militante [20].

Plutôt que d'avancer, sans examen, qu'il fallait être hostile à l'Espagne pour être « bon français », après les effrois de la Ligue, ne peut-on, sur le mode interrogatif, se demander s'il était possible de rester « bon catholique » en vouant l'Espagne aux gémonies ? Tandis que le déclin militaro-diplomatique de l'Espagne se vérifiait de congrès en congrès, le triomphe de l'intransigeance catholique accompagnait la montée de la puissance française. C'est sans doute pourquoi le basculement des forces n'a pas accentué l'écart ou le contraste entre les deux monarchies. En outre, l'hispanophilie ne se tient pas dans les bornes étroites du zèle et de la dévotion, en ce qu'ils s'opposeraient, par hypothèse, à la « politique » des cardinaux-ministres. Le rapport à l'Espagne ne cadre pas avec des catégories aussi nettes. En outre, il vaut la peine de se demander si cette opposition analytique entre posture dévote et attitude politique rend compte de la complexité des phénomènes d'adhésion et de contamination idéologiques et culturelles. C'est précisément parce que des positions tranchées et de sens contraire coexistent dans les textes et les discours de si nombreux auteurs français, à propos de l'Espagne, que la notion d'ambivalence nous semble apte à décrire ces phénomènes.

Cette France espagnole qu'on entend exhumer ne peut donc se prétendre alternative à la France française de certains de nos manuels : elle se veut complémentaire. Enrichir le modèle d'explication de ce que fut l'Ancien Régime français en restaurant sa dimension hispanique oubliée ou négligée est une des façons pos-

20. Marc Fumaroli, « Préface », *in* Michèle Gendreau-Massaloux (éd.), *Baltasar Gracián, L'art de la pointe*, Genève, L'Âge d'homme, 1983.

sibles de réfléchir aux rapports entre les deux monarchies. Afin de nous prémunir contre les ficelles téléologiques les plus grossières, nous adopterons une démarche régressive, en partant de l'historiographie contemporaine pour mieux appréhender la littérature historique du XVIIe siècle.

PREMIÈRE PARTIE

L'historiographie nationale française et la question espagnole

À toi, veuve du Cid, à toi, sœur de la France,
La fleur que j'ai cueillie au jardin de Valence.
Espagne, à toi ces vœux ! à toi, sœur de la France.

CASIMIR DELAVIGNE, *La Fille du Cid*.

Redevenu simple citoyen, le général de Gaulle effectua en 1970 un voyage privé en Espagne que le dictateur Franco mit en scène comme une visite d'État. Après avoir accordé asile à quelques collaborationnistes et à quelques membres de l'OAS, la « sentinelle de l'Occident » recevait en grande pompe l'homme du 18 Juin et l'ami d'André Malraux. La manipulation franquiste a beaucoup pesé sur l'interprétation de cet ultime acte politique de l'ancien président de la République : reconnaissance de la légitimité du régime espagnol dans le contexte de la guerre froide, sanction positive du décollage socio-économique de l'Espagne des années 1960, hommage d'un soldat à un autre, indice supplémentaire du caractère réactionnaire du credo gaullien. Mais aucune de ces lectures ne paraît rendre justice à la conception de l'histoire qu'expriment les écrits de De Gaulle. Celui qui s'adressait toujours aux nations, russe et chinoise, et pas aux régimes politiques, soviétique ou maoïste, s'adressait alors à l'Espagne par-delà le système franquiste, nécessairement provisoire[1]. Il était porté plus que d'autres à comprendre que l'affirmation internationale de l'hispanité, à Cuba comme au Mexique, transcendait la logique d'affrontement Est-Ouest et contribuait, avec sa France, à contrebalancer la puissance des « Anglo-Saxons ». En outre, profond connaisseur de l'histoire européenne, il avait compris avant d'autres que le développement

1. Le témoignage d'Alain Peyrefitte permet de vérifier cette interprétation : *C'était de Gaulle*, Paris, Gallimard, coll. « Quarto », 2002, p. 1418-1422.

des institutions et l'amplification de la dynamique communautaire ne se feraient pas sans l'Espagne.

Derrière les apparences d'une société politique toujours hantée par la peur, d'une économie encore exportatrice de main-d'œuvre, d'une culture demeurée largement diasporique, il fallait un regard pénétrant pour anticiper le retour de l'Espagne au rang des « grands » États-nations européens. Si telle fut la pensée de De Gaulle lors de sa visite, elle reposait sur l'histoire longue et dense des interactions entre France et Espagne. Pourtant, à l'heure de la construction européenne, quels pays paraissent plus éloignés l'un de l'autre que la France et l'Espagne ? La constitution démocratique de l'« État des autonomies » espagnol (1978), dans sa dynamique, paraît exactement antinomique des principes d'unité et d'indivisibilité qui fondent et figent le centralisme à la française. Ce grand écart politique s'institue alors même que les migrations du travail, les exils politiques et les migrations de loisirs ont noué des liens individuels et collectifs infiniment nombreux et durables de part et d'autre de la frontière. Sur le plan culturel, les interactions ont été intenses au cours du XXe siècle, même porteuses de malentendus. L'histoire de l'art contemporain en France ne se comprend pas sans Picasso, Juan Gris, Dalí, Joan Miró, Antoni Clavé, artistes dont la présence longue et parfois définitive de ce côté-ci des Pyrénées a parfois abouti à une contestable naturalisation. Ces peintres, selon le point de vue que l'on adopte, sont des patrimoines que les deux pays se disputent mais aussi un formidable trait d'union entre eux. Dans le domaine savant, la formation précoce d'un hispanisme académique français, dès le dernier tiers du XIXe siècle, eut et continue d'avoir des effets contrastés. D'un côté, les entreprises des chercheurs français sur l'archéologie, la philologie, l'histoire, les arts de l'Espagne ont ouvert des chantiers qu'une érudition locale défaillante n'avait pas défrichés. D'un autre côté, le magistère français finit par susciter, à mesure que l'Espagne se dotait d'outils scientifiques de niveau international, un rejet de plus en plus vivement exprimé, notamment dans le domaine historiographique.

Aujourd'hui, les dispositifs signalétiques des villes françaises, mobilier urbain et informations touristiques, ont pris acte de la montée en puissance culturelle et économique du monde hispanique. Cette évolution est parallèle au succès de l'apprentissage de la langue castillane dans l'enseignement secondaire. Des chroniques taurines de plusieurs quotidiens nationaux à la *feria* de Nîmes, de la consommation discographique du flamenco aux applaudissements nourris qui accueillent les artistes lyriques formés à Madrid ou Barcelone, du succès réservé au cinéma espagnol à la multiplication des traductions littéraires qui ne doit désormais plus rien au triomphe planétaire du réalisme magique hispano-américain, la présence culturelle espagnole en France est devenue une évidence. Si l'on pouvait, à l'aide d'indicateurs crédibles, mesurer la balance des échanges culturels, il n'est pas certain qu'aujourd'hui l'Espagne soit déficitaire dans ses rapports à la France. En Espagne, ce sont désormais les quinquagénaires et leurs aînés qui se piquent de savoir mieux le français que l'anglais, dominant chez les plus jeunes. Cependant, le commerce de la France demeure important pour l'Espagne, dans des domaines aussi divers que l'ambition méditerranéenne, l'échange réciproque de touristes, la coordination des politiques antiterroristes, l'inscription des enfants dans le système scolaire français sur place.

L'intensité de l'interaction hispano-française n'est pas, loin s'en faut, une expérience historique nouvelle, surdéterminée par la construction de l'Union européenne. Mais les contrastes politiques qui opposent les deux pays comme deux modèles institutionnels presque antithétiques tendent à masquer l'importance d'une histoire partagée. De celle-ci, on n'a gardé qu'une mémoire fragmentée, pièces disjointes d'un dispositif dont l'ensemble est devenu illisible. Il demeure brouillé côté français sur le mode de la complaisance, côté espagnol sur celui de la récrimination. Cette enquête propose de recoller quelques morceaux épars de cette histoire, en s'interrogeant sur la force du modèle espagnol dans la formation de l'absolutisme français. Pendant tout le XVIe siècle et une bonne partie du XVIIe siècle, l'Espagne a fait valoir sa supériorité militaro-diplomatique, son orthodoxie et son militantisme catholiques, sa puissance créatrice à travers toute la chrétienté. Le royaume de France, comme la plupart des pays d'Europe occidentale, a subi et reçu les effets de cette prépondérance. Mais l'impact direct du triomphe hispanique fut particulièrement vif dans l'espace français.

L'Europe du XVIIe siècle a vu la puissance espagnole céder le pas à la française. Le traité des Pyrénées de 1659 et le mariage de Louis XIV avec l'infante Marie-Thérèse, fille de son oncle maternel Philippe IV, sanctionne ce nouveau rapport de forces. Au *Siglo de Oro* succède le Grand Siècle. On aurait pu s'attendre à ce que l'historiographie de l'État national triomphant du XIXe siècle, si insensible par bien des aspects aux spécificités irréductibles de l'Ancien Régime, abonde dans le sens d'une présentation dichotomique de l'expérience française et de l'histoire espagnole, dans le renversement de puissance du XVIIe siècle. La France absolutiste, moderne dans ses structures administratives et capable de créer les conditions de l'autonomisation de la politique par rapport à la religion, l'emporte-t-elle sur une Espagne archaïque dans ses institutions et impuissante à se dégager de la gangue théologico-politique médiévale ? La réponse qu'apportent les grands fondateurs de l'historiographie moderne à une question de ce type est plus nuancée qu'on pourrait s'y attendre. En effet, l'examen des classiques de l'historiographie française, de la monarchie de Juillet à la IIIe République, invite à proposer un tableau complexe. Richelieu, pour « espagnole » ou dévote qu'ait été son entrée en politique aux côtés de Marie de Médicis, est tout entier investi par l'histoire intellectuelle de la raison d'État, et fait office historiographique d'anti-Espagne [2]. La lutte contre le parti dévot à l'intérieur, contre l'Espagne de Philippe IV dans l'alliance avec les provinces rebelles de la Hollande protestante à l'extérieur, font du cardinal un « bon Français », suivant les catégories activées pendant la reconquête royale d'Henri IV contre la Ligue. Mais tel n'est pas le cas de Louis XIV, pour françaises qu'aient été ses conquêtes aux bornes du royaume, qui, fils et époux d'Espagnoles, assumait les songes de monarchie universelle dans leur tonalité catholique. Comment interpréter la trajectoire politique d'un roi qui dessine l'hexagone national à la pointe de l'épée et ampute le royaume de ses sujets protestants ?

2. La somme d'Étienne Thuau, *Raison d'État et pensée politique à l'époque de Richelieu*, Paris, Colin, 1966, demeure l'ouvrage de référence pour dessiner le profil « raison d'État » du principal ministre de Louis XIII (rééd., Paris, Albin Michel, coll. « Bibliothèque de l'évolution de l'humanité », 2000).

Ernest Lavisse, diseur de vérités officielles[3], dans une page étonnante du formidable *Louis XIV* de son *Histoire de France*, pointait cette contradiction en retrouvant, peut-être sans le savoir, toute l'efficacité du concept de « politique espagnole[4] ». Ce texte servira de point de référence à toute cette première partie. C'est pour mieux en percevoir la puissance que s'organise l'ensemble des analyses qui suivent. Voici le portrait hispanique du maître de Versailles que livre celui de la Sorbonne républicaine :

> Il était de France, mais d'Espagne tout autant et même davantage. [...] Ni le sérieux continu n'est de chez nous, ni cette naturelle hauteur, ni l'ordre hiératique imposé à la Cour, dont Anne d'Autriche regrettait la confusion et le sans-gêne, ni la distance du Roi au reste des hommes, ni le mélange de luxure et de dévotion, ni le gouvernement par le cabinet et par les bureaux, ni l'ambition de paraître dominer l'Europe, ni la politique de se mêler à toutes les affaires, ni la totale confusion de l'État et de la religion, où semblent vivre les souvenirs des autodafés d'Aragon ou de Castille, ni Versailles enfin, domicile, comme l'Escurial, d'une majesté qui s'isole hors de la vie commune pour n'habiter qu'avec elle-même. [...]
> C'est d'Espagne-Autriche, semble-t-il, plus encore que de France que Louis XIV a reçu son orgueil énorme, invraisemblable, pharaonique ; mais des circonstances historiques françaises ont éveillé et surexcité en lui le sentiment atavique[5].

Bien que la rationalité raciale ait été fort prisée jusque dans les cercles les plus solidement républicains, le raisonnement de Lavisse ne porte que très accessoirement sur les liens de sang qui rattachent Louis Dieudonné aux Habsbourg de Madrid[6]. L'importa-

3. François Hartog, « Comment écrire l'histoire de France ? », *Annales HSS*, 1995, n° 6, p. 1219-1236 ; Pierre Nora, « Lavisse, instituteur national », *in* Pierre Nora (éd.), *Les Lieux de mémoire*, t. I, *La République*, Paris, Gallimard, 1984, p. 247-289.

4. Voir Fray Juan de Salazar, *Política española*, éd. Miguel Herrero García, Madrid, Centro de Estudios constitucionales, 1997.

5. Ernest Lavisse, *Louis XIV*, t. I, Paris, Tallandier, 1978, p. 133.

6. René Grousset, de son côté, n'hésite guère à donner un tour héréditaire et bio-physiologique à l'assertion d'Ernest Lavisse. Voir René Grousset, *Figures de proue*, Paris, Plon, 1949, p. 175 et 198.

tion en France de l'étiquette bourguignonne durcie en Castille, opérée par l'entremise d'Anne d'Autriche et confirmée, dans une parfaite continuité, par la présence de Marie-Thérèse, d'une part, l'émulation du bâtiment de Versailles par rapport au modèle universel de l'Escurial, d'autre part, encadrent le raisonnement. Le caractère « pharaonique » de Louis XIV, déjà évoqué par Stendhal [7], parce que hispanique, est déduit de l'« ambition de paraître dominer l'Europe », c'est-à-dire de l'assomption du projet de construction de la monarchie universelle au bénéfice de la maison de Bourbon. Au cœur de l'argument, deux éléments essentiels fondent le parallèle hispano-français : la confusion des registres religieux et politique, d'une part, et la bureaucratie, de l'autre. À l'évidence, les deux motifs centraux tendent un pont imaginaire entre Louis XIV vieillissant et Philippe II. L'engendrement réciproque de la politique de cabinet et de l'intransigeance religieuse a quelque chose de proprement monstrueux, dans un registre que l'historiographie partage avec la littérature du temps [8]. En associant le souvenir du Roi-Soleil à celui des bûchers de l'Inquisition, Ernest Lavisse lance au visage de son lecteur une image d'une violence dont il convient de goûter toute l'intensité. Il associe, en effet, un roi de France à celle des institutions ibériques qui, non sans raison, inspire la plus forte répugnance à la république des lettres, au moins depuis le siècle des Philosophes. Ce faisant, Lavisse se situe au point le plus opposé du modèle que constitue encore *Le Siècle de Louis XIV* de Voltaire. Les variations qui, de l'un à l'autre, se sont manifestées nous renseignent autant à propos du regard porté sur Louis le Grand que sur l'interaction hispano-française.

Du commentaire voltairien, qui propose une évaluation des puissances, à celui de Lavisse, qui renoue les fils du nœud théologico-politique en le renvoyant à ses racines hispaniques, se dessine le

7. « La cour de Louis XIV, pour qui sait la voir, ne fut jamais qu'une table de *pharaon* » (Stendhal, « De l'état de la Société par rapport à la comédie sous le règne de Louis XIV », in *Racine et Shakespeare* [1823-1825], Paris, Jean-Jacques Pauvert, 1965, p. 190).

8. Richard L. Kagan, « Prescott's Paradigm : American Historical Writing and the Decline of Spain », *American Historical Review*, vol. CI, avril 1996, p. 423-446.

champ des interprétations historiographiques de la question. L'opération d'hispanisation du roi de France a été relevée mais n'a pas toujours été tenue pour importante [9]. La proposition de Lavisse ne s'inscrit évidemment pas dans un vide textuel. Quand bien même il le souhaiterait, il ne peut éviter de mobiliser, de façon plus ou moins volontaire, une foule de représentations concernant l'Espagne moderne qui sature le domaine littéraire français, depuis le début du XIXe siècle. Il convient de dresser un état des lieux provisoire de cette avalanche textuelle pour mieux saisir le sens et évaluer la portée de la page de Lavisse.

9. C'est le cas de William Church, *Louis XIV in Historical Thought. From Voltaire to Annales School*, New York, W.W. Norton & Company, 1976, p. 47. L'opinion de Lavisse est mentionnée sans autre commentaire.

1

Hispanomanie et légende noire

Le goût de l'Espagne

Nombreuses sont les œuvres romanesques, dramatiques ou poétiques qui contribuent à la popularisation de la *leyenda negra* (légende noire) dont Julián Juderías présenta un inventaire et une réfutation à la veille de la Première Guerre mondiale [1]. Prosper Mérimée, Théophile Gautier, Gustave Doré, Édouard Manet, Georges Bizet ou encore la danseuse Dolorès Serral sont, sans doute, les artistes qui ont le plus contribué à véhiculer dans la France du XIXe siècle des visions folkloriques et mystérieuses d'une Espagne toute d'ombres et de lumières [2]. Dès les premières décennies du siècle, les travers de la littérature hispanomane n'ont pas échappé aux

1. Julián Juderías, *La leyenda negra. Estudios acerca del concepto de España en el extranjero* [1914], Salamanque, Junta de Castilla y León, 1997 ; Sverker Arnoldson, *La leyenda negra, estudios sobre sus origenes*, Göteborg, Elander, 1960 ; Ricardo García Carcel, *La leyenda negra. Historia y opinión*, Madrid, Alianza, 1992, p. 184-197.

2. La question des transferts culturels de l'Espagne vers la France au XIXe siècle a fait l'objet de plusieurs études érudites : Ernest Martinenche, *Histoire de l'influence espagnole sur la littérature française : l'Espagne et le Romantisme*, Paris, Hachette, 1922 ; Alberta Server, *L'Espagne dans « La Revue des Deux Mondes » (1829-1848)*, Paris, De Boccard, 1939 ; Léon-François Hoffmann, *Romantique Espagne. L'image de l'Espagne en France entre 1800 et 1850*, Princeton-Paris, Princeton University Press – Presses universitaires de France, 1961 ; Jean-René Aymes, *L'Espagne romantique (témoignages de voyageurs français)*, Paris, Métailié, 1983. On dispose d'un instrument de travail précieux grâce au répertoire bibliographique de Margaret Rees, *French Authors on Spain 1800-1850*, Londres, Grant & Cutler, 1977.

écrivains espagnols eux-mêmes, comme en témoignent les sarcasmes de Mesonero Romanos : « Les Français, les Anglais, les Allemands et autres étrangers ont essayé de décrire l'Espagne du point de vue moral ; mais soit ils ont créé un pays idéal de romantisme et de quichotisme, soit, indifférents au passage du temps, ils l'ont décrite telle qu'elle n'est plus, mais telle qu'elle a pu être sous les Habsbourg [...] [3]. » Cependant, à y regarder de près, les visions les plus caricaturales ou topiques se doublent, le plus souvent, chez les écrivains français, d'une profonde connaissance de la culture espagnole. L'idée que la littérature hispanomane du XIXe siècle a été, pour l'essentiel, une collection de clichés pourrait bien n'être à son tour qu'un cliché. On le verra, ce qui caractérise l'accumulation de références à l'Espagne dans la société des lettres françaises, de la Restauration à la IIIe République, est un alliage de lieux communs et d'observations fines, de bienveillance et de rejet, où pari sur l'avenir de l'Espagne se conjugue avec critique, plus ou moins vive, de son passé historique. Il est certain, en tout cas, que la question espagnole ne perd pas en complexité dans le traitement que lui font subir les auteurs les plus célèbres du XIXe siècle. Leurs œuvres nous importent ici, car elles constituent le bruit de fond culturel sur lequel ont été conduites les analyses historiographiques du parallèle entre l'Espagne du Siècle d'or et la France du Grand Siècle.

Il se peut qu'au XXe siècle on ait perdu la mémoire de l'importance de la référence culturelle espagnole en France. Les engouements héroïques d'Henry de Montherlant, l'inspiration néocatholique de Paul Claudel, le goût de Paul Valéry pour Góngora [4], l'amitié de Jean Cassou pour Miguel de Unamuno [5] ou l'engage-

3. Ramón de Mesonero Romanos, « Las costumbres de Madrid » [1832], in *Escenas matritenses*, Madrid, Busma, 1984. *« Los franceses, los ingleses, alemanes y demás extranjeros han intentado describir moralmente la España ; pero o bien se han creado un país ideal de romanticismo y quijotismo, o bien, desentendiéndose del transcurso del tiempo, la han descrito no como es, sino como pudo ser en tiempo de los Felipes... »* (p. 34).

4. Monique Allain-Castrillo, *Paul Valéry y el mundo hispánico*, Madrid, Gredos, 1995.

5. Entre autres manifestations, Jean Cassou fait précéder d'un « retrato de Unamuno » le livre de Miguel de Unamuno, *Como se hace una novela* [1927], Madrid, Alianza, 1978, p. 91-102.

ment de Georges Bernanos contre le franquisme ne suffisent pas à entretenir la flamme de l'hispanomanie du siècle précédent. Quant à *L'Espoir* d'André Malraux, à côté de quelques œuvres littéraires mobilisées par un antifascisme généralisé, il apparaît *a posteriori* comme le certificat de décès de la circulation intellectuelle entre les deux pays. Les historiens qui ont lancé les grands chantiers d'enquêtes économiques et sociales de l'après-Seconde Guerre mondiale, Fernand Braudel, Henri Lapeyre, Pierre Chaunu, exception faite de Pierre Vilar, ne s'interrogent guère sur l'histoire de l'Espagne comme espace politico-culturel spécifique. Les vagues d'introspection mélancolique lancées par les intellectuels espagnols de la fin du XIXe siècle, la réflexion critique de José Ortega y Gasset sur l'invertébration de l'Espagne, sans être ignorées, n'occupent pas la place qui aurait dû leur revenir dans le monde intellectuel français. Les discussions pleines d'aigreur qui, après la Guerre civile (1936-1939), opposèrent les grands noms de l'exil, Américo Castro contre Claudio Sánchez Albornoz, précisément sur la question de l'hispanité, ne sont reçues que dans les bornes étroites d'un hispanisme professionnel et universitaire, sans affecter en profondeur le débat général. Pour le reste, des appropriations surréalistes aux usages hollywoodiens de la tauromachie, du tricorne de la Garde civile aux robes à pois des Sévillanes, de la rareté encore romantique d'une Espagne repliée sur elle-même par la volonté de Franco à la consommation touristique de masse des années 1960, il se peut bien que la réduction de l'Espagne à quelques vignettes folkloriques ait atteint les sommets de l'approximation au XXe siècle, bien plus qu'au siècle précédent.

Légère et sérieuse, sympathique et hostile, l'hispanomanie française du XIXe siècle conjugue des registres contradictoires. Mais sur ces différentes modalités elle place la question espagnole au cœur des discussions, dans un débat généraliste qui ne doit encore rien à l'hispanisme universitaire. Les évocations littéraires de l'Espagne ne touchent parfois que marginalement, ou pas du tout, la réflexion historique spécialisée, mais elles constituent le terreau imaginaire et textuel dans lequel s'enracinent les discours savants.

Du côté de l'amabilité frivole, on se souviendra, par exemple, qu'Alfred de Musset s'est fait connaître du monde par un premier recueil de pièces poétiques d'inspiration espagnole et italienne[6]. Dans le long poème « Don Paez » est recréée l'Espagne picaresque, la plus attendue[7]. La chanson intitulée « L'Andalouse », mise en musique par Hippolyte Monpou, connut un succès phénoménal, attesté par des allusions immédiates chez Balzac, et plus tardives chez Ponson du Terrail, Flaubert, ou encore Labiche[8]. Mais c'est là, comme dans le poème « Madrid », une Espagne piquante et mignarde qui est livrée au lecteur.

On a volontiers retenu des œuvres littéraires hispanomanes le goût du scabreux, de l'étrange, voire du fantastique et de l'érotique[9], oubliant peut-être trop vite que la question espagnole pouvait être plus sérieuse et moins pittoresque pour les hommes du XIXe siècle français. L'exotisme espagnol est rarement instrumental pour des générations qui n'ont pas encore enregistré la distance par rapport à la France qui atteint ses manifestations les plus intenses au XXe siècle. On ne saurait attribuer les inexactitudes et les erreurs commises par Théophile Gautier ou Prosper Mérimée à la légèreté supposée des auteurs. La charge féroce de Bretón de los Herreros contre le touriste français, à travers le personnage ridicule de Gustave de Martignac, vise, entre autres, Gautier, non sans une certaine injustice[10]. Même si certaines des pages des auteurs français paraissent fantaisistes, leur intérêt pour l'Espagne de leur temps et son passé historique est très profond. Gautier, contrairement à la plupart des voyageurs qui ont parcouru la Péninsule depuis les premières années du XVIIe siècle, expose en pleine lumière ce dont est fait l'imaginaire de celui qui entreprend le voyage. Il demeure conscient de ce qu'une distance s'impose entre l'Espagne qu'on traverse et l'idée que la littérature et les arts ont forgée d'elle en nous : « [...] je vais peut-être perdre une de mes illusions, et voir

6. Alfred de Musset, *Poésies complètes*, Paris, Gallimard, coll. « Bibliothèque de la Pléiade », 1957.

7. *Ibid.*, p. 4-17.

8. *Ibid.*, p. 73-74.

9. Tel est le cas du poème de Charles Baudelaire, « Lola de Valence », inspiré d'un tableau d'Édouard Manet (*Les Épaves*, in *Œuvres complètes*, t. I, Paris, Gallimard, coll. « Bibliothèque de la Pléiade », 1975, p. 168).

10. Manuel Bretón de los Herreros, *Un francés en Cartagena*, Madrid, Repullés, 1843.

s'envoler l'Espagne de mes rêves, l'Espagne du romancero, des ballades de Victor Hugo, des nouvelles de Mérimée et des contes d'Alfred de Musset[11]. » L'attitude de Gautier consiste moins à véhiculer des lieux communs qu'à épater le bourgeois, par exemple grâce au récit flamboyant d'une course de taureaux. Mais il manifeste une attention aiguë aux risques du folklorisme facile : « Ce que nous entendons en France par type espagnol n'existe pas en Espagne, ou du moins je ne l'ai pas encore rencontré[12]. » Par un effet de retour, le voyageur renseigne le lecteur, en plusieurs moments de son récit, sur la présence espagnole à Paris, en tant qu'elle contribue à forger l'imaginaire espagnol des Français sous la Restauration et la monarchie de Juillet : « Les danses espagnoles n'existent qu'à Paris, comme les coquillages, qu'on ne trouve que chez les marchands de curiosités, et jamais au bord de la mer[13]. » Ainsi l'hispanomanie parisienne peut-elle se trouver, en partie, corrigée par la visite de l'Espagne. C'est ainsi que Gautier livre une observation philologique que les librettistes de Bizet, Meilhac et Halévy n'ont pas dû connaître[14] : « [...] l'on ne dit pas non plus toreador, mais bien torero. Je donne, en passant, cet utile renseignement à ceux qui font de la couleur locale dans les romances et les opéras comiques[15]. » Sa conscience critique lui permet d'identifier chez ses interlocuteurs espagnols – visités – un regard combatif à l'égard des simplifications abusives dont se sont rendus coupables certains auteurs de récits de voyages : « Une de leurs prétentions, c'est de n'être ni poétiques ni pittoresques[16]. » On aura l'occasion de le constater sur pièces, l'attitude de Théophile Gautier est tout sauf naïve, il n'est pas le touriste infatué à qui l'on peut vendre

11. Théophile Gautier, *Voyage en Espagne* [1843], Paris, Garnier-Flammarion, 1981, p. 75 (chap. II).

12. *Ibid.*, p. 145 (chap. VIII).

13. *Ibid.*, p. 88 (chap. IV).

14. Gautier songe aux mélodrames et aux vaudevilles auxquels se pressent les Parisiens sous la monarchie de Juillet : Tyrtée Tastet, *Le Toréador*, créé au théâtre de la Gaîté le 29 avril 1839 ; Anne-Joseph Duveyrier [Mélesville], *Le Toréador*, créé au théâtre du Palais-Royal, le 18 octobre 1839. Mélesville est un fabricant industriel de pièces espagnoles depuis son *Abenhamet ou les deux héros de Grenade*, créé à l'Ambigu-Comique le 18 septembre 1815.

15. Théophile Gautier, *Voyage en Espagne*, *op. cit.*, p. 126 (chap. VII).

16. *Ibid.*, p. 119 (chap. VI).

une Espagne de pacotille conforme aux scènes de vaudeville dont il était si friand. La force de certaines de ses analyses, entre quelques belles exagérations qui ont plus volontiers retenu la critique, est un indice de la qualité de l'information dont on pouvait alors disposer sur l'Espagne et sur la bienveillance d'un regard destiné à être partagé par le public français.

De nombreux écrivains, parmi les plus importants dans la France du premier XIXe siècle, placent le pays voisin, son histoire et son avenir au cœur de la réflexion de tout honnête homme de leur temps. Quelques-uns des plus grands noms de la première vague romantique ont accordé à l'Espagne une attention centrale. Victor Hugo, qui n'était pas alors un père de la France républicaine, y situait sa « patrie mentale »[17]. Son père, « ce héros au sourire si doux », Léopold Hugo, général de l'armée du roi Joseph Bonaparte, a laissé une chronique de sa guerre d'Espagne[18]. Son frère aîné, Abel Hugo, fut l'éditeur en France du *Romancero* espagnol en 1822 et publia deux essais, l'un sur l'entreprise napoléonienne en Espagne, l'autre sur l'intervention ultra de 1822[19]. Victor, ancien élève du collège des nobles de la rue Hortaleza[20], au cœur de Madrid, a gardé de son enfance une sensibilité aiguë à l'égard de la culture espagnole que manifestent les évocations mauresques des *Orientales*, la reconnaissance accordée au théâtre espagnol dans le

17. Victor Hugo, *Ruy Blas*, édition critique établie par Anne Ubersfeld, Paris, Annales de l'Université de Besançon - Les Belles Lettres, 1971, t. I, p. 38. Anne Ubersfeld montre dans son étude que « l'Espagne occupe, toute sa vie, la sensibilité et l'imagination de Hugo » (p. 37). Septuagénaire, Hugo évoque l'agonie de son fils François-Victor en parfait Espagnol dans son journal ; voir *Choses vues, 1870-1885*, éd. Hubert Juin, Paris, Gallimard, coll. « Folio », 1972, p. 322.

18. Léopold Hugo, *Mémoires du général Hugo*, éd. Louis Guimbaud, Paris, Éd. Excelsior, 1934.

19. Abel Hugo, *Romancero e historia del rey de España don Rodrigo, postrero de los Godos, en lenguage antiguo*, Paris, Boucher, 1821 ; *Précis historique des événements qui ont conduit Joseph Napoléon sur le trône d'Espagne*, Paris, Pochard, 1823 ; *Les Français en Espagne, à-propos-vaudeville en 1 acte*, Paris, Ponthieu, Petit, Pollet, 1823, joué au Second Théâtre-Français (Odéon), 24 août 1823 ; *Histoire de la campagne d'Espagne en 1823*, Paris, Lefuel, 2 vol., 1824-1825.

20. Anne Ubersfeld et Guy Rosa (éd.), *Victor Hugo raconté par Adèle Hugo*, Paris, Plon, 1985, p. 226-239.

feu de la lutte littéraire du romantisme dramaturgique, par le choix de sujets espagnols pour ses pièces : *Hernani* (1830), *Ruy Blas* (1838), *Torquemada* (1859-1882)[21].

Chateaubriand, lorsqu'il raconte l'expédition des Cent Mille Fils de Saint Louis, cette troupe française mandatée par la Sainte-Alliance en Espagne en 1822 pour réprimer la révolution libérale et émanciper l'intransigeant roi Ferdinand VII de la tutelle des *Cortes*, évoque, non sans quelque coquetterie, « [sa] guerre d'Espagne, le grand événement politique de [sa] vie[22] ». Il partage sans doute avec les cercles ultras de la Restauration une admiration profonde à l'égard de l'Espagne qui coïncide, comme le note Paul Bénichou, avec la révérence à l'égard du Grand Siècle contre l'héritage philosophique[23]. Sur le bord opposé, Stendhal, en libéral post-napoléonien fidèle, abhorre conjointement l'Espagne catholique intransigeante et le « siècle de Louis XIV »[24]. Dans le domaine littéraire, madame de Staël considère que la littérature du Grand Siècle appartient, au même titre que celle de l'Espagne du *Siglo de Oro*, à la catégorie des « littératures du Midi », par opposition au domaine germanique et au romantisme qu'il s'agit alors de défendre[25]. À la fin de la monarchie de Juillet, Philarète Chasles, l'un des papes de la critique et historien de la littérature, dans ses *Études sur l'Espagne et sur les influences de la littérature espagnole en France et en Italie*, reproche à Sismondi de rejeter dans une même

21. Sur la longue gestation de cette pièce tardive, voir Paul et Victor Glachant, *Essai critique sur le théâtre de Victor Hugo. Les drames en prose. Les drames épiques – les comédies lyriques (1822-1886)*, Paris, Hachette, 1903, p. 262 *sq.*

22. François-René de Chateaubriand, *Mémoires d'outre-tombe*, Paris, Le Livre de Poche, 1973, t. II, p. 550.

23. Paul Bénichou, *Le Sacre de l'écrivain, 1750-1830. Essai sur l'avènement d'un pouvoir spirituel laïque dans la France moderne* [1973], Paris, Gallimard, 1996, p. 122-132.

24. « Les Espagnols, air grossier, dur, barbare. L'antipode de la grâce italienne et de l'urbanité française » (1er décembre 1838, *in* Stendhal, *Œuvres intimes*, Paris, Gallimard, coll. « Bibliothèque de la Pléiade », t. II, 1982, p. 340). Voir également Paul Bénichou, *Le Sacre de l'écrivain*, *op. cit.*, p. 300-318.

25. Madame de Staël, *De la littérature dans ses rapports avec les institutions*, in *Œuvres complètes*, Paris, Didot, 1836, t. I, p. 252. Cité par Michel Espagne, *Le Paradigme de l'étranger. Les chaires de littératures étrangères au XIXe siècle*, Paris, Éd. du Cerf, 1993, p. 184-185.

exécration Louis XIV et le drame espagnol[26]. Chasles, représentant brillant de l'ultracisme intellectuel[27], explicite la portée réactionnaire de l'intérêt pour la culture hispanique. Il invite à faire l'éloge symétrique des littératures du *Siglo de Oro* et du Grand Siècle, non seulement en tant que sommets respectifs, mais aussi comme moments liés entre eux. Mais pour Chateaubriand l'Espagne revêt une signification politique précise bien avant l'affaire des Cent Mille Fils de Saint Louis et la victoire ultra de la Sainte-Alliance au Trocadéro.

En effet, l'année même où le vicomte de Chateaubriand, rentré en France et toléré par l'autorité impériale, célébrait la première publication des *Mémoires* de Louis XIV (1806)[28], il faisait paraître dans le *Mercure* un article qui provoqua la fureur de Napoléon. Les biographes de Chateaubriand évoquent l'affaire de l'article du *Mercure*[29]. Mais ils omettent de signaler que ce célèbre texte portait sur la description de l'Espagne d'Alexandre de Laborde[30]. Ce compte rendu offre à Chateaubriand l'occasion d'évoquer le sort des Mesdames Tantes, de louer les prêtres réfractaires qui avaient cherché refuge dans le plus catholique des royaumes et surtout d'exalter la tradition hispanique de résistance face aux envahisseurs, note prémonitoire de ce qui deviendrait le cauchemar de Napoléon et de son frère Joseph. Prenant d'avance le contre-pied d'un lieu commun littéraire qui servait à dénoncer l'inhumanité de Philippe II à travers la description horrifiée de l'Escurial, l'auteur tient le célèbre bâtiment pour « le

26. Philarète Chasles, *Études sur l'Espagne et sur les influences de la littérature espagnole en France et en Italie*, Paris, Amyot, 1847, p. 10.

27. Philarète Chasles est qualifié de « meilleur critique littéraire du parti ultra » par Françoise Parent-Lardeur, *Lire à Paris au temps de Balzac. Les cabinets de lecture à Paris, 1815-1830* [1981], Paris, Éd. de l'EHESS, 1999, p. 231. Voir également Claude Pichois, *Philarète Chasles et la vie littéraire au temps du romantisme*, 2 vol., Paris, José Corti, 1965.

28. François-René de Chateaubriand, « Les Mémoires de Louis XIV », in *Œuvres complètes*, Paris, Ladvocat, 1826, t. XXI, *Mélanges littéraires*, p. 263-282.

29. Michel Lelièvre, *Chateaubriand polémiste*, Paris, Presses universitaires de France – Université de Picardie, 1983, p. 235-241 ; Jean-Pierre Clément, *Chateaubriand. Biographie morale et intellectuelle*, Paris, Flammarion, 1998, p. 227-228.

30. François-René de Chateaubriand, « Sur le voyage pittoresque et historique de l'Espagne par M. Alexandre de Laborde », in *Œuvres complètes*, *op. cit.*, t. XXI, p. 305-335.

plus remarquable des monuments[31] ». Comme d'autres écrivains de son temps, il aime à évoquer une connivence hispano-française qui ne doit rien aux projets antichrétiens des francophiles espagnols appuyés par Napoléon mais s'enracine, au contraire, dans une communion spirituelle et dynastique. C'est ainsi qu'il compare les célèbres instructions de Louis XIV à son petit-fils Philippe d'Anjou, destiné à devenir Philippe V d'Espagne, au testament de Saint Louis. Sans doute était-ce là plus que ne pouvait tolérer la censure de l'empereur : « Mon premier article sur le voyage en Espagne de M. de Laborde faillit me coûter cher : Buonaparte menaça de me faire sabrer sur les marches de son palais, ce furent ses expressions. Il ordonna la suppression du *Mercure* [...]. *Le Journal des débats*, qui avoit osé répété l'article, fut bientôt ravi à ses propriétaires[32]. » Cette première passe d'armes, toute littéraire, révèle donc l'usage qui pouvait être fait de la question espagnole dans la polémique politique française sous l'Empire.

L'œuvre de Mérimée, dont on aurait tort de ne retenir que le livret tiré de sa nouvelle *Carmen*, manifeste elle aussi un mélange de sympathie littéraire et de compétence. Si l'on en juge par la série d'articles publiés dans *Le Globe*, dès 1824, sur le théâtre espagnol de son temps, y compris à propos de pièces non traduites, on ne peut lui faire grief d'avoir utilisé une Espagne de clichés, dont il aurait tout ignoré, pour fabriquer de la couleur locale bon marché. L'estime dans laquelle il tient l'art dramatique espagnol est évidente : « Tel qu'il est, le théâtre espagnol a servi de modèle à tous les autres. Anglais, Allemands, Français ont exploité la même mine, et je suis sûr qu'il n'existe pas à la scène une situation qu'on ne puisse retrouver dans les comédies espagnoles des XVIe et XVIIe siècles. *Faust* même, ce drame qui semble si original, offre une ressemblance frappante avec *El mágico prodigioso* de Calderón ; sans l'Inquisition, je crois même que l'Espagnol nous aurait donné un diable un peu plus diable que le triste Méphistophélès[33]. »

31. *Ibid.*, p. 325.
32. *Ibid.*, p. 2.
33. Prosper Mérimée, « Comella », *Le Globe*, 23 novembre 1824, publié par Patrick Berthier *in* Prosper Mérimée, *Théâtre de Clara Gazul* [1825], Paris, Gallimard, coll. « Folio », 1985, p. 348-350.

À travers la parodie, tout à fait dans la veine de Cervantès, à laquelle il se livre en inventant le personnage de Clara Gazul, Prosper Mérimée s'adresse autant au public français qu'au public espagnol éclairé, dans sa lutte contre le traditionalisme. Dans le prologue de la saynète consacrée à l'Inquisition, *Une femme est un diable*, il précise : « Les Espagnols émancipés ont appris à distinguer la vraie dévotion de l'hypocrisie. C'est eux que l'auteur prend pour juges, sûr qu'ils ne verront qu'une plaisanterie là où le bon Torrequemada aurait vu la matière d'un autodafé, avec force sanbenitos [34]. » L'œuvre de Mérimée, dans son rapport à l'Espagne, semble contenir les différents registres qui sont constamment mobilisés dans la France du XIXe siècle. L'usage romantique de l'espagnolade, la dénonciation de l'obscurantisme et l'exaltation de l'Espagne future, une réelle connaissance de la culture et de la vie intellectuelle du pays : toutes ces attitudes font bon ménage.

On l'aura compris, les sensibilités françaises à l'égard de l'Espagne demeurent complexes au XIXe siècle. Les courants ultras et catholiques intransigeants trouvent leur compte dans cette « réserve spirituelle » que demeure l'Espagne de leur temps. Les libéraux et les héritiers de la Révolution, même s'ils constatent que le soulèvement populaire contre l'invasion étrangère se produit contre l'empereur et non contre les Cent Mille Fils de Saint Louis, ne ménagent pas leur admiration pour la nation insurrectionnelle de 1808. Ils conservent la mémoire de l'œuvre du libéralisme gaditan, reçoivent les exilés politiques et placent leurs espoirs dans l'avenir de l'Espagne dès la mort de Ferdinand VII (1833). L'hispanomanie trouve dès lors à se déployer dans des registres apparemment contradictoires sur le plan idéologique. Du côté de la pensée démocratique et laïque, les traits anti-espagnols les plus acérés portent sur le passé hispanique, dénoncé par les libéraux espagnols eux-mêmes, à commencer par les pères de la Constitution de Cadix. Écrivains, penseurs et historiens du XIXe siècle réfléchissent à la question espagnole dans un perpétuel va-et-vient de son histoire à son actualité. Ils partagent un langage en partie commun, fait de motifs reconnus par tous, de passages nécessaires, qui circulent sans peine des genres littéraires les uns vers les autres et détermi-

34. Prosper Mérimée, *Théâtre de Clara Gazul*, *op. cit.*, p. 124.

nent, sans nul doute, les démarches savantes comme les fantaisies à la mode du jour. Un inventaire provisoire de ces motifs, autour de quelques tendances représentatives des consommations littéraires, rend plus explicites et visibles les ressources imaginaires mobilisées par les historiens, en particulier ceux qui acceptent la validité du rapprochement hispano-français comme hypothèse de travail sur le XVIIe siècle.

L'Espagne africaine

Stendhal distingue islam et africanité espagnols : « Si l'Espagnol était Mahométan il serait un Africain complet[35]. » Il s'agit pourtant de thèmes étroitement imbriqués et récurrents dans la construction littéraire et intellectuelle de l'Espagne. L'une des étrangetés – entendons par là phénomène qui installe une distance – principales de l'espace ibérique tient aux traces culturelles et sociales que paraissent avoir laissé l'islam médiéval et le crypto-islam postérieur. La nouvelle élégiaque de Chateaubriand *Les Aventures du dernier Abencérage* s'inscrit dans une tradition littéraire qui prend Grenade pour objet et demeure profondément ancrée dans le public français depuis le XVIIe siècle. Le thème préserve une formidable ambiguïté. Il permet, en effet, aussi bien, et parfois simultanément, de décrire la confusion des civilisations dont la Péninsule serait l'espace privilégié et l'intransigeance purificatrice du catholicisme espagnol.

Dans *La Fille aux yeux d'or*, Balzac présente l'intérieur, tendu de rouge, du personnage de Paquita Valdès, qu'accompagne un mulâtre, dans une description où la critique a cru voir une transposition des *Femmes d'Alger* d'Eugène Delacroix (auquel la nouvelle est dédiée)[36]. Prosper Mérimée, dans la nouvelle *Les Âmes du purgatoire*, variation sur le thème de don Juan, décrit les dévotes priant

35. Stendhal, *Vie de Napoléon* [1818], *in* Catherine Mariette (éd.), *Napoléon*, Paris, Stock, 1998, p. 91.

36. Honoré de Balzac, *La Fille aux yeux d'or*, *in La Comédie humaine*, Paris, Gallimard, coll. « Bibliothèque de la Pléiade », t. V, 1977, p. 1078-1084.

dans la cathédrale de Salamanque sur des tapis de Turquie [37]. À la fin du siècle, Maurice Barrès reprend une série de clichés sur Tolède, porte de l'Afrique et de l'Orient : « J'y vois à chaque pas la plus belle lutte du romanisme et du sémitisme, un élément arabe ou juif qui persiste sous l'épais vernis catholique [38]. » Au cours de ses promenades dans la vieille ville du Tage, il remarque « les femmes accroupies à l'arabe » et évoque la spiritualité des fidèles en des termes qui semblent unir la croix et le croissant : « Les Tolédans, agenouillés sur les dalles des églises, passent des heures en face des vérités théologiques aussi volontiers que les Orientaux devant les décorations entrecroisées de leurs murailles [39]. »

La mise en scène de la nature mauresque de l'Espagne passe par l'opposition entre la Vieille-Castille, dont l'âpre chrétienté s'illustre dans la cathédrale de Burgos et le palais de l'Escurial, et Tolède, seuil de l'Islam africain. Edgar Quinet, après avoir offert au lecteur un portrait psycho-historique du palais de Saint-Laurent comme incarnation minérale de l'exclusivisme catholique, avoue son enthousiasme pour Tolède : « Les bouffées du désert s'en exhalent ; l'encens et la myrrhe de La Mecque me font oublier déjà l'odeur morte du buis de l'Escurial. [...] L'Espagne commence à prendre à Tolède une face africaine [40]. » En revanche, Théophile Gautier pousse l'identification de l'Espagne avec l'islam d'Afrique du Nord jusqu'à décrire l'Escurial comme un palais musulman ; le tour de force n'est pas banal : « Ce Léviathan d'architecture. L'effet, de loin, est très beau : on dirait un immense palais oriental ; la coupole de pierres et les boules qui terminent toutes les pointes contribuent beaucoup à cette illusion [41]. » Cette africanisation de l'Espagne, en partie commandée par le tropisme algérien de certains artistes français sous la monarchie de Juillet et le second Empire, a beaucoup fait pour que les lecteurs espagnols rejettent les écrits des essayistes et voyageurs étrangers. « Il faut une escorte pour aller de Madrid à Tolède. Ne dirait-on pas

37. Prosper Mérimée, *Les Âmes du purgatoire*, *in Romans et nouvelles*, Paris, Gallimard, coll. « Bibliothèque de la Pléiade », 1934, p. 390.

38. Maurice Barrès, *Greco ou le secret de Tolède*, Paris, Plon, 1939, p. 84.

39. *Ibid.*, p. 84 et 143-144.

40. Edgar Quinet, *Mes vacances en Espagne* [1843], in *Œuvres complètes*, Paris, Pagnerre, 1857, t. IX, p. 140-141.

41. Théophile Gautier, *Voyage en Espagne*, *op. cit.*, p. 175 (chap. IX).

que l'on est en pleine Algérie, et que Madrid est entourée d'une Mitidja peuplée de Bédouins ? » note Gautier dans une de ces phrases qui ont eu le don de lui aliéner le public espagnol[42]. Tirant des leçons philosophiques de sa visite de l'Espagne, dans des pages emblématiques de son cours sur *Le Christianisme et la Révolution française*, Edgar Quinet trouve des accents épiques pour construire la dialectique proprement espagnole de l'islam et de son contraire *reconquistador* :

> [...] c'est l'originalité de l'Espagne, qu'avec cette horreur sainte du génie arabe, elle ne peut s'en séparer. Elle l'a chassé il y a trois siècles, il est encore là, debout et vivant dans son cœur ; elle le hait, et il court dans ses veines. Elle abhorre Mahomet ; et son Dieu, tel qu'elle l'a fait, a toutes les passions, toutes les rancunes du dieu du Coran. Elle déteste l'Arabie et l'Arabie s'attache à ses flancs comme une tunique.
>
> Telle est donc la condition de ce peuple, pendant huit siècles, de haïr toujours le génie qu'il imite et épouse à son insu. Si le peuple espagnol ouvre la bouche, dès son premier mot vous sentez qu'il a mêlé malgré lui le verbe de l'Afrique et le verbe de l'Europe. L'âme de l'Occident et celle de l'Orient se sont mariées, quoi qu'il ait fait, dans cette langue espagnole, qui est tout à la fois un écho de Rome et un écho de La Mecque. Veut-il se construire une église du Christ, il marie, dans Séville, la cathédrale gothique au minaret de La Mecque. [...] c'est surtout dans la poésie que cette alliance involontaire est profondément scellée. Au moment où Calderon rallume toutes les colères de l'Espagne contre le génie de l'islamisme, et se croit le plus chrétien, il s'élance à un mysticisme tout semblable à celui des poètes persans ou arabes ; il célèbre le Christ avec une violence musulmane. Dans ses pièces consacrées aux auto-da-fé, n'est-il pas évident qu'il est plus près du génie du Coran que du génie de l'Évangile ? Tant il est vrai que le caractère de l'Espagne est d'épouser malgré elle l'âme de l'Orient, et de se débattre incessamment contre ces noces odieuses[43].

42. Théophile Gautier, *Voyage en Espagne*, *op. cit.*, p. 187 (chap. x).

43. Edgar Quinet, *Le Christianisme et la Révolution française* [1845], Paris, Fayard, 1984, p. 146-147.

L'association des registres de dénonciation de l'intransigeance catholique et du fanatisme musulman paraît droit sortie du *Mahomet ou le Fanatisme* de Voltaire.

Les horreurs de la guerre

Pour les ultras de la Restauration, l'Espagne de 1814 est une Vendée qui l'aurait emporté sur les Bleus. La guerre de *guerrilla* conduite par les *partidas* (bandes antifrançaises) suscite admiration et horreur en raison de l'atrocité de leurs méthodes et du fanatisme de leurs formes de mobilisation. La description qu'en donne Stendhal, par exemple, rappelle sans équivoque la chouannerie : « Ils considérèrent la guerre comme une croisade contre les Français. Un ruban rouge avec cette inscription *Vincer o morir pro patria et pro Ferdinando VII* était la seule distinction de la plupart de ces soldats[44]. » Quel écolier ne se souvient du célèbre poème de Victor Hugo sur la rencontre de son père et d'un *guerrillero* espagnol capable de tuer le soldat français qui lui donne à boire, après la bataille[45] ? Peu suspect de grandes sympathies napoléoniennes, Philarète Chasles garde en mémoire la saignée subie par les armées de la Grande Nation en Espagne : « Dieu sait combien de sang il nous en a coûté pour avoir secoué du bout de notre baïonnette le linceul de l'Espagne[46] ! » Chateaubriand, dans son évocation de la guerre d'Indépendance, semble croiser les inventions fantastiques de la comtesse d'Aulnoy, auteur d'un voyage drolatique en Espagne à la fin du XVIIe siècle, et les *Désastres de la guerre* de Goya, pour un résultat digne d'Isidore Ducasse : « Ce furent pourtant ces milices du cloître qui mirent un terme aux succès de nos vieux soldats : ils ne s'attendaient guère à rencontrer ces enfroqués, à cheval comme des dragons de feu, sur les poutres embrasées des édifices de Saragosse, chargeant leurs escopettes parmi les flammes

44. Stendhal, *Vie de Napoléon*, *op. cit.*, p. 93.
45. Victor Hugo, « Après la bataille », *La Légende des siècles*, Paris, Le Livre de Poche, 1968, p. 266.
46. Philarète Chasles, *Études sur l'Espagne...*, *op. cit.*, p. 95.

au son des mandolines, au chant des boleros et au requiem de la messe des morts : les ruines de Sagonte applaudirent[47]. »

Théophile Gautier, dans la comparaison qu'il effectue entre le Goya des gravures et Jacques Callot, montre combien les souvenirs de la violence des affrontements demeurent vivants, et réactualisés par les méthodes des bandes carlistes[48]. Honoré de Balzac sacrifie au genre dans la nouvelle *El verdugo* [le bourreau], en situant une atroce légende flamande en pleine guerre d'Indépendance espagnole[49]. Son texte, paru en 1829, suscite aussitôt des imitations de la même veine dans ce qui prend la tournure d'une authentique vogue[50]. Cet engouement, un peu scabreux, pour les atrocités commises par les exaltés de l'indépendance espagnole, à la tête de leurs *partidas*, est exactement contemporain de la création d'*Hernani*. Or, dans sa tragédie, Victor Hugo construit le champ de l'Espagne future dans la tension entre deux personnages qui se répondent comme des symétriques inverses : l'empereur Charles Quint et Hernani, chef de bande[51]. Le banditisme ou la *guerrilla* renvoient aux horreurs du combat, mais aussi à la naissance de la guerre populaire, au sens où la Révolution accouche de la nation politique. Stendhal lui-même pointe cette double nature : « La guerre qui s'en suivit, la première guerre nationale que dans la corruption de tous les gouvernements Napoléon put rencontrer en Europe, fut sanguinaire et féroce[52]. »

47. François-René de Chateaubriand, *Mémoires d'outre-tombe*, *op. cit.*, t. II, p. 140.

48. Il s'agit là d'un beau retournement dialectique dans la perspective de Chasles, qui repère les racines hispaniques de l'art de Jacques Callot (*Études sur l'Espagne...*, *op. cit.*, p. 109).

49. Honoré de Balzac, *El verdugo*, in *La Comédie humaine*, Paris, Gallimard, coll. « Bibliothèque de la Pléiade », t. X, 1979, p. 1133-1143.

50. « Souvenir d'un soldat, Torquemada », *Le Globe*, 8 mars 1830 ; « Algonalès, épisode de la guerre d'Espagne », *Le Voleur*, 25 avril 1830. Informations tirées de l'introduction de Pierre Citron à *El verdugo*, *op. cit.*, p. 1123-1131.

51. Victor Hugo avait eu le projet d'écrire une pièce qui porterait le titre *Juana ou le Repaire de la guerrilla*. Voir Anne Ubersfeld, *Le Roi et le Bouffon. Étude sur le théâtre de Hugo de 1830 à 1839*, Paris, José Corti, 1974, p. 90-91 ; rééd., 2001.

52. Stendhal, *Vie de Napoléon*, *op. cit.*, p. 76.

La sensibilité littéraire à l'égard des horreurs de la guerre d'Espagne doit être prise pour un signe. Elle permet de faire l'hypothèse que ces évocations sont l'un des écrans qui séparent les hommes du XIXe siècle de l'Ancien Régime hispanique. C'est aussi à travers l'expérience vécue ou rapportée de l'intransigeance des combattants de l'Espagne traditionaliste à l'époque contemporaine que le passé de la monarchie catholique peut être perçu.

L'Inquisition

L'une des manifestations les plus spectaculaires de la victoire de l'ultracisme espagnol, avec le triomphe « absolutiste » de 1814, est le rétablissement du Saint-Office par Ferdinand VII, par un décret du 21 juillet. Cette décision présentait le visage le plus réactionnaire de l'esprit de la Sainte-Alliance. Le public français pouvait y être d'autant plus sensible que Juan Antonio Llorente, francophile *(afrancesado)* engagé dans le soutien au régime de Joseph Bonaparte, auteur d'un premier mémoire sur le tribunal inquisitorial en 1812[53], finit de rédiger sa grande *Historia crítica de la Inquisición española* pendant son exil en France de 1818 à 1820[54]. La question de l'Inquisition, dont on a vu l'usage polémique qu'en fait Lavisse, occupe une place centrale dans le dispositif de la légende noire. Elle est, sans doute, tenue pour le travers le plus impardonnable de l'histoire espagnole, sa « tache originelle[55] ».

53. Juan Antonio Llorente, *Memoria histórica sobre cual ha sido la opinión nacional de España acerca del Tribunal de la Inquisición*, Madrid, Sancha, 1812. Il s'agit de son discours d'entrée à la Real Academia de la Historia, sous le régime de Joseph Bonaparte.

54. Juan Antonio Llorente, *L'Histoire critique de l'Inquisition d'Espagne, depuis l'époque de son établissement par Ferdinand V jusqu'au règne de Ferdinand VII*, 4 vol., trad. fr. d'Alexis Pellier, Paris, Treuttel et Würtz, 1818. Souvent rééditée, l'histoire de Llorente a même été rapprochée du récit de Charles Dellon (voir *infra*) : Juan Antonio Llorente, *Histoire de l'Inquisition d'Espagne, suivie d'un coup d'œil général sur toutes les autres inquisitions, et contenant la relation originale et authentique de ce que le Saint-Office a fait souffrir à M. Dellon*, éd. Léonard Gallois, Paris, Blondeau, 1851.

55. L'expression est tirée d'Édouard Magnien, *Excursions en Espagne*, 3 vol., Paris, Lebrasseur, 1836-1838, t. I, p. 38.

Pensons à l'usage littéraire que Villiers de L'Isle-Adam fait de l'inquisiteur espagnol, entre la fin du Moyen Âge et l'époque moderne, dans les contes publiés dans les colonnes du *Gil Blas* [56]. Il reprend et condense le regard halluciné porté par Edgar Poe sur l'Inquisition vaincue par le libérateur napoléonien, après une dernière et abominable séance de torture [57]. Ces créations littéraires sont essentiellement enracinées dans un mélange capiteux d'inspiration gothique [58] et de symbolisme, de souffrance et de volupté, de « luxure et de dévotion » comme dirait Lavisse, dont témoigne cette remarque de Baudelaire, tirée de son journal : « L'Espagne met dans la religion la férocité naturelle de l'amour [59]. » Mais, en amont de ces visions fantasmagoriques, l'identification de l'Espagne et du Saint-Office était un élément essentiel de la culture des Lumières françaises. Le récit du malheureux Charles Dellon, victime du tribunal de l'Inquisition portugaise de Goa, avait connu une grande diffusion à la fin du XVIIe siècle et suscité, en France, la publication d'autres ouvrages sur le Saint-Office [60]. Dès le XVIe siècle, l'Inquisition est tenue pour une institution abominable dans une certaine tradition littéraire française, en commençant par la *Satyre Ménippée* : « Te voilà aux fers, te voilà en l'inquisition d'Espagne, plus intolérable mille fois et plus dure à supporter aux esprits nez libres et francs, comme le sont les François, que les plus cruelles morts, dont les Espagnols se sauroient advi-

56. Villiers de L'Isle-Adam, « Les amants de Tolède », *Gil Blas*, 1887, et « La torture de l'espérance », *Gil Blas*, 1888.

57. Edgar Poe, « Le puits et le pendule », *Nouvelles histoires extraordinaires*, in *Œuvres en prose*, Paris, Gallimard, coll. « Bibliothèque de la Pléiade », 1951, p. 358-375.

58. Pour décrire les sombres escaliers de San Juan de Dios à Tolède, Théophile Gautier invoque les ambiances créées par Ann Radcliffe (*Voyage en Espagne*, *op. cit.*, p. 208, chap. X).

59. Charles Baudelaire, *Journaux intimes*, XII, in *Œuvres complètes*, t. I, *op. cit.*, p. 661.

60. Charles Dellon, *L'Inquisition de Goa* [1687], éd. de Charles Amiel et Anne Lima, Paris, Chandeigne, 1997 ; Louis-Ellies Dupin, *Mémoires historiques pour servir à l'histoire des inquisitions*, Cologne, Slebus, 1716 ; Claude-Pierre Goujet, *Discours sur quelques auteurs qui ont écrit sur l'Inquisition*, Cologne, Pierre Marteau, 1759.

ser[61]. » Mais c'est à l'abbé André Morellet que l'on doit l'initiative éditoriale la plus efficace pour répandre dans le public contemporain de l'*Encyclopédie* une connaissance directe et effrayante des procédures inquisitoriales. Publié l'année même de la condamnation de Calas, son *Abrégé du Manuel des inquisiteurs* livrait au public une version succincte et en langue vulgaire du célèbre *Manuel de l'inquisiteur* du dominicain Nicolas Eymeric[62]. Il s'agissait d'une authentique opération de publicité de ce qui, en fait, n'était nullement secret : « C'était un in-folio énorme qu'on ne pouvait faire connaître que par échantillon », précisait l'abbé[63]. Cette entreprise n'est pas anecdotique dans l'histoire des Lumières françaises, car, outre que Voltaire lui accorda une attention extrême, c'est elle qui a autorisé Morellet à devenir en 1764 le traducteur et le promoteur de l'édition du *Traité des délits et des peines* de Beccaria.

Curieusement, l'Inquisition, qui a brûlé tant de victimes sous les Rois Catholiques et Charles Quint, est demeurée active sous les rois du XVIIe siècle et n'a pas été abolie par les Bourbons après 1700, paraît n'être associée sur le plan littéraire qu'à la personne de Philippe II. Le motif est clairement énoncé par Théophile Gautier : « le sombre Philippe II, ce roi né pour être grand inquisiteur[64] ».

Une victime : don Carlos

D'autres thèmes fondés sur l'exploitation ténébreuse de l'Espagne du Siècle d'or ont fait florès dans la vie littéraire et dramatique parisienne depuis le début du siècle. L'exemple le plus célèbre nous en est donné par l'histoire tragique de l'infant don

61. *Satyre Ménippée de la vertu du catholicon d'Espagne et de la tenue des Estats de Paris* [1594], éd. Charles Labitte [1841], fac-similé, Cœuvres-et-Valsery, Ressouvenances, 1997, « Harangue de Monsieur d'Aubray », p. 128.

62. André Morellet, *Abrégé du Manuel des inquisiteurs* [1762], éd. Jean-Pierre Guicciardi, Grenoble, Jérôme Millon, 1990.

63. *Mémoires de l'abbé Morellet de l'Académie française*, Paris, Mercure de France, coll. « Le Temps retrouvé », 2000, p. 90 ; Nicolau Eymerich, *Le Manuel des inquisiteurs*, édition abrégée, trad. fr. et éd. de Louis Sala-Molins, Paris-La Haye, Mouton, 1973.

64. Théophile Gautier, *Voyage en Espagne*, *op. cit.*, p. 179 (chap. IX).

Carlos. Depuis les premières années du siècle, le public français disposait des traductions des pièces d'Alfieri et de Schiller[65], rééditées et représentées. Jules Saladin, premier traducteur de *Frankenstein*, publiait la version française de la tragédie de Thomas Otway, en 1822[66]. L'opéra de Verdi sur un livret de Méry et Dulocle réactualise le thème sur la scène lyrique, à la fin du second Empire[67]. Ils puisaient tous leur inspiration dans la nouvelle historique de l'abbé de Saint-Réal (1672). Son ouvrage consacré au destin de l'infant connaît plusieurs rééditions à la fin du second Empire et sous la IIIe République[68] ; quant à la *Conjuration des Espagnols contre Venise* du même auteur, les libraires parisiens en tirent quatorze éditions entre 1781 et 1846. Nous examinerons ces textes dans la seconde partie, en les replaçant dans les contextes littéraire et politique du XVIIe siècle. Pour l'heure, c'est un authentique phénomène de diffusion au XIXe siècle qui nous intéresse.

L'extraordinaire fortune du thème a fait l'objet de plusieurs études ; on doit la plus récente et la plus complète à Andrée Mansau[69].

65. Alfieri, *Philippe II*, in *Œuvres dramatiques du comte Alfieri traduites de l'italien par C.-B. Petitot*, Paris, Guignet et Michaud, 1802 (ou 1810), t. IV, p. 353-437 ; Friedrich von Schiller, *Œuvres dramatiques*, Paris, Ladvocat, 1821, t. VI. La première traduction française, due à Adrien Lezay, parut en 1799. Nous utilisons l'édition récente : Friedrich von Schiller, *Don Carlos, infant d'Espagne, poème tragique en cinq actes*, trad. fr. de Sylvain Fort, Paris, L'Arche, 1997.

66. Thomas Otway, *Don Carlos, prince d'Espagne*, trad. fr. de Jules Saladin, in *Chefs-d'œuvre des théâtres étrangers traduits en français*, t. VIII, *Théâtre anglais*, t. II, Paris, 1822.

67. Joseph Méry et Camille Dulocle, *Don Carlos. Opéra en cinq actes*, Paris, Lévy et Escudier, 1867.

68. César Vichard, abbé de Saint-Réal, *Histoire de don Carlos, fils de Philippe II, roi d'Espagne*, Amsterdam, Commelin, 1673. Rééditions : 1781, 1864, 1865, 1867, 1873, 1893, 1897. *Histoire de la conjuration des Espagnols contre la République de Venise*, Paris, Claude Barbin, 1674. Rééditions : 1781, 1795, 1797, 1803, 1804, 1810, 1818, 1820, 1821, 1824, 1829, 1830, 1835, 1846.

69. Andrée Mansau, *Saint-Réal et l'humanisme cosmopolite*, Lille-Paris, Université de Lille III – Champion, 1976. L'auteur consacre plusieurs développements à la recréation littéraire et musicale de don Carlos au XIXe siècle. Son enquête minutieuse avait été précédée de deux études monographiques : Armand-Germain de Tréverret, *Don Carlos, fils de Philippe II (dans les œuvres de Saint-Réal, d'Otway, d'Alfieri, de Schiller et de M. Nuñez de Arce)*, Bordeaux, Gounouilhou, 1883 ; Ezio Levi, *Il principe don Carlos nella leggenda e nella poesia*, Pubblicazioni dell'Istituto Cristoforo Colombo, Rome, Fratelli Treves, s.d.

Sans prétendre faire l'inventaire complet des œuvres inspirées par l'affaire don Carlos, quelques titres peuvent être retenus :

Auguste-Louis de XIMÉNÈS, *Don Carlos*, Genève, 1761.
Pierre-François Alexandre LEFÈVRE, *Don Carlos*, tragédie en cinq actes [1783], *in* M. Lepeintre, *Suite du répertoire français. Tragédies*, t. V, Paris, Veuve Dabo, 1822.
Louis-Sébastien MERCIER, *Le Portrait de Philippe II*, Amsterdam, 1785[70].
Marie-Joseph CHÉNIER, *Philippe II*, tragédie [1803], in *Suite du Répertoire du Théâtre-Français. Tragédies*, t. IV, Paris, Veuve Dabo, 1823.
Théodore LICQUET (fils), *Philippe II*, Rouen, Duval, 1813.
Charles MALINAS, *Don Carlos, infant d'Espagne*, Paris, Ladvocat, 1820.
DOIGNY DE PONCEAU, *Élisabeth de France*, Paris, 1826.
Alexandre SOUMET, *Élisabeth de France. Le Secret de la confession*, Paris, Boucher, 1828.
Eugène CORMON, *Philippe II, roi d'Espagne, imité de Schiller*, précédé de *L'Étudiant d'Alcala*, Paris, Lévy frères, 1846 (créé au théâtre de la Gaîté le 14 mai 1846).
Victor SÉJOUR, *Les Fils de Charles Quint*, Paris, Lévy, 1864.
Charles RAYMOND, *Don Carlos*, drame en cinq actes et onze tableaux, d'après Schiller, Paris, Fasquelle, 1896 (créé au théâtre de l'Odéon le 15 octobre 1896).
Émile VERHAEREN, *Philippe II*, tragédie en trois actes [1901], in *Deux drames*, Paris, Mercure de France, 1917[71].

Encore ces quelques titres d'œuvres dramatiques ne donnent-ils pas la juste mesure de la vogue théâtrale qui porte le thème de don Carlos. Leur univers croise celui d'autres sujets choisis par

70. Léon Béclard, *Sébastien Mercier. Sa vie, son œuvre, son temps. D'après des documents inédits*, Paris, Champion, 1903, t. I, p. 314-318.

71. Raymond Trousson, « Carlos V y Felipe II según Verhaeren y Ghelderode », *in* Mercé Boixareu et Robin Lefere (éd.), *La historia de España en la literatura francesa*, *op. cit.*, p. 617-624.

les dramaturges : l'opposition de Charles Quint à Philippe II [72] ; l'autodafé de Valladolid de 1559 [73] ; don Juan d'Autriche, le bâtard de Charles Quint [74] ; dom Sébastien, le roi disparu auquel Philippe II succède au Portugal [75] ; l'ennui mortel des épouses de Charles II, prisonnières de l'étiquette castillane [76]. En outre, il faut tenir compte, à une époque où la circulation des œuvres dramatiques entre Espagne et France est intense, de la diffusion possible de pièces espagnoles sur le thème, tel *El haz de leña* de Gaspar Nuñez de Arce qui fut le plus grand succès théâtral du XIXe siècle avec le *Don Juan Tenorio* de Zorilla. Tel est peut-être le cas du drame historique de Güell i Renti, dont un traité historique sur l'affaire don Carlos est traduit en français au début de la IIIe République [77]. La pièce de José Zorilla sur le pâtissier de Madrigal, célèbre imposteur s'étant fait passer pour Sébastien de Portugal, que des textes du XVIe siècle identifient avec Carlos, appartient à cette série [78]. L'art lyrique n'est pas en reste. On ne représente guère plus au XXe siècle que l'opéra de Verdi, mais celui-ci vient à la suite de ceux de Prosper Deshayes, *Don Carlos*, 1799, de Tarentini et de Pasquale Bona.

72. Comte J. R. Gain de Montagnac, *Charles Quint à Saint Juste*, Potey-Petit, 1820.

73. Hippolyte Rodrigues, *Philippe II*, Paris, Veuve Larousse, 1889.

74. Casimir Delavigne, *Don Juan d'Autriche, ou la Vocation, comédie en 5 actes*, Paris, Barba, 1836 (créée au Théâtre-Français le 17 octobre 1835). Delavigne est également l'auteur d'une *Fille du Cid* créée au théâtre de la Renaissance le 8 mars 1840.

75. Eugène Scribe et Gaetano Donizetti, *Don Sébastien de Portugal*, opéra en cinq actes, Paris, Académie royale de musique, 1843. Il avait été précédé de la traduction en français du roman historique d'Anna Maria Porter, *Don Sébastien, roi de Portugal*, Paris, Louis, 1820.

76. Henri de La Touche, *La Reine d'Espagne*, Paris, Levasseur, 1831 (créée au Théâtre-Français le 5 septembre 1831). Il s'agit d'une source immédiate de *Ruy Blas* [1838] de Victor Hugo.

77. Gaspar Nuñez de Arce, *El haz de leña*, Madrid et Paris, Perojo, 1879 ; J*** Güell i Renti, *Philippe II et don Carlos devant l'histoire*, Paris, Calmann-Lévy, 1878. Le drame historique qu'il compose en espagnol est édité en France : José Güell i Renti, *Don Carlos, drama histórico en cinco actos*, Blois, Lecesne, 1879. On remarque que ces ouvrages sont édités en France ou font l'objet de coéditions.

78. José Zorilla, *Traidor, inconfeso y mártir : drama histórico en tres actos y en verso*, Madrid, Tipografía de Juan R. Navarro, 1850.

L'histoire du fils de Philippe II était une réserve inépuisable. Le journal de Stendhal en témoigne : « J'ai pensé qu'on pourrait faire un bel opéra en trois actes, intitulé *Don Carlos*. On verrait les fêtes les plus belles possibles et, au milieu de ces miracles de l'art, Philippe II, exécrable tyran, Carlos, perdu d'amour ainsi qu'Isabelle. On les verrait gênés par la pompe qui les environne. [...] La pièce serait dans les principes républicains dans le fond [...][79]. » Cette ébauche permet de deviner une intention dramatique, c'est-à-dire l'opposition entre la pompe, traduisons l'étiquette, et la vie des amoureux, entre la tyrannie et la jeunesse. Elle annonce également une intention politique, l'utilisation du thème comme moyen de mettre en scène les valeurs républicaines face à l'Europe de la réaction. On ignore ce que Victor Hugo imaginait dans son projet de drame sur Philippe II, mais il n'aurait guère été surprenant qu'il prît le thème de don Carlos comme référence[80]. On peut juger de l'ampleur de la diffusion des thèmes rattachés à la tragédie de don Carlos à une confidence de Barbey d'Aurevilly en 1864 : « "Si vous n'étiez Barbey d'Aurevilly, qui voudriez-vous être ?" demandait un soir à l'auteur Mlle Marie de B... – "La Princesse d'Eboli", répondit-il[81]. » Son admiration pour le personnage le poussa à évoquer dans une nouvelle les violences exercées par le roi prudent à son égard[82].

Du point de vue de l'histoire de l'historiographie, la tragédie de Schiller est sans doute la pièce maîtresse pour la France du XIXe siècle. Dans l'œuvre du poète allemand, elle s'inscrit dans la perspective générale de l'exaltation de la marginalité face à l'ordre politique *(Les Brigands)*, mais aussi, et plus précisément, de l'admiration pour la résistance hollandaise contre l'intransigeance hispanique. Son intérêt pour cette histoire lui fit écrire une chronique de la révolte des Pays-Bas, puisée dans les récits et documents

79. Stendhal, *Journal*, 4 thermidor [an XII : 23 juillet 1804], in *Œuvres intimes*, Paris, Gallimard, coll. « Bibliothèque de la Pléiade », t. I, 1981, p. 104.

80. Anne Ubersfeld, *Le Roi et le Bouffon*, *op. cit.*, p. 33-34.

81. Barbey d'Aurevilly, *Memoranda*, « Cinquième memorandum », décembre 1864, in *Œuvres romanesques complètes*, Paris, Gallimard, coll. « Bibliothèque de la Pléiade », t. II, 1966, p. 1117 et 1570.

82. Id., *Une histoire sans nom*, *ibid.*, p. 332 *sq.*

anciens, et de la tragédie d'Horn et Egmont[83]. Sur le plan littéraire, le pontificat romantique de Schiller dépasse évidemment, et de loin, l'intérêt pourtant déjà fort répandu, on l'a vu, pour la question espagnole. Son poème dramatique dérive de la nouvelle de l'abbé de Saint-Réal, ce qui suscita ce commentaire peu amène de Sainte-Beuve : « Saint-Réal [...] a écrit, dans ce genre spécieux de la nouvelle historique, un petit roman aussi faux dans son genre que les grands romans de Mademoiselle de Scudéry. [...] Schiller y fut pris[84]. »

Chez Alfieri (1775), la rage de Philippe II contre les rebelles des Pays-Bas est digne de Gengis Khan, du comte de Toulouse ou du roi des dragonnades : « Vous savez que, depuis plus de cinq ans, un peuple misérable, dans une terre marécageuse, et presque couverte par l'océan, ose braver mon pouvoir. Les rebelles, coupables d'une double perfidie, s'arment également contre Dieu et contre leur roi [...]. Je jure d'offrir au ciel, en victime, ce peuple impie ; et il faudra bien qu'il meure puisqu'il ne sait pas obéir[85]. » Les inventions les plus remarquables d'Alfieri sont la volonté clairement exprimée par Carlos d'abolir l'Inquisition, dont le magistrat suprême est un Léonard, et surtout le projet d'assassinat de Philippe par son fils, dans un bel élan tyrannicide (acte III). En outre, c'est un Carlos francophile (« Il traite avec les Français, avec ces Français que nous abhorrons »), qui se dit prêt à livrer la Catalogne et la Navarre aux Valois.

Lefèvre écrivit un *Don Carlos* en 1783. La pièce ne put être représentée au Théâtre-Français en raison de l'opposition de l'ambassadeur d'Espagne, le comte d'Aranda, et fut créée au théâtre de la Chaussée-d'Antin, à la demande du duc d'Orléans, en présence des quarante académiciens, puis reprise au théâtre de l'Odéon en

83. Friedrich von Schiller, *Histoire du soulèvement des Pays-Bas sous Philippe II, roi d'Espagne*, trad. fr. du marquis de Châteaugiron, Paris, Sautelet, 1827. Plusieurs éditions et différentes traductions du texte sont publiées tout au long du XIXe siècle.

84. Charles Augustin Sainte-Beuve, « Nouveaux lundis », in *Œuvres complètes*, Paris, t. V, 1872, p. 282-307 (20 juillet 1860).

85. *Œuvres dramatiques du comte Alfieri*, *op. cit.*, t. IV, p. 353-437.

décembre 1820[86]. Dès la première scène de l'acte I, Philippe est campé en aspirant à la monarchie universelle, dans un monologue on ne peut plus politique :

> Au grand art de régner je consacre ma vie ;
> Et, si d'un beau succès ma constance est suivie,
> Toute l'Europe, un jour, se rangeant sous ma loi,
> Ne reconnaîtra plus qu'un arbitre et un roi.
> Aujourd'hui qu'immobile, et calme en apparence,
> Par la main des Français je déchire la France.

Ce passage fait évidemment allusion au rôle pervers du Habsbourg dans les guerres de Religion françaises : épouser la fille des Valois en attisant le parti des Guises, à moins que ce ne soit celui de Navarre... On remarque ici, comme dans tant d'autres textes, la mention de l'immobilité du monarque. Tout comme chez Alfieri, les Hollandais résistent « du fonds de leur marais ». Cependant, ce roi de puissance n'est pas un politique, c'est avant tout un chef de guerre de l'Église militante :

> Depuis douze ans je règne, et rends grâce aux destins
> Qui de sceptres sans nombre ont enrichi mes mains ;
> Mais, Prince, à m'agrandir quelque soin que j'applique,
> Moins fier de mon pouvoir que du nom catholique,
> Je dois au saint pontife, au monde, à mes aïeux,
> D'être digne, avant tout, d'un nom si glorieux,
> Et d'honorer l'emploi de ces juges austères
> À qui Rome a commis ses rigueurs salutaires.
>
> (Acte III, sc. 4.)

La tragédie de Marie-Joseph Chénier *Philippe II*, achevée en 1803, fut interdite par Napoléon en raison de sa charge anti-inquisitoriale qui pouvait alors heurter l'Église. On y voit Carlos négocier non seulement avec les grands seigneurs protestants des Pays-Bas mais aussi avec le sultan ottoman Sélim. Sa dissidence amoureuse se double d'une position hérétique. Isabelle [ou Élisabeth] de Valois,

86. Pierre-François Alexandre Lefèvre, *Don Carlos*, tragédie en cinq actes, *in* M. Lepeintre, *Suite du répertoire français. Tragédies*, t. V, Paris, Veuve Dabo, 1822.

représentante de la douceur de vivre dans une France, celle de la concorde politique et de Michel de l'Hôpital, a pour adversaire principal l'inquisiteur Spinola qui lui lance :

> Vous avez en Espagne apporté l'indulgence.
> Comme un roi castillan Philippe doit penser,
> Madame, et c'est à lui que je viens m'adresser.
> (Acte I, sc. 3.)

Philippe II, face aux rebelles des Pays-Bas, réagit en chef religieux autant qu'en garant du domaine hérité :

> D'un étrange discours mon oreille est frappée ;
> Mais j'ai reçu du ciel mon sceptre et mon épée :
> Ce sont là mes pouvoirs, mes titres, mes garants. [...]
> Je ne discute point la foi de mes ancêtres :
> Pour soumettre les cœurs la Castille a des prêtres,
> Des guerriers pour combattre, et des lois pour punir.
> Le Belge de mes droits a perdu le souvenir ;
> J'anéantis les siens ; [...]
> (Acte II, sc. 4.)

Carlos, campé en philosophe des Lumières, attentif au réveil du monde à la raison, oppose, lui aussi, l'agonie voulue par Philippe à la vie désirée par Charles Quint :

> D'un illustre monarque, illustre successeur,
> Des préjugés vieillis Philippe défenseur,
> Voudrait-il étayer leur Empire débile,
> Et sur un trône oisif s'endormir immobile ?
> (Acte III, sc. 5.)

La tragédie s'achève sur la condamnation à mort de l'infant par le tribunal de l'Inquisition qui le contraint, en moderne Socrate, à s'administrer lui-même le poison. Isabelle de Valois, ne supportant pas ce spectacle lamentable, le rejoint dans la mort.

Après les censures dont les *Carlos* de Lefèvre et Chénier ont fait l'objet, l'*Élisabeth de France* (1828) d'Alexandre Soumet, dramaturge oublié appartenant au cercle de Vigny et d'Hugo, ne put être produite qu'à la condition d'abandonner son titre original, *Le Secret de la confession*. Cet épisode de censure sous la Restauration renvoie à celle, combien plus sévère, infligée à Lefèvre en 1783 et que madame de Staël ne manque pas de rapporter : « On demandait à Monsieur d'Aranda, cet ambassadeur d'Espagne [...] la permission de faire jouer une tragédie de don Carlos. [...] Que ne prend-il un autre sujet ? [...] n'y a-t-il donc que cet événement dans l'histoire ? Qu'il en choisisse un autre [87]. » Ainsi, sous les règnes de Louis XVI, Napoléon Ier et Charles X, le thème du fils de Philippe II offre l'occasion de monter des charges contre l'absolutisme catholique, le cas échéant jugées exagérées. Ces drames historiques de l'Espagne du XVIe siècle résonnent dans la société française d'accents qui lui parlent d'elle.

Plus subtil que Lefèvre ou Alfieri, Schiller introduit l'enjeu français par un biais qui n'appelle pas une excessive falsification historique [88]. Comme dans *Ruy Blas*, la reine étrangère est étouffée par l'inhumaine pompe hispanique : « L'étiquette est partout, qui l'enserre. » Aranjuez et ses jardins rappellent encore la douce France des poètes de la Pléiade, tandis que Madrid, minérale, est le lieu où l'on attend la petite reine pour célébrer les deux rites sauvages que sont la course de taureaux et l'*auto de fe* inquisitorial. Ce qu'apprenant, Isabelle soupire : « Ah ! j'oublie où je suis. » Plus tard, lorsqu'une de ses dames de compagnie est condamnée à dix ans d'exil par Philippe II pour l'avoir perdue de vue quelques instants, elle sanglote, comme en écho : « Dans ma France, c'était bien autrement. » Le prince don Carlos semble lui répondre, lorsqu'il impose à son père un entretien sans atours sur la brûlante question des Pays-Bas :

> Nous sommes seuls. Le mur craintif
> De l'étiquette s'effondre entre père et fils.
> (Acte II, sc. 2.)

Cette transgression lui vaut le rejet courroucé du Roi Catholique. Le formalisme rigoureux de Philippe fait de lui à la fois un mort-vivant et un être qui échappe à la commune humanité :

87. Madame de Staël, *De l'Allemagne* [1813], Paris, Garnier-Flammarion, t. I, p. 270 (II, 17).

88. Friedrich von Schiller, *Don Carlos, infant d'Espagne*, *op. cit.*

> Quelle méprise a égaré cet étranger
> Parmi le genre humain ? Toujours
> Les larmes furent certificat d'humanité :
> Son œil est sec, il n'est pas né d'une femme...

Ce roi qui, curieusement paré de l'onction divine (acte V, sc. 4), admet succéder à la grandeur impériale et prévoir la succession de ses héritiers, abolit ainsi son existence individuelle. Cette pure fonction, ce Léviathan, confond sa personne et son corps avec l'État des Espagnes, au point que son sommeil met en veille sa propre monarchie :

> Le sommeil m'attend à l'Escurial. Tant que
> Le roi dort, c'en est fait de sa couronne...
> (Acte III, sc. 2.)

Et pourtant le fils de Charles Quint n'apparaît pas digne de son père. C'est pourquoi, suivant un motif devenu classique, la conscience de Philippe est tenaillée par le spectre de l'empereur :

> Il court une légende – et vous la connaissez –
> Qui prétend qu'à minuit, dans les couloirs voûtés
> De ce château royal, sous la forme d'un moine,
> L'âme de l'Empereur défunt revient errer.
> (Acte V, sc. 5.)

Et, lorsque Philippe examine le portefeuille de Carlos, les lettres des rebelles flamands ne le troublent pas moins qu'« un écrit de l'Empereur mon père » adressé au jeune prince (acte IV, sc. 12).

L'échange de propos du roi et de son opposant sincère, le marquis de Posa, oppose terme à terme l'avenir fait de lumières au présent pétri d'orthodoxie (acte III, sc. 10). Le roi vante son système de conformité dévoyée :

> Regardez
> Mon Espagne. Ici le bonheur du citoyen
> Fleurit dans une paix sans nuage.
> Tel est le repos que je destine aux Flamands.

Le marquis s'indigne de cette paix des cimetières :

Le repos du cimetière ! Et vous comptez
Achever cette entreprise ? Vous comptez
Entraver la métamorphose de la chrétienté
Qui vient à son heure, ce printemps universel,
Qui rajeunit la face du monde ?

Philippe II est donc bien chez Schiller ce roi par qui vient la mort, non seulement des individus, mais aussi des peuples et des contrées dans leur devenir historique. Ne peut-on voir, dans la dénonciation de la politique morisque de Philippe II, le télescopage de trois niveaux : la guerre des Alpujarras (1568-1570), l'expulsion des Morisques par Philippe III (1609), l'exode des huguenots français (1685) ?

Privée du zèle industrieux
Des nouveaux chrétiens, Grenade est un désert,
Et l'Europe jubile de voir son ennemi
Saigner des plaies qu'il s'est infligées !
Vous voulez planter pour l'éternité et vous semez la mort ?

Mû par une nécessité historique qu'il incarne sans choix plutôt qu'acteur du devenir humain, le Philippe II de Schiller s'écarte de toute dimension héroïque. Agent d'une puissance qu'il ne maîtrise pas, son rôle est celui d'une simple fonction, la préservation insensée d'une orthodoxie défunte. La vérité de la monarchie hispanique, son principe secret, réside dans la puissance démiurgique du Grand Inquisiteur, faiseur de rois :

J'ai donné
Deux rois au trône d'Espagne, et j'espérais
Lui léguer une œuvre aux fondations solides.
(Acte V, sc. 10.)

Le livret de Dulocle et Méry pour l'opéra crépusculaire de Verdi, lui aussi, condense des lieux communs usés jusqu'à la corde dès la seconde moitié du XIXe siècle, mais avec des noirceurs qui n'ont guère d'équivalent dans la tradition textuelle des *Don Carlos*. Philippe II, tel un anticipateur du tristement célèbre général Millán Astray, entonne ce vers inouï : « La mort, entre mes mains, peut devenir féconde[89]. » Les librettistes faisaient ainsi écho à une intuition profonde d'Edgar Quinet, grand connaisseur de la littérature espagnole et voyageur passionné en Espagne : « Par malheur, la Monarchie s'est accoutumée depuis trois siècles à considérer la mort comme l'état normal et officiel de la Péninsule[90]. »

Philippe II : le roi mort

En liaison avec la thématique de don Carlos, l'infamie de Philippe II, et en particulier son caractère morbide, acquiert une certaine autonomie dans les vers des poètes les plus célébrés du XIXe siècle. Imitateur de Schiller, Casimir Delavigne reprend dans *Don Juan d'Autriche* le thème du roi par qui vient la mort, ici à propos des judaïsants : « J'ajouterai à mes rigueurs ; je les écraserai, dussé-je faire un désert de l'Espagne ils disparaîtront en laissant leurs trésors pour enrichir nos églises, et leur sang pour raviver la foi qui s'éteint, et par piété[91]. » Musset, Hugo et Verlaine ont consacré à Philippe II des rimes plus ou moins inspirées mais toutes empreintes d'horreur. Ainsi est-ce le cas du poème d'Alfred de Musset, « Charles Quint au monastère de Saint-Just », composé en 1829 et publié posthume dans le *Magasin de la Librairie* en 1859[92]. Il s'agit d'une méditation sur le choix de la retraite d'Estrémadure, passage de l'ivresse de puissance à l'ensevelissement volontaire qui n'a jamais cessé de fasciner[93]. On y voit le père, du fond de sa retraite de Yuste, au seuil de la mort, déplorer le caractère de son fils et héritier. Ce passage du poème semble faire écho à l'idée de Schiller selon laquelle le prince Carlos était dépositaire d'une lettre de l'empereur qui unissait grand-

89. Joseph Méry et Camille Dulocle, *Don Carlos*, *op. cit.*, acte II, tab. II, sc. 6.
90. Edgar Quinet, *Mes vacances en Espagne*, *op. cit.*, p. 246.
91. Casimir Delavigne, *Don Juan d'Autriche*, *op. cit.*, acte V, sc. 1.
92. Alfred de Musset, *Poésies complètes*, *op. cit.*, p. 487-489.
93. Voir, entre maints exemples, l'étonnement répété d'Unamuno pendant sa traversée de l'Estrémadure devant le spectacle qu'offrent le monastère et le palais de Charles à Yuste : Miguel de Unamuno, *Por tierras de Portugal y España*, Madrid, Espasa-Calpe, 1941, p. 102-105.

père et petit-fils par-dessus la génération de Philippe II[94]. Musset fait dire à Charles :

> Philippe !... Que saint Just de ses crimes le sauve !
> Car du jour qu'héritier de son père, il sentit
> Que pour sa grande épée il était trop petit,
> N'a-t-il pas échangé le ciel contre la terre,
> Contre un bourreau masqué son confesseur austère ? [...]
> Il me donne la mort pour prix de sa naissance ! [...]

Dans un passage tiré du poème « La rose de l'Infante », inclus dans *La Légende des siècles*, Victor Hugo condense les thèmes de l'aspiration à la monarchie universelle, de l'Inquisition et du hiératisme[95] :

> Philippe deux était une chose terrible.
> Iblis dans le Koran et Caïn dans la Bible
> Sont à peine aussi noirs qu'en son Escurial
> Ce royal spectre, fils du spectre impérial.
> Philippe deux était le Mal tenant le glaive.
> Il occupait le haut du monde comme un rêve. [...]
> Toujours vêtu de noir, ce Tout-Puissant terrestre
> Avait l'air d'être en deuil de ce qu'il existait ;
> Il ressemblait au sphinx qui digère et se tait ;
> Immuable ; étant tout, il n'avait rien à dire.
> Nul n'avait vu ce roi sourire ; le sourire
> N'étant pas plus possible à ces lèvres de fer
> Que l'aurore à la grille obscure de l'enfer. [...]
> Et sa prunelle avait pour clarté le reflet
> Des bûchers sur lesquels par moments il soufflait. [...]
> Les rois troublés avaient au-dessus de leur tête
> Ses projets dans la nuit obscurément ouverts ;
> Sa rêverie était un poids sur l'univers ;
> Il pouvait et voulait tout vaincre et tout dissoudre ; [...]
> Son immobilité commande ; [...]

94. Friedrich von Schiller, *Don Carlos, infant d'Espagne*, *op. cit.*, acte IV, sc. 12. Philippe examine le portefeuille de Carlos et y trouve, entre autres papiers : « un écrit de l'Empereur mon père ? »

95. Victor Hugo, « La rose de l'Infante », *La Légende des siècles*, *op. cit.*, p. 72-73.

On trouve sous la plume d'Edgar Quinet, dès 1843, une évocation de Philippe II étonnamment proche de celle d'Hugo, signe parmi d'autres de l'intensité des contaminations poétiques, littéraires et historiographiques tout au long du XIXe siècle : « Tout l'éclat de Titien et de Rubens n'a pu faire circuler la vie dans le regard de Philippe II ; le coloris de Venise et de l'école flamande n'a servi qu'à accroître la pâleur du solitaire de l'Escurial. On le rencontre à différents âges de sa vie, un rosaire à la main, dans ce même costume noir qui fait encore ressortir le spectre. Il est resté impénétrable aux peintres aussi bien qu'aux hommes d'État... Du fond de ces salles, ce personnage règne encore dans les âmes qui ne le connaissent pas ; il m'explique tout ce qui m'étonne. C'est lui qui a amené dans ce désert la joyeuse Espagne du Moyen Âge[96]. »

Quant à Paul Verlaine, plus affranchi de l'histoire et de la politique, il retrouve dans son poème « La mort de Philippe II » des accents puisés à une tradition textuelle ancienne[97]. Il est tributaire, comme tant d'autres, de l'abondance de représentations du drame de don Carlos :

> [...] Et le Roi parla de don Carlos,
> Et deux larmes coulaient tremblantes sur sa joue
> Palpitante et collée affreusement à l'os.

Celui auquel s'adresse le roi moribond est un confesseur, concentré d'inquisiteur et de jésuite courtisan, qui renforce Philippe dans la conviction que son fanatisme accomplit la volonté divine. Par là, le poète fait rejouer les plus profonds fantasmes de la légende noire anti-inquisitoriale :

> Vous repentiriez-vous par hasard de ce zèle ?
> Brûler des juifs, mais c'est une dilection !
> Vous fûtes, ce faisant, orthodoxe et fidèle.

On est loin de la sensibilité de Maurice Barrès, qui reprochait à l'Inquisition d'avoir brûlé par erreur des non-juifs : « L'Inquisition,

96. Edgar Quinet, *Mes vacances en Espagne*, *op. cit.*, p. 24.
97. Paul Verlaine, « La mort de Philippe II », in *Poèmes saturniens*, Paris, Gallimard, coll. « Poésie », 1973, p. 85-90.

après avoir été très populaire dans son principe, s'est faite le plus grave tort par une suite d'erreurs, ayant brûlé des pauvres diables qui n'étaient ni juifs ni judaïsants. *Errare humanum est*[98]. » Verlaine, par une évocation assez convenue du palais-monastère de l'Escurial, illustre de façon saisissante le thème de la confusion de l'État et de la religion dans l'Espagne de Philippe II :

> Despotique, et dressant au-devant du zénith
> L'entassement brutal de ses tours octogones,
> L'Escurial étend son orgueil de granit.
>
> Les murs carrés, percés de vitraux monotones,
> Montent, droits, blancs et nus, sans autre ornements
> Que quelques grils sculptés qu'alternent des couronnes.

Un écrivain respectueux de la fonction de l'Espagne comme réserve spirituelle de l'Europe tel Maurice Barrès ne peut toutefois s'empêcher de souscrire à l'image ténébreuse de Philippe : « On donnait alors, j'imagine, dans les églises de Castille, des morceaux [de musique sacrée] écrits pour flatter le délire mélancolique du roi Philippe II[99]. » Ce serait cependant une erreur de penser que ces images sinistres du fils de Charles Quint sont le produit d'un regard extérieur, sans aménité, sur une Espagne qui, elle, aurait été incapable de décrier le roi de Lépante. Que l'on songe au poème de Manuel José Quintana, politicien libéral du premier XIXe siècle, sur le Panthéon de l'Escurial qui reprend tous les thèmes classiques de la légende noire de Philippe, ou aux *romances históricos* du duc de Rivas, cette précoce *Légende des siècles* hispanique, on a affaire à des charges poétiques dont la virulence n'a rien à envier à Hugo ou à Verlaine. Selon le duc de Rivas, lorsque l'Être suprême appelle à lui Philippe II, celui-ci rejoint en enfer son secrétaire Antonio Pérez. Le motif de la damnation du Roi Catholique n'est pas issu de l'imagination d'un libéral français...

98. Maurice Barrès, *Greco ou le secret de Tolède*, *op. cit.*, p. 91-92.
99. *Ibid.*, p. 45.

L'Espagne nouvelle

La lecture la plus sombre du passé espagnol, notamment de son « Siècle d'or », ne saurait être mécaniquement imputée à une volonté polémique de l'époque cherchant à renvoyer l'Espagne contemporaine à sa décadence. Au contraire, certains des auteurs qui se sont penchés sur le pays voisin pendant la monarchie de Juillet ou le second Empire réprouvent le passé ténébreux tout en repérant les signes de la modernisation en cours. Théophile Gautier fait l'inventaire scrupuleux de ce phénomène : « L'Espagne catholique n'existe plus. La Péninsule en est aux idées voltairiennes et libérales sur la féodalité, l'Inquisition, le fanatisme. [...] L'Espagne en est aujourd'hui au Voltaire Touquet et au *Constitutionnel* de 1825 [...] [100]. » La générosité du regard de Gautier, dans un certain nombre de domaines, le pousse à évaluer le degré d'alphabétisation de la population espagnole d'une façon inattendue. Comparant les paysans français aux andalous, il avance : « Comme instruction, ils leur sont fort inférieurs. Presque tous les paysans espagnols savent lire, ont la mémoire meublée de poésies qu'ils récitent ou chantent sans altérer la mesure [101]. » Edgar Quinet, désireux d'apporter son soutien à l'option progressiste face aux modérés et aux carlistes pendant le règne d'Isabelle II, exalte le potentiel libéral qui pourrait s'actualiser en Espagne, à condition d'échapper à l'espace clos de la catholicité. L'attention portée par l'historien français aux formes de sociabilité intellectuelle, au développement littéraire et aux débats parlementaires se nourrit explicitement de la mauvaise conscience française d'avoir contribué, par l'expédition des Cent Mille Fils de Saint Louis, à pérenniser les formes les plus archaïques de l'Ancien Régime en Espagne : « Quand on aide à crucifier une nation, il est trop commode de se laver les mains dans l'aiguière de Pilate [102]. »

100. Théophile Gautier, *Voyage en Espagne*, *op. cit.*, p. 223 et 258 (chap. XI).
101. *Ibid.*, p. 305 (chap. XII).
102. Edgar Quinet, *Mes vacances en Espagne*, *op. cit.*, p. 249. Cette remarque coïncide avec la note dédaigneuse de Stendhal qui n'avait, en outre, pas de mots assez durs pour dénoncer l'emphase ultra de Chateaubriand : « Quelle stupidité qu'un pays qui s'illumine parce qu'on vient d'ôter un peu de liberté au pays

Un idéologue de la troisième voie, antirépublicain et anti-absolutiste, comme Charles de Mazade est encore celui qui insiste avec le plus de vigueur sur la modernité espagnole en cours d'éclosion, dans les pages de *La Revue des Deux Mondes*. Son séjour d'observateur politique s'ouvre sur un tableau de Madrid à mille lieues du folklorisme : « Ce qui distingue aujourd'hui Madrid en effet, et ce qui explique aussi sans doute les déceptions de beaucoup de voyageurs altérés de pittoresque, de couleur locale, c'est que la métropole de l'Espagne est tout à fait en voie de devenir une ville moderne, européenne [103]. » Les espoirs éventuellement placés dans le développement d'une Espagne politique moderne furent démentis après le *sexenio revolucionario* et l'échec de la Ire République (1868-1874), le retour de la monarchie bourbonienne (1876) et surtout la Troisième Guerre carliste qui semblait replonger le pays dans ses ténèbres antérieures. Il ne faire guère de doute qu'à cet égard les dispositions des progressistes de la génération de Lavisse face à l'Espagne de leur temps ont été moins généreuses que celles des quarante-huitards. Reste que, et c'est le point qui importe ici, le discours moyen sur l'Espagne qui s'est formé au XIXe siècle présente un schéma très différent de celui que l'hispanisme professionnalisé a produit au XXe siècle. Les écrivains et idéologues que nous avons cités brossent des portraits plutôt positifs de l'Espagne qui leur est contemporaine et concentrent tous leurs traits critiques et leurs plus noirs fantasmes contre celle du Siècle d'or. C'est dans cette perspective qu'on peut mesurer avec encore plus de sûreté l'audace d'une comparaison de la France louisquatorzienne avec la monarchie de Philippe II chez les historiens français du XIXe siècle. Autrement dit, la légende noire prend précisément pour objet privilégié ce avec quoi la France du Grand Siècle est comparée. Le détour littéraire était nécessaire pour évaluer la force du parallèle.

---

voisin ! » (*Journal*, 20 octobre 1823, in *Œuvres intimes*, t. II, *op. cit.*, p. 69 [à Dijon qui célèbre les victoires françaises].)

103. Charles de Mazade, *L'Espagne moderne*, Paris, Lévy Frères, 1855, p. 7.

2

Historiographie et interactions

La piste philologique

Le paragraphe de Lavisse n'a rien perdu de sa force et de sa puissance d'évocation. Il ne saurait être tenu pour un isolat dans l'histoire de l'historiographie française. Sans prétendre établir la généalogie intellectuelle de l'identification de Louis XIV à l'hispanité, une brève enquête peut mettre en évidence un certain nombre de matériaux historiques et critiques à partir desquels l'assertion de Lavisse devient possible et peut signifier quelque chose pour ses lecteurs. L'intuition forte d'Ernest Lavisse germe sur un terreau longuement préparé par l'interminable querelle confessionnelle par quoi on pourrait aussi définir notre XIXe siècle. Les adversaires de l'ultramontanisme savaient bien tout ce que l'intransigeance catholique devait à la circulation des hommes et des idées. Louis Veuillot et Donoso Cortés par exemple, les chefs des Cent Mille Fils de Saint Louis et les exilés carlistes, considéraient l'Espagne, non sans raison, comme la butte témoin de ces temps où la politique ne savait se dire qu'à travers le lexique religieux[1].

L'attention littéraire et philologique accordée par Philarète Chasles à la littérature espagnole, on l'a vu, est en bonne partie déterminée par la défense de positions ultras. Le fait est que les sympathies hispanophiles exprimées dans les milieux réactionnaires ou néo-catholiques favorisent la formulation du problème de

1. Benoît Pellistrandi, « Politique de Donoso Cortés », *in* Jean-Frédéric Schaub (éd.), *Recherche sur l'histoire de l'État dans le monde ibérique, XVe-XXe siècle*, Paris, Presses de l'École normale supérieure, 1993, p. 165-198.

l'interaction hispano-française à l'époque moderne. Chasles associe étroitement la question de la diffusion des modèles littéraires hispaniques dans la France du XVIIe siècle aux questions politiques : « [...] vous saisissez à la source le premier flot de cette inondation espagnole, dont le réfugié Pérez fut évidemment l'initiateur, dont Corneille fut le Dieu, que la régence espagnole d'Anne d'Autriche fit dominer jusqu'en 1650, et qui alla se perdre, non sans laisser des traces énergiques de son passage, sous le trône de Louis XIV, et parmi la grande forêt de talents achevés qui habitaient et couronnaient ce trône[2]. » Sur la datation de la fin de l'influence culturelle (littéraire et vestimentaire) en France, Chasles demeure évasif, puisque dans un autre passage il affirme : « Cet engouement espagnol dura jusqu'au milieu du règne de Louis XIV [...] », soit après la mort de Molière, de Corneille, à l'époque où Racine dramaturge a provisoirement abandonné Melpomène. S'il est un point sur lequel la critique ne peut méconnaître la présence espagnole, c'est dans la genèse de l'art de Corneille. Maurice Barrès a une formule brutale : « Acceptons le Greco dans son intégrité, comme un peintre dont le génie est de penser à l'espagnole. Nous en avons connu bien d'autres qui pensaient à l'espagnole ! Notre Corneille, par exemple[3]. »

Pour la question qui nous occupe, la réflexion de Chasles a le mérite de jeter les bases modernes d'une approche privilégiant le champ des interactions hispano-françaises. Sa contribution, qui s'insère dans le débat intellectuel général, avant la formation d'un milieu hispanisant professionnalisé, a de fortes chances d'avoir suscité la curiosité des historiens de son temps. Face à l'anglomanie qui s'exprime dans l'*Histoire de la civilisation européenne* de François Guizot, par exemple, la proposition de Chasles fixe un cadre à partir duquel les recherches historiques peuvent retrouver le chemin de l'Espagne : « Dans ce vaste enseignement mutuel des peuples, on voit chaque nation puissante s'élever tour à tour au rang d'institutrice. [...] Le tour de l'Espagne vint sous Louis XIII. Un peuple dominateur associe tous les peuples à sa pensée et à son langage. Au commencement du XVIIe siècle, le dictionnaire espa-

2. Philarète Chasles, *Études sur l'Espagne...*, *op. cit.*, p. 238.
3. Maurice Barrès, *Greco ou le secret de Tolède*, *op. cit.*, p. 141.

gnol nous envahit et charge du poids de ses mots sonores notre langage flexible [...]. La phrase castillane envahit de ses pompeuses circonlocutions les Mémoires de Richelieu et ceux de madame de Motteville[4]. » Ainsi le fondateur de l'Académie est-il tributaire d'une contamination hispanique qui le fait écrire « espagnolesquement[5] ». Le rapprochement du pire ennemi de la maison de Habsbourg avec la culture espagnole ne devrait guère surprendre un public scolaire habitué à apprendre que *Le Cid* fut présenté l'année de Corbie, c'est-à-dire que la grande tragi-comédie espagnole de Corneille est exactement contemporaine de l'une des plus dangereuses défaites françaises face aux *tercios* espagnols des Pays-Bas (1636). Alors que la plupart des poètes et dramaturges français de son temps, même lorsqu'ils ressentent une authentique sympathie pour l'Espagne contemporaine, nourrissent la légende noire du passé habsbourgeois, Philarète Chasles favorise la recherche des influences espagnoles dans l'affirmation du génie littéraire français, sous les règnes des trois Philippe. La piste philologique et littéraire est fondamentale pour comprendre les phénomènes de transfert culturel qui se sont produits au XVIIe siècle et qui, sous une autre forme, se perpétuent au XIXe siècle avec assez de vigueur pour que les historiens de la France fassent preuve d'une connaissance profonde de l'histoire culturelle et politique de l'Espagne.

Edgar Quinet : contre l'Espagne jésuite, pour l'Espagne future

Dans son combat contre la Compagnie de Jésus, Edgar Quinet, titulaire de la chaire de langues et littératures de l'Europe méridionale du Collège de France[6], fait rejouer les accents vengeurs des *Provinciales* de Pascal et l'antimolinisme, en situant en Espagne le lieu de l'« ultramontanisme moderne[7] ». Si la France s'abstenait de lutter contre le jésuitisme contemporain, rien ne la distinguerait

4. Philarète Chasles, *Études sur l'Espagne...*, *op. cit.*, p. 108.
5. *Ibid.*, p. 25.
6. Michel Espagne, *Le Paradigme de l'étranger*, *op. cit.*, p. 111-112.
7. Edgar Quinet, *L'Ultramontanisme ou l'Église romaine et la société moderne*, Paris, Comptoir des Imprimeurs réunis, 1844.

plus des autres pays de la latinité catholique, elle consentirait, « sans plus de ferveur politique, à dire son chapelet dans la poussière, à côté de l'Italie, de l'Espagne, de l'Amérique du Sud[8] ! ». Pour prendre la mesure de son adversaire politique, le professeur s'était rendu en Espagne, après tant d'autres voyageurs français. Il importe de souligner que la perspective de Quinet est essentiellement commandée par l'actualité politique de son temps. Sa connaissance de l'histoire politique heurtée de l'Espagne contemporaine est très précise. Il identifie les politiciens qui occupent le devant de la scène, fait honneur aux écrivains, en privilégiant ceux qui paraissent porteurs de valeurs modernes, tels Larra ou Espronceda. L'impuissance du pays à sortir de l'alternance brutale entre aspirations libérales, parfois exprimées sous la forme de putschs de caporaux, et retours de bâton réactionnaires s'explique par le fait que la réforme politique y demeure encore impensable hors de la catholicité : « Tout a été bouleversé, hors le principe de l'ancienne religion. L'intolérance du Moyen Âge est resté au fonds des garanties nouvelles. [...] Sur ce fond de servitude spirituelle, j'ignore comment s'élèvera la liberté politique. [...] La révolution espagnole montre ainsi ce que peut être, de nos jours, une révolution qui s'enferme dans l'enceinte du catholicisme : des mouvements impétueux, des efforts enthousiastes, des coups de cornes de taureau, [...] mais nulle philosophie, nul plan suivi, nulle théorie qui naisse du sol, point de génie constituant, nulle audace de pensées et de conceptions [...][9]. » Les remarques de Quinet sur le fait que la catholicité est le facteur historique déterminant de l'évolution de la société espagnole rejoignent celle d'un auteur comme Larra dont il connaît les idées, notamment celles qui s'expriment dans la présentation de la traduction espagnole des *Paroles d'un croyant* de Lammenais[10].

8. Edgar Quinet, « Des jésuites » [1842-1843], *in* Jules Michelet et Edgar Quinet, *Des jésuites*, éd. Paul Viallaneix, Paris, Jean-Jacques Pauvert, 1966, p. 128.

9. Edgar Quinet, *Mes vacances en Espagne*, *op. cit.*, p. 80-81.

10. Mariano José de Larra, « Cuatro palabras del traductor », in *El dogma de los hombres libres. Palabras de un creyente por M. F. Lamennais* [1835], *Artículos políticos y sociales*, éd. José R. Lomba y Pedraja, Madrid, Espasa-Calpe, 1972, p. 258-268.

Les textes de Quinet n'ont pas pour objet principal de montrer l'analogie de la France louisquatorzienne et de l'Espagne habsbourgeoise. En fait, ses analyses sur les relations entre théologie et politique de l'Ancien Régime à l'époque contemporaine sont suffisamment complexes et dynamiques pour ouvrir le champ du comparatisme et le limiter cependant. Une remarque incidente dans la douzième leçon de son célèbre cours sur *Le Christianisme et la Révolution française* autorise le parallèle entre Philippe II et Louis XIV : « Les gouvernements de Philippe II, de Louis XIV vers la fin, de Louis XV, bien qu'appuyés sur l'Église et sur les confesseurs, ramenant à eux toute la substance de leurs sujets, les brisant comme le pain, étaient devenus des monarchies antichrétiennes [11]. » L'intransigeance religieuse et l'antiparlementarisme rapprochent les Bourbons du Habsbourg : Quinet revendique l'actualité, en son temps, de la critique janséniste de l'absolutisme français [12]. Son raisonnement consiste à démasquer la vanité du gallicanisme attaché au Roi-Soleil. D'un côté, l'autonomie proclamée du clergé de France et, par elle, celle du roi à l'égard du pape ont pour inconvénient de couper l'institution monarchique de sa source idéologique la plus vive : « La monarchie absolue de Louis XIV avait pour condition la monarchie absolue du catholicisme romain. Ces deux choses sont inséparables. Vouloir s'affranchir de Rome, c'était en réalité, pour Louis XIV et ses successeurs, se dépouiller de leur principe et détruire leur fondement [13]. » D'un autre côté, elle ne garantit aucunement les sujets du roi contre les effets dévastateurs de l'intransigeance catholique, au point que, par un travestissement suprême, le gallicanisme donne à voir son véritable visage dans l'affaire de l'adoption de la bulle *Unigenitus* : « L'ultramontanisme est encore un système ; le gallicanisme n'est plus qu'une chimère ; [...] L'orthodoxie catholique doit se confondre de plus en plus avec l'ultramontanisme : c'est là sa pente et sa nécessité [...] [14]. »

11. Edgar Quinet, *Le Christianisme et la Révolution française*, *op. cit.*, p. 214.
12. Catherine Maire, *De la cause de Dieu à la cause de la Nation. Le jansénisme au XVIIIe siècle*, Paris, Gallimard, 1998, p. 9. Voir Edgar Quinet, *L'Ultramontanisme*, *op. cit.*, sixième leçon, « L'Église romaine et le droit », p. 138-170.
13. Edgar Quinet, *Le Christianisme et la Révolution française*, *op. cit.*, p. 215.
14. *Ibid.*, p. 218-219.

Même si Quinet ne pousse pas l'analogie de la France de Louis XIV et de l'Espagne de Philippe II aussi loin que certains polémistes du Refuge protestant en amont et que Lavisse en aval, il affaiblit considérablement l'argumentaire qui oppose une monarchie hispanique ultramontaine à une monarchie française gallicane. On ne saurait s'étonner, dès lors, que le parallèle fasse une nouvelle apparition, fût-elle incidente, lorsque Quinet décrit l'affranchissement de la France par rapport à la papauté : « Conserver la forme absolue de la monarchie d'Espagne, et se délivrer de ce qui en est la sanction, est une chose impossible. En détruisant son lien avec la catholicité romaine, Louis XIV détruisait la racine même de son autorité [15]. » La Révolution française germe dans cette contradiction, contre la façade lézardée d'un gallicanisme flattant en apparence le désir d'autonomie et qui ménage, en fait, l'intolérance orthodoxe et l'arbitraire politique. Le contrepoint qui permet à Edgar Quinet de construire sa dialectique historique demeure toujours, dans ce chapitre de son cours, l'Espagne. Comme les autres pays de la latinité catholique, l'Espagne reste préservée de cette mortelle contradiction, ce qui a pour avantage et pour inconvénient de la placer à l'abri des effets de la révolution moderne : « Chaque peuple suit avec confiance l'idéal de sa croyance ; l'Espagne s'identifie avec le catholicisme. [...] Les États du Midi n'ont pas eu un seul moment d'appréhension ; ils se sont embarqués sur le vaisseau du catholicisme pour surnager ou périr avec lui [16]. » Plus encore que l'Italie, dont l'ardeur patriote heurte l'institution du Saint-Siège, l'Espagne fait figure de traduction politique de la catholicité.

La leçon de Quinet intitulée « Du royaume catholique par excellence. De l'Espagne », vibre d'accents dignes des poètes de son temps. Le catholicisme serait réduit dans l'Espagne face à l'Europe protestante, « taureau acculé dans le cirque, il fait tête à la foule » (p. 6). Pourtant l'échec espagnol était programmé dès le temps de sa plus grande splendeur, car Philippe II était le « monarque inflexible d'une société morte » (p. 7), isolé dans son Escurial, « sépulcre humide et ténébreux » (p. 8). Le registre mobilisé ici, on le constate aisément, est commun avec l'univers poétique des grands

15. *Ibid.*, p. 216.
16. *Ibid.*, p. 216-217.

auteurs romantiques. Ce thème morbide, très fréquemment sollicité, est, par exemple, également présent dans le cours que François Guizot prononce en Sorbonne en 1828, qui compare le gouvernement de Louis XIV « à un gouvernement de même nature, à la monarchie pure de Philippe II en Espagne ; elle était plus absolue que celle de Louis XIV, et pourtant bien moins régulière et moins tranquille. Comment Philippe II était-il parvenu, d'ailleurs, à établir en Espagne le pouvoir absolu ? En étouffant toute activité du pays, en se refusant à toute espèce d'amélioration, en rendant l'état de l'Espagne complètement stationnaire[17] ». Quand ce serait pour signaler l'écart, Guizot ne trouve qu'en Philippe II la stature à laquelle comparer le maître de Versailles. Il ne pouvait ignorer, lui non plus, qu'il réactivait là un lieu commun de la littérature pamphlétaire protestante de la fin du XVIIe siècle.

Jules Michelet : le modèle dialectique

Mais sans doute est-ce chez Jules Michelet que l'on trouve les formulations et les idées d'où naîtra l'analyse de Lavisse. Celui qui avouait : « Dès mon enfance et toute ma vie, je me suis occupé du règne de Louis XIV », sut distinguer ce que la formation territoriale de la France devait aux guerres louisquatorziennes de tout ce qui, dans l'œuvre du Roi-Soleil, s'écartait de l'épopée nationale. Le tome XIII de son *Histoire de France* porte un sous-titre significatif : *Louis XIV et la révocation de l'édit de Nantes, 1661-1685.* Pour Michelet, la Révocation est au XVIIe siècle ce que la Révolution française est au XVIIIe siècle, ce pôle de gravité vers lequel tout semble tendre. Il prend ainsi le contre-pied d'une historiographie qui retiendrait du Grand Siècle l'œuvre politique : « La grande prétention de ce règne est d'être un règne politique. Nos modernes ont le tort de le prendre au mot là-dessus. Le grand fatras diplomatique et administratif leur impose trop. Une étude attentive montre qu'au fond, dans les choses les plus importantes, la religion prima la

17. François Guizot, *Histoire de la civilisation en Europe*, éd. Pierre Rosanvallon, Paris, Hachette, 1985, p. 298.

politique [...] [18]. » La densité conceptuelle de l'attribut politique se trouve ici précisément à la jonction de l'histoire et de l'historiographie. Il ne s'agit pas seulement de dire que la primauté donnée à la dimension institutionnelle profane constitue une erreur de perspective méthodologique et thématique. Ce qui est également en jeu ici, c'est la validation et l'actualisation par l'historien du XIXe siècle des griefs adressés à Louis XIV en son temps, en particulier à propos de la persécution religieuse catholique.

Si Louis XIV n'est pas un politique, c'est qu'il est un dévot, pour reprendre les catégories du XVIIe siècle, et donc sans doute pas un « bon français ». La clef du règne ne se trouve ni dans les ordonnances de Colbert, ni dans la splendeur de Versailles, ni dans les conquêtes territoriales, mais bien dans la « croisade protestante » : « Dieu-donné naquit pour cela, pour la croisade protestante de Hollande (et d'Angleterre), et pour la croisade intérieure contre nos protestants de France. – Sauf le court moment du *Tartuffe* [...], où le parti dévot s'attaque aux mœurs du roi, il fut toujours docile à ce parti, accorda d'année en année toute persécution que lui demanda le clergé [19]. » L'assaut contre la Hollande entendu comme une croisade bien plus que comme une guerre commerciale, la querelle du *Tartuffe* tenue pour une parenthèse sans lendemain, la domination cléricale comme la constante du règne : tels sont les paramètres à travers lesquels Michelet construit son analyse de la politique louisquatorzienne dès le début des années 1670.

La chronologie ne fait guère à la chose. Sans doute Michelet observe-t-il l'aggravation progressive de la situation des huguenots dans le cours du règne. Mais Louis XIV est essentiellement marqué du sceau de la catholicité militante. Sismondi a, pour sa part, critiqué l'idée qu'il y eût deux Louis XIV, le dévot prenant la place du libertin. Il impute précisément au parti dévot l'invention du thème de la « conversion » de Louis XIV. Pour lui, le zèle catholique et le lien nourricier avec l'Espagne sont donnés au départ : « Ce n'est pas qu'il se fût jamais abandonné à des sentiments irréligieux ; nourri par sa mère dans des habitudes de zèle et d'obéis-

18. Jules Michelet, *Histoire de France*, t. XIII, *Louis XIV et la révocation de l'édit de Nantes, 1661-1685*, Paris, Lacroix et Cie, 1860, p. III.

19. *Ibid.*, p. 127.

sance pour l'Église, dans lesquelles les femmes espagnoles faisoient consister à peu près toute leur dévotion, ils les avoient préservées intactes[20]. » Michelet partage, en des termes peut-être moins tranchés, cette lecture de la continuité hispano-catholique qui unit la sœur de Philippe IV, Anne d'Autriche, à Louis Dieudonné. Mais il ne se prive pas de souligner l'essence religieuse de la personnalité royale. Ce point fixe est mis en scène dans un paragraphe consacré à la mission de Leibniz en France, à la veille de la guerre de Hollande. Le jeune diplomate, au nom de son maître l'Électeur de Mayence, s'était rendu à la cour pour défendre devant le roi le grandiose projet d'une croisade contre l'Égypte[21]. Il s'agissait de détourner la fureur française vers un théâtre extra-européen. La démarche de Leibniz n'aboutit pas : « Tout y était prévu ; ce vaste et beau génie avait tout embrassé. Il n'y manquait qu'une chose, la chose essentielle, la connaissance de la vraie situation religieuse, et de la conscience du roi, et des motifs intimes, supérieurs, qui dirigeaient tout. Le moindre courtisan d'ici eût pu dire à Leibniz combien son idée était vaine. Cette guerre de Hollande était le fonds du règne même, le drame naturel où le nouveau Philippe II gravitait fatalement, aussi bien que la guerre intérieure contre le protestantisme[22]. » L'impuissance politique de Leibniz est un thème si important que Michelet l'annonce par ces termes dans le prologue synthétique placé en tête de volume : « Leibniz, jeune et crédule en 1672, s'imagine que le roi est politique [...][23]. »

L'idée d'Ernest Lavisse selon laquelle « la totale confusion de l'État et de la religion » qui aurait caractérisé l'absolutisme français dérivait de la dimension hispanique du roi, est déjà présente chez Jules Michelet, dans une formule condensée où la problématique est puissamment fondée : « Tout le siècle gravite vers la Révocation. De proche en proche on peut la voir venir. Dès la mort d'Henri IV, la France s'y achemine. Elle ne succède à l'Espagne qu'en marchant dans les mêmes voies. Ni Richelieu ni Colbert n'en

20. J. C. L. Simonde de Sismondi, *Histoire des Français*, Paris, Treuttel et Würtz, 1841, t. XXV, p. 477.

21. Leibniz, *Projet d'expédition d'Égypte présenté à Louis XIV*, in *Œuvres de Leibniz*, t. V, éd. A. Foucher de Careil, Paris, Firmin-Didot, 1865.

22. Jules Michelet, *Histoire de France*, t. XIII, *op. cit.*, p. 132-133.

23. *Ibid.*, p. IX.

peuvent dévier[24]. » S'il ne fait aucun doute que l'affrontement franco-espagnol traverse les XVIe et XVIIe siècles, c'est moins sur le mode d'une opposition inexorable entre systèmes incompatibles que par une sorte de captation de la mission historique espagnole par la monarchie française.

La *doxa* voltairienne

L'horizon intellectuel que trace Michelet, en correspondance profonde avec la réflexion historique et politique de Quinet, est une position de combat. Il heurte deux lectures du règne de Louis XIV : l'interprétation ultra, à forte connotation néo-catholique, l'interprétation libérale qui isole l'œuvre politique et administrative de Louis XIV et postule que son règne doit être interprété comme extérieur et postérieur aux guerres de Religion. Ce qui, dans la perspective de l'histoire de l'historiographie, mérite d'être souligné, c'est l'existence de fortes divergences au sein même de la culture laïque française. La proposition de Michelet, qu'on pourrait qualifier de républicaine, s'oppose à une tradition textuelle qui unit le Voltaire du *Siècle de Louis XIV* au Tocqueville de *L'Ancien Régime et la Révolution*. Un auteur à succès comme l'historien Capefigue, protégé par la notabilité du temps de Louis-Philippe, diffuse la *vulgate* de cette école d'interprétation. Dans la lettre adressée au comte de Molé, au début du premier volume de son histoire du XVIIe siècle, Capefigue présente la hiérarchie qui pose alors la religion en situation seconde, par opposition au XVIe siècle : « Sans doute il existe encore parmi les peuples des idées fortement théocratiques ; le catholicisme inspire toujours de la ferveur ; il détermine des persécutions, témoin les guerres contre les huguenots, et plus tard la révocation de l'édit de Nantes. La Réforme à son tour fait des conquêtes, domine des actes politiques ; mais ce principe religieux est tellement mélangé aux questions terrestres, il est tellement étouffé par le droit des nations, qu'il n'entre plus que comme question secondaire[25]. »

24. *Ibid.*, p. III.
25. J.-B. Capefigue, *Richelieu, Mazarin, la Fronde et le règne de Louis XIV*, Bruxelles, Louis Hauman et Cie, t. I, 1835, p. III.

Dans cette perspective, l'œuvre des cardinaux-ministres n'est présentée que comme une anticipation de la formation de la nation et de son institutionnalisation administrative. Richelieu est un peu l'homme du 10 août 1792 : « [...] Richelieu ne diffère pas de quelques-uns de ces noms fameux qui rêvèrent à une autre époque de l'unité et de l'indivisibilité de la France [26]. » Que l'on compare cette assertion avec le jugement à peu près contemporain de Philarète Chasles : « On reconnaît l'Espagne dans le caractère et dans le génie de Richelieu lui-même [27]. » Pour que le lecteur ne se laisse pas abuser par les illusions de la mobilisation courtisane des écrivains sous le règne de Louis XIII, le philologue montre tout ce que l'écriture de Guez de Balzac, le porte-parole de l'hostilité du cardinal à l'égard de la maison des Habsbourg d'Espagne, doit à la littérature espagnole [28] !

À l'opposé exact de Michelet, Capefigue manifeste une telle répugnance à présenter le XVIIe siècle français comme une époque de reprise des guerres de Religion, sous de nouvelles formes, qu'il affirme que l'œuvre antiprotestante de la monarchie demeure de nature purement politique. Mais, avec un détour dont il ne mesurait pas l'ironie, pour introduire l'idée que les protestants de 1685 étaient devenus une cinquième colonne hollandaise en France, il choisit de recourir à une analogie... espagnole : « En politique, il y a moins de causes absurdes qu'on ne le croit généralement ; le caprice d'un confesseur ou d'une vieille maîtresse ne fait pas tout : c'est là la cause superficielle ; la cause interne est plus profonde. Philippe III expulsa les Maures d'Espagne parce qu'ils étaient d'intelligence avec les Barbaresques et les Turcs, pour appeler la domination de l'islamisme sur les vieux et purs Espagnols ; qui sait, et peut-être les preuves convaincront notre époque impartiale, qui sait si la révocation de l'édit de Nantes ne tint pas à des causes sembla-

26. « Lettre à Monsieur le baron Pasquier, président de la Chambre des Pairs », *in* J.-B. Capefigue, *Richelieu, Mazarin, la Fronde et le règne de Louis XIV*, *op. cit.*, t. V, 1836, p. XXVI.

27. Philarète Chasles, *Études sur l'Espagne...*, *op. cit.*, p. 108.

28. Puibusque, contemporain de Chasles, qualifie Guez de Balzac d'Espagnol et précise que « Balzac a la démarche d'un conseiller de l'Escurial » (Adolphe de Puibusque, *Histoire comparée des littératures espagnole et française*, 2 vol., Paris, Dentu, 1843, t. II, p. 54-55).

bles[29] ? » Ce passage est très significatif de la façon dont un certain esprit du XIXe siècle place la question religieuse au second plan : ici, entre l'anecdote insignifiante du confesseur intransigeant et l'explication politique qui épuise le sens, aucune place n'est faite à la religion proprement dite. L'expulsion des Morisques de 1609 se trouve elle-même privée de toute dimension spirituelle, ce que démentent les études sur les débats tenus à la cour espagnole pendant la préparation de la décision[30].

Dans cette voie moyenne où il semble s'installer, Capefigue, adossé à une *doxa* largement admise, n'est visiblement ni assez catholique ni assez anticlérical pour réfléchir avec quelque profondeur à l'articulation de la religion et de la politique. Il se borne à retracer l'épopée française, au terme de laquelle la couronne soumet l'autel sans toutefois l'annuler. Dans un tel schéma, l'intérêt porté aux interactions hispano-françaises demeure minime. La rhétorique de l'exposé favorise, au contraire, l'opposition classique des deux modèles, sous la forme dichotomique. Enfermé dans un tel paradigme, il prétend que, sous le règne de Louis XIII, « il y avait dans la race de Bourbon un sentiment de haine contre la maison d'Espagne [...][31] ».

Le comble de l'effacement du fait religieux est atteint par certains manuels classiques du XXe siècle. Dans celui de Philippe Sagnac, par exemple, les décisions de l'adoption de l'édit de Fontainebleau (1685) et de l'enregistrement de la bulle *Unigenitus* (1713) sont prises par un monarque « harcelé » par son entourage intransigeant (épouse, confesseur)[32]. À ceux qui croient qu'on peut ou bien passer sous silence la dimension religieuse du règne ou bien situer les questions de la foi dans une position subalterne par rapport aux décisions institutionnelles, Jules Michelet avait demandé encore un effort pour être vraiment laïques. C'est, au

29. « Lettre à Monsieur le baron de Barante », *in* J.-B. Capefigue, *Richelieu, Mazarin, la Fronde et le règne de Louis XIV*, *op. cit.*, t. III, 1836, p. XII.

30. Antonio Domínguez Ortiz et Bernard Vincent, *Historia de los Moriscos* [1979], Madrid, Alianza, 1985.

31. Capefigue, *Richelieu, Mazarin, la Fronde et le règne de Louis XIV*, *op. cit.*, t. V, p. 8.

32. Philippe Sagnac et Alexandre de Saint-Léger, *Louis XIV (1661-1715)*, Paris, Presses universitaires de France, 1949, p. 272 et 636.

contraire, en reconnaissant toute la puissance du fait religieux comme clef d'interprétation du parcours du Roi-Soleil qu'on garde quelque chance d'en comprendre les ressorts. De ce point de vue, malgré toute sa vigueur, Pierre Goubert s'interdit d'intégrer politique et religion dans son interprétation du règne. Soucieux de distinguer le roi Louis XIV et les vingt millions de Français, il décrit les dernières mesures de persécution religieuse comme de « simples hoquets séniles de rage dévote [33] ». Réduire le tour catholique pris par l'ensemble du règne à la démence d'un vieillard interdit une intelligence un peu poussée des modes de transformation de la question politique au XVIIe siècle. Du point de vue républicain que Pierre Goubert revendique, il eût été pourtant aisé de tendre des ponts entre les aspects du règne qui lui sont le plus antipathiques, notamment la bigoterie versaillaise, et la force d'attraction du modèle hispanique à la cour des Bourbons, comme l'avaient fait Quinet et Michelet. Le cas cité a valeur de symptôme. Il invite à se demander pourquoi le champ de l'interaction a perdu tant de terrain dans l'historiographie au XXe siècle.

Quelques hypothèses peuvent être formulées. On en retiendra provisoirement trois. D'une part, il faut tenir compte du fait qu'avec le tournant intellectuel imposé par les *Annales* et l'accent porté sur la mise de l'histoire à l'école des sciences sociales, la question de la formation des identités nationales-culturelles dans le domaine politique cesse de paraître prioritaire. Sans doute Marc Bloch a-t-il publié une étude pionnière sur l'histoire culturelle des rites politiques et Lucien Febvre développé ses analyses dans le domaine de l'histoire culturelle. Mais, pour l'essentiel, les efforts des historiens inspirés par Émile Durkheim, François Simiand ou Ernest Labrousse portaient ailleurs. D'autre part, il est vraisemblable que le surcroît de patriotisme cocardier engendré par la mobilisation et les horreurs de la Grande Guerre a émoussé la sensibilité générale à l'égard des phénomènes de transferts culturels [34]. La neutralité de l'Espagne pendant la guerre n'a pas contribué à

33. Pierre Goubert, *Louis XIV et vingt millions de Français* [1966], Paris, Hachette, coll. « Pluriel », 1979, p. 320.

34. Christophe Prochasson et Anne Rasmussen, *Au nom de la patrie. Les intellectuels et la Première Guerre mondiale (1910-1919)*, Paris, La Découverte, 1996.

exciter l'intérêt des écrivains français à l'égard de la vie intellectuelle espagnole. Il est, par exemple, significatif que les partisans espagnols de la France dans le cadre du conflit aient salué la publication de l'essai d'André Suarès sur Cervantès comme le signe de la profonde communion historique qui liait les deux pays, alors que les liens se délitaient[35]. En dépit de la persistance d'échanges, ne serait-ce qu'à travers l'exil d'intellectuels pendant la dictature du général Primo de Rivera, on ne trouve plus l'équivalent de l'intérêt passionné pour l'Espagne qui a marqué une bonne part du siècle précédent.

En plus de ces évolutions qu'on pourrait qualifier de négatives, en ce qu'elles annoncent l'épuisement de l'intérêt pour certaines questions, il en est d'autres qui expliquent peut-être le triomphe de la version dichotomique pour des raisons positives. Tel est le cas de la fortune intellectuelle du paradigme tocquevillien qui contribue à séparer l'Espagne impuissante à défaire le nœud théologico-politique d'une France affairée dans le laboratoire de l'administration nouvelle. Sur ce point, une contradiction traverse l'œuvre de Lavisse elle-même. Pris dans son ensemble, le *Louis XIV* demeure en retrait par rapport au point de vue radical de Michelet. Le passage à partir duquel notre enquête s'est organisée appartient à un chapitre isolé consacré au portrait psychologique de Louis Dieudonné : il ne commande pas, en position première, l'ensemble de l'exposé. Ernest Lavisse valide le bilan modernisateur du règne, ordonnances colbertiennes, rationalisation des armées sous Louvois, abandon de l'esthétique baroque, etc. Mais il ne croise pas ces différents phénomènes avec la piste de l'interaction hispano-française. Cependant, les historiens peuvent encore associer interprétation dichotomique et interprétation dialectique, en faisant porter leur analyse sur l'issue finale de l'interaction hispano-française : l'installation des Bourbons en Espagne en 1700.

Le changement dynastique en Espagne, le goût manifeste de Philippe d'Anjou pour le monde qu'il découvre, la préférence exprimée par une partie de l'entourage du défunt Charles II de Habsbourg pour le candidat Bourbon accréditent l'idée d'une ren-

35. André Suarès, *Don Quijote en Francia*, prologue et traduction de Ricardo Baeza, Madrid, Minerva, 1916. Le titre orginal est *Cervantès*.

contre nécessaire entre les deux mondes. Mgr Alfred Baudrillart, auteur d'une monumentale thèse sur Philippe V d'Espagne et la cour de Versailles, pose ainsi le problème : « Les Espagnols souffraient singulièrement de l'état lamentable où les derniers rois autrichiens avaient laissé tomber la monarchie. [...] Faut-il être surpris que les Espagnols, affligés de la décadence de leur patrie, tournassent un regard d'envie vers ce royaume de France où tout paraissait marcher simplement et comme de soi-même, vers ce roi dont la volonté semblait être le moteur unique d'un gouvernement toujours obéi et jusque-là toujours heureux[36] ? » La vision de l'Espagne de Charles II que livre Baudrillart semble plus proche du *Ruy Blas* ou des *Lettres marocaines* de Cadalso, qui la voyait comme « le squelette d'un géant[37] », que des études historiques qui ont montré depuis une trentaine d'années, après qu'on se fut donné la peine de lancer des recherches sur elle, que cette période fut bien moins désastreuse qu'on ne l'imaginait. Pour Baudrillart, la France avait vocation à sortir l'Espagne de la ruine universelle (1700), comme elle aurait plus tard vocation à la faire entrer dans la modernité libérale (1808) et peut-être même à intervenir dans ses luttes internes (1823). Dans cette perspective, le constat de l'écart qui sépare les deux mondes permet de faire porter l'accent sur la capacité de l'un à déterminer l'avenir de l'autre.

Avec l'historiographie dont il disposait, Baudrillart offre une version on ne peut plus dichotomique de la comparaison des deux monarchies : « La monarchie française et la monarchie espagnole étaient toutes deux des monarchies absolues, mais elles l'étaient d'une manière bien différente. Le despotisme des rois d'Espagne était, en un sens, plus profond et plus lourd que celui des rois de France ; il s'appuyait sur cette Inquisition qui ne respectait pas plus les évêques que les grands ou les gens du peuple, instrument de terreur politique et religieuse entre les mains du pouvoir ; ce gouvernement tout clérical pesait sur les esprits plus fortement que le gouvernement français ; caché au fond de ses tristes palais, le

36. Alfred Baudrillart, *Philippe V et la cour de Versailles*, Paris, Firmin-Didot, 1890, t. I, p. 58 et 66.

37. José Cadalso, *Cartas Marruecas* [1774], *Noches lúgubres*, éd. Joaquin Arce, Madrid, Catedra, 1980, « Carta III », p. 89, et « Carta XLIV », p. 190.

monarque autrichien d'Espagne semblait un despote d'Asie. Mais, dans l'ordre politique, l'action qu'il exerçait était bien moindre que celle du roi de France : car, au contraire de celui-ci, il devait encore compter avec des privilèges sociaux, des coutumes locales, des assemblées, des Conseils ou *Cortes*, autant d'entraves à l'autorité royale qui n'existaient plus chez nous. En Espagne, l'administration chancelante était peu obéie ; rarement la parole du roi arrivait jusqu'au sujet ; l'État demandait peu au nom du bien public ; chacun, isolé chez soi, songeait à soi et demeurait indépendant ; chaque province gardait ses lois particulières ; le pouvoir central semblait n'avoir d'autre but que de maintenir tant bien que mal l'édifice élevé par Philippe II : en dehors de là, c'est à peine s'il osait agir [...]. Or, voici qu'en face de cette monarchie caduque et peu gênante à l'ordinaire, s'est élevée une monarchie prodigieusement active et envahissante, une monarchie moderne où tout doit être subordonné au bien public, où toute initiative part du centre[38]. » Schématique sur l'opposition des deux systèmes, l'historien se montre plus nuancé dans la description du fonctionnement de la monarchie hispanique. Il constate, sans l'expliquer, le mélange improbable de tyrannie et d'inefficacité. Sa définition analytique du gouvernement monarchique espagnol est traversée de sérieuses contradictions. Le despotisme dérive d'une pure instrumentalisation de l'Inquisition, institution cléricale dont le commandement moral est capable d'atteindre le moindre sujet du roi. Pourtant, la couronne paraît incapable d'établir le contact avec les sujets du roi. L'image des rois autrichiens en despotes orientaux retirés au fond de leurs palais est à l'évidence tributaire de l'imagerie sépulcrale de l'Escurial. Cette présentation tranchée de deux systèmes que tout semble opposer ne fait cependant pas fi de l'admiration du duc de Saint-Simon pour cette société selon son goût ni du fait que l'entourage catholique intransigeant du jeune Philippe d'Anjou l'avait prédisposé à se sentir à l'aise dans la société de cour madrilène.

38. Alfred Baudrillart, *Philippe V et la cour de Versailles*, *op. cit.*, t. I, p. 59-60.

Après Lavisse : fortune de l'interaction

Dans le domaine historiographique, en dépit de la spécialisation hispaniste, et de l'ivresse franco-française, la ligne d'analyse proposée par Ernest Lavisse n'est pas entièrement abandonnée dans les décennies qui ont suivi la publication du *Louis XIV*. Charles Seignobos reprend, en l'atténuant toutefois, l'idée du caractère hispano-catholique du règne de Louis XIV. Tout comme chez Michelet, la majeure de son raisonnement consiste à montrer que le Grand Siècle n'est pas une phase « politique » de notre histoire nationale, la mineure que son enracinement dans les questions religieuses dérive de l'influence hispano-italienne. Après avoir reproché à l'historiographie du XIXe siècle d'avoir exagéré l'importance de l'œuvre de Richelieu, il note : « Le XVIIe siècle a été en France le grand siècle de la théologie, elle a pénétré alors jusque dans la littérature profane. En même temps, deux reines d'origine étrangère, Marie de Médicis et Anne d'Autriche, introduisaient à la Cour des habitudes de dévotion, apportées d'Italie et d'Espagne. Le catholicisme romain devenait la religion nationale de la France[39]. » Paradoxalement, il ne reconnaît aucune influence espagnole dans la formation du classicisme littéraire français, mais admet que la société de cour installée par Louis à Versailles rompt avec la culture nationale : « Louis XIV rompit définitivement avec la tradition française et adopta le cérémonial solennel pratiqué dans les cours d'Espagne et d'Autriche[40]. » Dans une conclusion extrêmement proche de la sensibilité de Michelet, Seignobos opère une distinction fondamentale : « Louis XIV a pu figurer comme l'incarnation de la grandeur de la France ; il ne représentait pas le caractère français[41]. »

Henri Hauser a construit son célèbre précis de la collection « Peuples & Civilisations » sur le thème de la « prépondérance

39. Charles Seignobos, *Histoire sincère de la nation française. Essai d'une histoire de l'évolution du peuple français* [1933], t. II, Paris, Presses universitaires de France, 1958, p. 17.

40. *Ibid.*, p. 38.

41. *Ibid.*, p. 39.

espagnole[42] », idée qu'il décline également en termes d'« hégémonie » et d'« apogée », auxquels on préfère aujourd'hui celui, plus nuancé, de « prééminence »[43]. Saisissant l'Espagne à partir du traité de Cateau-Cambrésis (1559), Henri Hauser met en garde ses lecteurs contre la tentation d'opposer le temps impérial de Charles Quint à un temps de Philippe II plus royal et hispanocentrique : « Le roi d'Espagne a cessé de porter le titre d'empereur, mais il subsiste, nous dirons même qu'il existe plus que jamais un empire espagnol. La Castille est animée de cet esprit vraiment impérial [...][44]. » Cette intuition fondamentale, partagée par Fernand Braudel dans la troisième partie de la *Méditerranée*, n'est pas assez explicitée ni vraiment approfondie. L'auteur fait l'économie d'une analyse du concept d'empire dont la polysémie historique et historiographique demeure problématique. S'y trouvent mêlées les références au Saint Empire romain – dont seul Charles Quint porte la couronne parmi les membres espagnols de la maison de Habsbourg –, à l'édification d'une domination territoriale ultramarine et européenne, et enfin à l'aspiration théologico-politique à une monarchie universelle qui a vocation à réunifier la chrétienté.

Dans le droit-fil des représentations historiographiques et littéraires du XIXe siècle, Hauser choisit le bâtiment de l'Escurial comme le meilleur objet pour entrer en matière et construire l'image de la puissance de Philippe II. Il n'évite pas les lieux communs que nous avons rencontrés : « Dès juin 1571, en une procession d'une grandeur macabre et qu'un orage rendit tragique dans ce désert de pierres, il transporta huit cercueils – l'empereur, les reines défuntes, les infants – jusqu'au sépulcral édifice où il avait choisi de reposer lui-même, et où il vivait une grande partie de l'année[45]. » On ne peut qu'admirer l'habileté d'écriture par laquelle la puissance agissante de Philippe II se définit dans un dispositif

42. Le terme est repris par Gaston Zeller, *Les Temps modernes, I. De Christophe Colomb à Cromwell* [Pierre Renouvin (éd.), *Histoire des relations internationales*, t. II], Paris, Hachette, 1953, p. 122 et 148.

43. Bartolomé Bennassar et Bernard Vincent, *Le Temps de l'Espagne, XVIe-XVIIe siècles*, Paris, Hachette, 1999, p. 84.

44. Henri Hauser, *La Prépondérance espagnole, 1559-1660* [1933], Paris-La Haye, Mouton, 1973, p. 6.

45. *Ibid.*, p. 8.

funéraire, la procession et le panthéon de l'Escurial instituant la mort comme le cœur vivant de la politique espagnole. Ce tour d'écriture a valeur de symptôme de l'efficacité et de la capacité d'évocation d'anciennes figures littéraires dont l'historiographie la plus documentée n'avait guère de raisons de se déprendre. La réduction du roi Philippe à l'austérité accablante du palais-monastère ne permet cependant guère d'éclairer les traits spécifiques de la monarchie hispanique au temps de sa « prépondérance ». En revanche, il importe de montrer l'usage instrumental qui est fait de l'architecture palatiale dans le cadre de la propagande monarchique. Sur ce plan, on trouve chez de nombreux auteurs, depuis la fin du XVIIe siècle jusqu'à l'historiographie récente, le nécessaire parallèle de l'Escurial et de Versailles, fondé sur un usage médiocrement maîtrisé de l'analogie. Le profil de chaque édifice ou complexe de bâtiments est alors supposé représenter, dans leurs différences essentielles, les deux régimes monarchiques. Fernand Braudel, par exemple, adopte si profondément l'analogie héritée qu'il invite à comprendre, à rebours, le palais castillan par le français : « Philippe II à l'Escurial, c'est Louis XIV à Versailles...[46]. » Des études plus précises peuvent, sur une base plus attentive à la circulation des modèles architecturaux dans l'Europe du XVIIe siècle, faire porter plutôt l'accent sur les similitudes du monastère castillan et de l'hôtel des Invalides de Paris[47].

Reste que, débarrassé des images littéraires, souvent admirables, qui convertissent le monastère de Saint-Laurent en siège de l'empire de la mort et du mal absolu, le thème de l'Escurial permet de poser avec netteté la question des rapports entre théologie et politique dans la monarchie hispanique du Siècle d'or. Hauser, comme tant d'autres avant lui, y voit la réalisation d'un roi visionnaire qui « rêve » de ce monastère-palais adapté à une conception mystique et sacerdotale du métier de roi. Dès lors, la vocation impériale de l'Espagne triomphante s'inscrit dans l'horizon spirituel de la Réforme catholique et ne saurait être réduite à la politique des

46. Fernand Braudel, *La Méditerranée et le Monde méditerranéen à l'époque de Philippe II*, 6e éd., Paris, Armand Colin, 1985, t. I, p. 322.

47. Rafael Valladares, « Heredero de quién : Luis XIV y el legado de Felipe II », art. cité, p. 127-137.

puissances qui semble le mieux définir l'Europe postérieure au traité de Westphalie (1648). Sur ce point, Henri Hauser se garde bien d'opposer de façon trop mécanique la monarchie hispanique ancrée dans les rêves médiévaux de l'unité chrétienne à une monarchie française déjà pleinement engagée dans le concert des nations modernes dès l'époque de Louis XIV. À la fin de son ouvrage, une remarque sur les conditions inventées par Mazarin pour le mariage de Louis et de l'infante Marie-Thérèse, fille de Philippe IV, ouvre des perspectives critiques surprenantes : « Dans la corbeille de l'infante, le rusé cardinal, toujours entraîné par sa mégalomanie, avait déposé ce cadeau fatal : la succession d'Espagne, c'est-à-dire la guerre où s'abîmera cette prépondérance française à laquelle Richelieu avait travaillé et que Mazarin se flattait d'avoir parachevée. Dans l'île des Faisans comme sur le Rhin, il a fait une grande politique, dont on n'ose dire qu'elle ait été une politique nationale française[48]. » Ce passage fait allusion à la dot de cinq cent mille écus que le ministre d'Anne d'Autriche exige à la signature du contrat de mariage et dont le non-paiement servit de prétexte et de justification aux annexions de terres brabançonnes et flamandes de la maison de Habsbourg par Louis XIV, à partir de 1667. Or la revendication française sur une partie des Pays-Bas hispaniques préfigure la grande entreprise de captation de l'héritage espagnol par la dynastie des Bourbons. Deux éléments méritent d'être soulignés et distingués.

Dans un raccourci saisissant, Hauser enchaîne les uns aux autres tous les épisodes de l'affrontement franco-espagnol, depuis la déclaration de guerre de 1635 jusqu'à l'arrivée de Philippe d'Anjou sur le trône madrilène en 1700. Sur ce point encore, il est l'héritier d'une part de l'historiographie du XIXe siècle qui avait placé le projet espagnol au principe des ambitions du Roi-Soleil. Comme le souligne François Bluche, dans la biographie qu'il a consacrée à Louis XIV, c'est à l'« historien romantique Auguste Mignet » qu'on peut attribuer la présentation de « tout le règne de Louis XIV autour de la succession d'Espagne »[49].

48. Henri Hauser, *La Prépondérance espagnole*, *op. cit.*, p. 394.

49. François Bluche, *Louis XIV* [1986], Paris, Hachette, coll. « Pluriel », 1999, p. 350.

Retour au XIXe siècle : Mignet et la succession d'Espagne

Gaston Zeller a critiqué l'idée d'Auguste Mignet, selon laquelle la question de la succession d'Espagne avait été le pivot du règne de Louis XIV [50]. Mignet, conseiller d'État, membre de l'Institut, garde des archives du ministère des Affaires étrangères, avait rassemblé à la demande de François Guizot tous les documents diplomatiques relatifs à la succession d'Espagne [51]. La longue introduction qui précède la publication place, en effet, la question espagnole au centre de la politique extérieure de Louis XIV, au point d'en faire la clef d'interprétation la plus pertinente de l'ensemble de son règne : « On peut dire que la succession d'Espagne fut le pivot sur lequel tourna presque tout le règne de Louis XIV. Elle occupa sa politique extérieure et ses armées pendant plus de cinquante ans ; elle fit la grandeur de ses commencements et les misères de sa fin [52]. » Victor Hugo lui-même, au moment où Mignet rassemble les documents relatifs à la succession (1834), forme le projet d'un drame – qui ne verra pas le jour – sur l'arrivée des Bourbons à Madrid et qui serait une charge contre le classicisme louisquatorzien [53]. L'analyse de Mignet peut être rapprochée de celle, postérieure d'un siècle, d'Henri Hauser par le fait que les deux auteurs adoptent une chronologie longue de la succession d'Espagne en la faisant démarrer en 1659 : « Louis XIV sentit promptement, avec l'instinct supérieur de l'ambition, que le moyen de sa grandeur et le nœud de son règne était en Espagne. Dès l'année 1661, il s'occupa sans relâche de l'héritage de cette monarchie et travailla à faire révoquer l'acte par lequel il y avait renoncé [54]. »

50. Gaston Zeller, *Les Temps modernes, II. De Louis XIV à 1789* [Pierre Renouvin (éd.), *Histoire des relations internationales*, t. III], Paris, Hachette, 1955, p. 8.

51. François Auguste Mignet, *Négociations relatives à la succession d'Espagne sous Louis XIV*, Paris, Imprimerie royale, 1835.

52. *Ibid.*, t. I, p. LII-LIII.

53. Anne Ubersfeld, *Le Roi et le Bouffon*, *op. cit.*, p. 253-254.

54. François Auguste Mignet, *Négociations...*, *op. cit.*, t. I, p. LV.

On trouve des échos de cette chronologie longue de la succession d'Espagne sous la plume de Sismondi : « Avant même la paix de Westphalie, Mazarin, bien instruit de la dégénération de toute la race autrichienne, juste conséquence des vices de Philippe IV, avoit commencé à convoiter son riche héritage[55]. » En fait, cette ampleur de vues chronologique est d'autant plus justifiée que la question de la succession s'inscrit, en fait, dans l'histoire d'une opposition des deux royaumes bien plus longue. La compétition entre les deux monarchies s'était, on le sait bien, définie sous les Valois bien avant que les Bourbons ne fussent advenus : « Il fallait que l'un des deux États vainquît ou s'attachât l'autre. L'incorporation par la conquête étant impossible, l'union par les mariages étant éphémère, on recourut à un autre moyen mêlé de violence et de droit, à l'établissement de la dynastie du pays le plus fort dans le pays le plus faible. Ce moyen de rétablir par un assujettissement déguisé l'accord détruit depuis le commencement du XVIe siècle entre la France et l'Espagne fut alternativement tenté par les deux maisons qui régnaient sur elles. Chacun des deux pays dans le moment de sa force voulut imposer sa dynastie à l'autre dans le moment de sa faiblesse. Philippe II l'essaya pour le compte de l'Espagne pendant les troubles de la Ligue, lorsque la branche de Valois disparut, et Louis XIV l'accomplit pour le compte de la France, lorsque la postérité masculine de Charles Quint s'éteignit[56]. » On notera, ici, que l'auteur fait porter l'accent plutôt sur la dimension dynastique que nationale. Sur ce point encore, l'analyse de Mignet paraît annoncer l'oracle d'Hauser lorsqu'il suggère que Mazarin, en créant la possibilité juridique d'une revendication française sur la couronne espagnole, aurait entraîné le royaume sur les rails d'une politique excessive, favorable à la dynastie des Bourbons mais trop coûteuse pour la France.

Moins sévère, cependant, qu'Henri Hauser dans son jugement sibyllin sur la déviation de la politique française que provoque la poursuite de la chimère hispanique, Mignet situe l'abandon du modèle français au lendemain de la mort d'Hugues de Lionne

55. J. C. L. Simonde de Sismondi, *Histoire des Français*, *op. cit.*, t. XXVI, p. 264.

56. François Auguste Mignet, *Négociations...*, *op. cit.*, t. I, p. II.

(1671), lorsque Louis s'engage dans la guerre contre la Hollande (1672), enterrant la politique d'alliances de revers bâtie par Henri IV, Richelieu et Mazarin. Dans cette perspective, lorsque Louis XIV accepte le testament de Charles II, selon Mignet, l'Angleterre et la Hollande « crurent qu'il voudrait réunir le Portugal à l'Espagne, faire remonter les Stuarts sur le trône d'Angleterre, rattacher aux Pays-Bas espagnols la république des Provinces-Unies, ou tout au moins ouvrir l'Escaut, qui était fermé par les traités, et transporter à Anvers le commerce d'Amsterdam[57] ». Or, ce programme lié à l'acceptation du testament de Charles II d'Espagne, qui ne comprend qu'il est exactement celui d'un nouveau Philippe II ? L'amarrage du Portugal à la monarchie hispanique, la répression de la rébellion des Pays-Bas du Nord et le retour du catholicisme sur le trône d'Angleterre : telles sont, en Europe, les priorités du fils de Charles Quint. Cette dimension de la réflexion d'Auguste Mignet est essentielle. La portée de son propos ne consiste, en effet, pas seulement à enregistrer, papiers diplomatiques en main, le fait que « cette succession fit entrer l'Espagne dans le système politique de la France[58] ». Le royaume de Louis XIV ne pouvait sortir indemne d'une compétition qui tendit, c'est le sens de son propos, à rapprocher les adversaires. Or, la conception que Mignet se fait de la « nation espagnole » est naturellement proche de celle de Guizot ou de Quinet. La confusion de la nationalité espagnole et de la catholicité rend difficile, voire impossible, l'affirmation du fait national espagnol : « Sa croyance religieuse s'était confondue avec sa nationalité et l'avait destinée à être plus tard l'expression la plus obstinée du système catholique en Europe. [...] Différant en cela des autres peuples de l'Europe qui, dans leur marche vers l'unité, avaient rencontré des provinces séparées, mais non des nations différentes, une autre souveraineté, mais non une autre religion, le peuple espagnol avait appris à vaincre sans savoir gouverner, à réunir des territoires sans pouvoir assimiler des populations [...][59]. » Même s'il ne synthétise pas ces différentes remarques, Mignet fournit les éléments qui permettent,

57. *Ibid.*, t. I, p. LXXXII.
58. *Ibid.*, t. I, p. I.
59. *Ibid.*, t. I, p. XXIII-XXIV.

d'un côté, d'élaborer l'antinomie conceptuelle de la catholicité et de la nation politique et, d'un autre côté, de repérer les éléments de mimétisme qui placent Louis XIV dans la succession des Rois Catholiques d'Espagne. Ce faisant, il contribue à mettre au jour ce qui, dans l'œuvre politique de Louis XIV, ne relève pas de l'histoire de la formation de la nation politique française.

Jules Michelet avait thématisé la question du caractère non national du parcours de Louis XIV, non sans quelque embarras. Dans ce cas, c'est moins l'aspiration à la monarchie universelle qui est tenue pour incompatible avec le principe de nationalité, que l'ancrage mystique de la royauté louisquatorzienne en ce qu'il s'oppose à l'« esprit » français. Les dossiers du cours de Michelet au Collège de France traduisent ces difficultés analytiques : « Donc Louis XIV lié à la doctrine du miracle l'est aussi à la persécution du rationalisme. Il est l'ennemi naturel des protestants, de la Hollande, etc. Mais, ne représentant l'unité nationale que par cette espèce d'incarnation miraculeuse, il ne représente nullement l'esprit national qui, du fond du Moyen Âge, gravite au libre examen, à la suppression du miracle (Rabelais, Molière, Voltaire). Là est l'écueil de cette divinité : elle est comme l'incarnation de l'unité extérieure, mais nullement l'esprit[60]. » Après avoir démontré que la nationalité française ne saurait être traduite en termes de catholicité, Michelet repérait, comme Mignet, le tournant fatal au moment de la guerre de Hollande, en 1672, qu'il qualifie avec la Grande Galerie de Versailles de « point de départ » d'une « incarnation royale » qui « replonge dans l'incarnation religieuse » et s'écarte donc du principe de formation de la nationalité[61].

Les hommes de la génération de Jules Michelet, par réaction, pouvaient se détacher de l'admiration pour Louis XIV qui était devenu l'un des héros du mouvement néo-catholique à l'époque de la Restauration, symbole du refus du nouvel ordre des choses auprès des cercles les plus intransigeants et les plus ultramon-

60. Jules Michelet, *Cours au Collège de France*, t. II, 1845-1851, éd. Paul Viallaneix, Oscar a. Haac et Irène Tieder, Paris, Gallimard, 1995, p. 167.

61. *Ibid.*, p. 165.

tains[62]. De nos jours encore, certains historiens ont su demeurer sensibles au fait que la catholicité est un élément explicatif plus essentiel pour comprendre l'itinéraire royal de Louis XIV que n'importe quel projet politico-stratégique. C'est, par exemple, le cas de François Bluche, dans une formule qui ne manque pas d'une certaine brutalité : « Les auteurs qui, de l'amiral Mahan au professeur Gaston Zeller, disent que la France aurait pu et dû cultiver l'alliance néerlandaise pour freiner la puissance anglaise, raisonnent en purs protestants, étrangers à la sensibilité profonde de nos pères[63]. » Si l'on ne peut admettre que les « pères » des Français aient tous été catholiques intransigeants, comme si les huguenots d'alors n'avaient pas eux aussi été des pères pour la société française, on doit en revanche reconnaître que la priorité donnée, dans cette phrase, à la dimension religieuse rejoint les intuitions de Michelet et de Lavisse.

La sentence d'Henri Hauser prend tout son relief dans le rapport à une historiographie qui avait rendu possible, de Mignet à Michelet et Lavisse, la présentation du Roi-Soleil au mieux comme un roi non national, au pis comme un roi espagnol. La voie qu'emprunte Hauser avait également été préparée par Leibniz et la critique européenne de l'aspiration française à la monarchie universelle. On retiendra cette intuition forte selon laquelle, en mettant le doigt dans l'engrenage de la succession d'Espagne, le roi de France s'orientait en direction de la monarchie universelle et non de la construction nationale française, tenues pour antinomiques.

62. Paul Bénichou, *Le Temps des prophètes. Doctrines de l'âge romantique*, Paris, Gallimard, 1977, p. 183-184.

63. François Bluche, *Louis XIV*, *op. cit.*, p. 362.

Le passage d'Ernest Lavisse s'inscrit dans des contextes intellectuels et culturels qui sont mouvants et complexes. Il offre l'occasion de mesurer combien l'Espagne demeurait, pour les hommes du XIXe siècle, un univers de référence important pour toute réflexion sur l'histoire et la société françaises. Mêlant philie et phobie, le goût littéraire et intellectuel pour l'Espagne chez les écrivains interdit de penser que la mise en œuvre du parallèle de Louis XIV et de Philippe II à laquelle se livre Lavisse soit innocente ou légère. En elle convergent plusieurs éléments analytiques. D'une part, en consonance avec les études littéraires de son temps, à l'époque de la formation de l'hispanisme, l'historien ne peut ignorer le rôle directeur que la littérature et la culture du *Siglo de Oro* ont pu jouer dans la formation de la culture française à l'âge classique. D'autre part, il tient compte des conséquences des deux mariages royaux sur l'évolution de la société de cour française, à travers l'importation de modes et d'attitudes venues d'outre-Pyrénées. Enfin, et ce n'est pas le moins important, Lavisse reprend l'héritage de Michelet et de Quinet, convaincus que, dans la France de Louis XIV, l'absolutisme royal n'avait pas fondé un espace politique dégagé de ses attaches religieuses catholiques. Dans cette hypothèse, l'Espagne des Rois Catholiques fait figure d'école pour le Très-Chrétien. Un peuple élu déchu cède le flambeau à l'élu du présent. Le triomphe définitif de la France passe par l'assomption du rôle de chef suprême de la catholicité, autant sinon plus que par la réduction de la puissance habsbourgeoise.

Le point de vue d'Ernest Lavisse n'est pas isolé, on l'a vu. Pour autant, il n'est pas dominant, du moins dans l'historiographie du XXe siècle. Isolant son audace dans un portrait psychologique du roi, l'historien ne lui a pas garanti une réelle postérité intellectuelle. L'appréhension dichotomique de la comparaison entre les deux systèmes monarchiques demeure dominante. L'attention accordée à l'interaction hispano-française, par abandon des historiens de la France, devient le patrimoine d'une part de l'hispanisme et se déploie essentiellement dans le domaine de l'histoire des transferts littéraires. Rien ne serait plus malheureux que d'ignorer cette part du problème. Le regard de l'historien sur les textes devra embrasser tout ce qu'ils constituent : des actes politiques, des opérations éditoriales, des manifestations de goût, des exercices de style, des méthodes de reconnaissance dans la constitution d'une monde des gens de lettres, des occasions d'opiner sur le monde espagnol.

L'hommage rendu à l'Espagne comme source d'une partie essentielle de la culture littéraire et politique française ne se fait pas, pour autant, au prix d'un renversement hispanophile béat. On ne saurait réduire la production française du XIXe siècle sur l'Espagne à quelques slogans simplets. C'est pourquoi l'idée que la « légende noire » a été le discours exclusif ou dominant à l'âge de l'histoire scientifique mérite d'être révisée. L'usage gothique d'une Espagne parée de toutes les abominations fait bon ménage avec toutes sortes d'admirations. La grande richesse de ce rapport de la France des écrivains à l'Espagne du présent et du passé a valeur d'indice de ce que furent les différentes traditions textuelles françaises au XVIIe siècle sur ces questions. Les historiens du XIXe siècle ont puisé largement dans les archives diplomatiques, les chroniques historiques, les récits de voyages français en Espagne et la littérature du XVIIe siècle pour rendre compte de ces phénomènes. Or, l'examen d'une bibliothèque franco-espagnole virtuelle, comme celle d'Alexandre Cioranescu, révèle l'existence de points de vue extrêmement divers et nuancés. On a tôt fait de ne retenir que les traités sur l'antipathie réciproque des deux nations, de regrouper les écrits de propagande qui entourent les moments d'affrontement les plus durs, leur vivacité suscite le sourire et renforce l'option dichotomique dominante. Mais les usages de l'objet Espagne et la réception des auteurs espagnols démentent le frontisme apparent des charges polémiques les plus rudes. Non seulement nombreux sont les textes, plus ou moins célèbres, qui demeurent plus complexes, en général, qu'il n'y paraît, mais encore les plus caricaturaux ne sont guère représentatifs d'un univers de discours produit par une société qui redoute, admire, exècre, envie, méprise, défie l'Espagne encore impériale du *Siglo de Oro*.

DEUXIÈME PARTIE

Antipathie et sympathie

C'est la chose du monde la plus pitoïable que de voir les auteurs françois disputer contre les espagnols, sur les services rendus à l'Église catholique.

PIERRE BAYLE.

Une première phase de l'enquête historiographique, sans doute encore partielle, a permis d'expliciter les différents modes de rapprochements entre passés monarchiques espagnol et français. On a pu voir à quel point poésie, fiction et écriture de l'histoire communiquent sur un certain nombre de thèmes, tout au long du XIXe siècle. En même temps, on a pu constater que l'intérêt manifesté pour le présent et le passé de l'Espagne s'inscrit dans des problématiques politiques et civiques qui sont celles de la République française en formation. Nul mieux qu'Edgar Quinet n'a su exprimer l'enjeu contemporain d'une réflexion sur l'histoire de la société espagnole. L'urgence et l'immédiateté qui animent ses propos sur la monarchie hispanique montrent à quel point la querelle confessionnelle, née des bouleversements des années 1787-1815 dans l'ordre religieux, contraint à penser la France contemporaine dans son rapport à l'Ancien Régime. En l'occurrence, il ne s'agit pas d'une sorte de paradigme tocquevillien appliqué à la question religieuse. À partir de modes divers d'interventions, de la dissidence janséniste au XVIIIe siècle au Concordat napoléonien en passant par la Constitution civile du clergé, il est manifeste que la France du XIXe siècle hérite de débats développés sous l'Ancien Régime. Dans ce contexte, la référence à l'Espagne permet de construire une figure de repoussoir du point de vue libéral. Pour toute perspective comparatiste, qu'elle soit dichotomique ou dialectique, la monarchie hispanique est un biais par lequel peut être posé le problème du statut de la catholicité en France. Le lien entre société ancienne et contemporaine est explicité par les auteurs qui mobilisent les matériaux historiques, textes de diverses natures, autant que l'actualité vivante pour conduire leurs combats d'idées. En ce sens, la frontière qui sépare théoriquement l'historiographie de l'histoire, la pratique du métier d'historien de l'engagement dans les combats politiques du temps, semble bien ténue.

Il importe ici de souligner que les historiens et, plus généralement, les écrivains que nous avons convoqués jusqu'à présent entretenaient avec les textes de l'Ancien Régime, ou pour le moins une partie d'entre eux, un rapport bien différent de celui que construit l'historien avec sa source d'archives. La cassure anthropologique dont nous pouvons estimer de façon diverse l'ampleur, entre Ancien Régime et société libérale, n'affecte pas de façon discriminante les usages de lecture, la composition des bibliothèques. Lorsque, pour prendre un exemple qui touche la question hispano-française, Stendhal entreprend la lecture d'un roman aussi long et apparemment vieilli que *Le Tolédan*, ses réflexions portent sur les techniques narratives de son auteur, comme s'il s'agissait d'un de ses contemporains [1]. Il ne tient pas un tel objet littéraire pour historique. De même, il nous semble que le parallèle, explicite ou implicite, que certains historiens du XIXe siècle établissent entre Louis XIV et Philippe II n'est que la reproduction d'un thème polémique développé dans les ateliers d'écriture du Refuge protestant après 1685. Les jugements de Bayle, comme ceux de Voltaire, les attaques de Leibniz, les récriminations de Gregorio Leti, ne sont pas alors tenus pour des prises de position datées par rapport auxquelles une certaine distance serait de mise. Ils agissent encore comme des lambeaux de pensée vivante.

À présent, il convient de repérer dans la production de textes contemporains du basculement de puissance du XVIIe siècle ceux qui ont pu alimenter la thèse dialectique. Nous ne manquerons pas de signaler un certain nombre de discours qui, au contraire, ont jeté les bases de la lecture dichotomique, ne serait-ce que par leur hostilité à l'égard de l'Espagne. Bien souvent ils sont plus connus que les autres. Plusieurs études érudites leur ont été consacrées [2]. Moins

1. Stendhal, *Journal*, 21 avril 1839, in *Œuvres intimes*, t. II, *op. cit.*, p. 346.

2. Henry Méchoulan, « L'Espagne dans le miroir des textes français », *in* Henry Méchoulan (éd.), *L'État baroque, 1610-1652*, Paris, Vrin, 1985, p. 421-446 ; Michel Bareau, *L'Univers de la satire anti-espagnole en France de 1590 à 1660*, Paris, EPHE, 1969 ; Annie Capitaine, *Représentations de l'Espagne et des Espa-*

encore qu'au XIXe siècle, la tentation d'isoler l'écriture de l'histoire de la production littéraire générale ne nous semble fondée, lorsqu'on examine les cultures du XVIIe siècle. Bien plus massive encore qu'au XIXe siècle, la présence intellectuelle en France de cette grande puissance politique, artistique et littéraire qu'est l'Espagne produit diverses formes d'hispanomanie, qui peuvent se décliner dans toutes les nuances de l'amour à la haine.

Du côté de la phobie, c'est dans les premières années du XVIIe siècle que la problématique de l'opposition des deux nations, sur le mode de l'antipathie (naturelle) réciproque, a été formulée avec le plus de netteté. Ce thème, bien plus ambigu qu'il n'y paraît à première vue, connaît une énorme diffusion tout au long du siècle. Il alimente à sa façon cette « légende noire » dont on a déjà vu qu'elle était moins simple que ne laisse penser la célèbre contre-charge de Julián Juderías. L'imagerie convenue de l'antinomie humorale de l'Espagne et de la France trouve dans les récits de voyages ses véhicules les plus efficaces. De nombreuses études ont souligné l'importance, en nombre et en qualité, des textes de voyageurs français dans l'Espagne du XVIIe siècle[3]. Sans doute la volonté, un peu hâtive, d'englober en un genre littéraire clefs en main tout un ensemble d'ouvrages différant par leur statut et leurs dispositifs littéraires a-t-elle attribué au corpus des récits de voyages français en péninsule Ibérique une cohérence qu'il n'eut pas. Face au tarissement relatif des pérégrinations académiques d'Espagnols vers l'extérieur, depuis une Espagne qui semble développer un complexe d'empire du Milieu, la curiosité, dans l'en-

---

gnols dans la France du XVIe siècle (vers 1500-vers 1620), Toulouse, Université de Toulouse-Le Mirail, 1995.

3. Helga Thomae, *Französische Reisebeschreibungen über Spanien im 17. Jahrhundert*, Romanisches Seminar an der Universität Bonn, Bonn, 1961 ; Bartolomé et Lucile Bennassar, *Le Voyage en Espagne. Anthologie des voyageurs français et francophones du XVIe au XIXe siècle*, Paris, Robert Laffont, 1998 ; José García Mercadal, *España vista por los extranjeros*, Madrid, Aguilar, 1918 ; Ana Álvarez López, *El viaje de España. Papel de los viajeros franceses por España en la formación del estereotipo de lo español (s. XVI-XVIII)*, Alcalá de Henares, Universidad de Alcalá de Henares, 1999 (je remercie Jean-Pierre Dedieu de m'avoir communiqué ce mémoire, lors d'un séjour à la Maison des pays ibériques de Bordeaux).

semble plutôt malveillante, d'écrivains français pour la grande puissance hispanique paraît relayer et justifier les préjugés nés de la polémique politique. Le coin placé par Philippe II en France grâce à la Ligue (1592), l'assassinat d'Henri IV (1610), la déclaration de guerre de 1635, la captation par Louis XIV de l'héritage flamand de son épouse Marie-Thérèse d'Autriche au détriment de l'infant (1666-1667) provoquent autant de vastes campagnes de publications hispanophobes. Les mariages de 1615, 1659 et 1679, l'affirmation d'un parti dévot héritier de la Ligue, le renforcement de la politique de démantèlement des dispositions de l'édit de Nantes, la candidature à la succession de Charles II marquent les grands moments de panégyriques hispanophiles. D'autres événements et des milliers de textes n'ont pas cette netteté mais participent à l'élaboration de l'interaction culturelle et politique hispano-française. Plus encore qu'à propos des écrivains français du XIXe siècle, il serait erroné de présenter la production de textes sur le monde hispanique dans la France du XVIIe siècle comme une entreprise monolithique de dénonciation, de dénigrement et d'ignorance. Comme l'a justement formulé Alexandre Cioranescu, « le pays le plus détesté est en même temps le plus envié et admiré[4] ». Mais, de ces ambivalences, le monde des lettres et celui du pouvoir sont alors fort coutumiers[5]. C'est par une simplification abusive que l'historiographie a séparé le bon grain de la haine de l'ivraie de l'attirance.

C'est au XVIIe siècle encore que la légende de don Carlos prend corps chez les historiographes et trouve sa forme de diffusion extraordinaire dans la « nouvelle historique » de l'abbé César Vichard de Saint-Réal. L'histoire fantasmagorique de l'inceste de Carlos et de sa belle-mère Isabelle de Valois, puis l'assassinat du fils et de l'épouse par Philippe II, si l'on y mêle une pincée de charge anti-inquisitoriale, cristallise un des motifs les plus succulents de l'anti-espagnolisme littéraire. Mais la conjoncture politique modifie le

4. Alexandre Cioranescu, *Le Masque et le Visage. Du baroque espagnol au classicisme français*, Genève, Droz, 1983, p. 120.

5. Voir l'exemple emblématique : André Thierry, « La maison de Guise dans l'œuvre d'Agrippa d'Aubigné : exécration et estime », *in* Yvonne Bellenger (éd.), *Le Mécénat et l'Influence des Guise*, Paris, Champion, 1997, p. 81-94.

thème dans le cours du XVIIe siècle, à mesure que l'image des rois de Castille et d'Aragon se complexifie et devient plus nuancée. En effet, la librairie parisienne voit se multiplier les biographies de princes hispaniques dans la seconde moitié du siècle surtout, sous forme monographique (Ferdinand le Catholique, Cisneros, Charles Quint, Philippe II, Philippe IV, don Juan d'Autriche, l'archiduc Albert) ou sous forme de parallèles (Richelieu/Cisneros, Philippe II/Louis XIV). Les oraisons funèbres prononcées pour déplorer les morts d'Anne d'Autriche (1666) et de Marie-Thérèse (1683) et largement diffusées par l'imprimé constituent également des sources très éclairantes sur la capacité de ces discours très officiels à prendre en compte la dimension hispanique des reines de France. Ces textes divers dans leurs formes et leurs intentions produisent des analyses bien plus complexes que les grands discours polémiques liés aux crises militaires et diplomatiques qui opposent les deux monarchies et dont la campagne de 1635 offre le modèle, admirablement analysé par José María Jover dans un ouvrage désormais classique[6]. Les textes les plus tardifs paraissent les plus conciliants à l'égard de la maison d'Autriche, comme si la conscience d'une filiation espagnole de Louis XIV interdisait de reproduire les invectives de temps plus anciens.

Dans la préface de *Ruy Blas*, Victor Hugo avait bien vu que, derrière la succession de Philippe d'Anjou à Charles II en 1700, se dessinait celle, combien plus épique, de Louis XIV à Charles Quint. Dans l'entourage royal, l'abandon du registre de la malveillance systématique au profit d'une rivalité sans excès de mépris traduit l'assomption d'une partie essentielle de l'héritage et du projet espagnols par la maison de France. Comme l'avait noté Gaston Zeller au début du XXe siècle, le cycle ouvert par la compétition de François Ier et de Charles Ier de Castille et d'Aragon à l'élection impériale se clôt par l'échec de Louis XIV et la captation de l'héritage espagnol. Une historiographie soucieuse de mettre en valeur l'œuvre « politique » de l'absolutisme royal, au détriment des autres registres dont il s'est nourri et qu'il a encouragés, demeure insensible à l'actualité politique de l'utopie catholique au sein de l'insti-

6. José María Jover, *1635. Historia de una polémica y semblanza de una generación*, Madrid, CSIC, 1949.

tution monarchique française. Le registre de la divinisation du roi de France, privilégié dans la perspective d'un gallicanisme réel ou imaginaire, ne peut faire oublier l'importance de celui de l'Empire ou de la monarchie universelle qui demeure impensable sans l'établissement d'un rapport de soumission vis-à-vis de la papauté[7]. Candidatures à l'Empire, poursuite des guerres de Religion, respect manifeste du legs historique espagnol : telles sont les pièces maîtresses du dispositif culturel et politique dans lequel la présence de l'Espagne en France est établie. Partant du thème de l'aspiration française à l'Empire (ou à la monarchie universelle), Alexandre Y. Haran construit son enquête de façon à « démontrer que dans le pays célébré comme le berceau de la "Raison d'État", la France du début des Temps modernes, la rhétorique en usage ne se démarqua pas sensiblement du discours politique en usage dans le royaume de Charles Quint ou de Philippe II[8] ». En somme, une historiographie plus sensible à la présence de motifs issus du discours politique espagnol dans la formation de l'absolutisme français a quelque chance de modifier le regard porté à la fois sur la nouveauté française et sur l'échec espagnol.

7. Alexandre Y. Haran, *Le Lys et le Globe*, *op. cit.* ; Paul Kléber Monod, *The Power of Kings. Monarchy and Religion in Europe, 1589-1715*, New Haven et Londres, Yale University Press, 1999.

8. Alexandre Y. Haran, *Le Lys et le Globe*, *op. cit.*, p. 103.

3

Les éléments de l'ambivalence

Lettres espagnoles en France

Comme on a pu le voir plus haut, partant de points de vue radicalement opposés, Simonde de Sismondi le libéral et Philarète Chasles l'ultra, le contempteur et l'admirateur de l'Espagne catholique de Ferdinand VII, s'accordaient au moins sur ce point que la présence culturelle espagnole, en particulier littéraire, avait été massive dans la France du XVIIe siècle. Cette question est, en effet, posée de façon insistante au XIXe siècle. L'Académie française avait, par exemple, lancé au concours de 1842 la question : « Quelle a été sur la littérature française, au commencement du XVIIe siècle, l'influence de la littérature espagnole ? » Dans la synthèse qu'il a récemment publiée sur l'histoire du roman classique en France, Jean Sgard, sans négliger l'importance des traditions romanesques françaises du Moyen Âge et de la Renaissance, accorde à *Don Quichotte* le statut de père de tous les romans et aux *Nouvelles exemplaires* celui de modèle de la nouvelle brève française [1]. Guiomar Hautcœur a présenté une somme sur l'adoption de codes narratifs venus de la *novela* espagnole dans la France du XVIIe siècle [2]. En croisant analyses formelles et étude historique

1. Jean Sgard, *Le Roman classique en France, 1600-1800*, Paris, Le Livre de Poche, 2000, p. 19-20.

2. Guiomar Pérez-Espejo Hautcœur, *La Nouvelle espagnole du Siècle d'or en France au XVIIe siècle (1610-1715). Contribution à une poétique du genre romanesque français au XVIIe siècle*, Paris, Université de Paris III, 1999. Cette thèse doit être publiée à l'automne 2002 aux éditions Champion.

des transferts culturels et stylistiques, elle met au jour la dette que des œuvres aussi surinvesties par l'histoire nationale de la littérature française que *La Princesse de Clèves* ont contractée auprès des grands auteurs espagnols du *Siglo de Oro*. Mais, en amont, jusque dans la matérialité typographique des textes, la proposition par Ronsard de l'adoption du *n* tilde (*ñ*) espagnol en lieu et place du *gn* français constitue un indice de la présence textuelle de l'Espagne dans la France moderne[3]. Ainsi, le répertoire bibliographique des emprunts, adaptations et plagiats des œuvres espagnoles dans la France du XVIIe siècle, sans compter les traductions, représente une masse de titres considérable[4].

Lorsque l'on sait que Molière, comme acteur de sa troupe, incarna le rôle de Sancho Pança dans l'une des versions dramatiques composées par Guérin de Bouscal, on mesure la profondeur de son imprégnation hispanique, avant même qu'il n'entreprît de recréer des thèmes issus du répertoire de la *comedia*[5]. L'importation en France de ce genre de spectacles et de compositions dramatiques est l'un des phénomènes de transfert culturel les plus importants de notre XVIIe siècle[6]. Il est également utile de se souvenir, comme le rappelle Christian Jouhaud, que Jean Chapelain, arbitre des styles et des goûts littéraires qui fit peser son pontificat sur le milieu des lettres françaises pendant les décennies décisives du Grand Siècle, est entré dans le monde des écrivains, et s'est fait connaître du monde, en offrant la première traduction en langue française du grand roman picaresque de Mateo Alemán, *Don Guz-*

3. Roger Chartier, *Au bord de la falaise. L'histoire entre certitudes et inquiétude*, Paris, Albin Michel, 1998, p. 279.

4. José Manuel Losada Goya, *Bibliographie critique de la littérature espagnole en France au XVIIe siècle*, Genève, Droz, 1999.

5. Guyon Guérin de Bouscal, *Dom Quixotte de la Manche. Comédie* [1639], éd. Daniela Dalla Valle et Amédée Carriat, Genève-Paris, Slatkine-Champion, 1979. Daniel Guérin de Bouscal, *Le Gouvernement de Sanche Pansa* [1641], éd. C. E. J. Caldicott, Genève, Droz, 1981. Voir également l'étude classique : Maurice Bardon, *Don Quichotte en France*, Paris, Champion, 1931.

6. Christophe Couderc, *Le Système des personnages de la comedia espagnole (1594-1630). Contribution à l'étude d'une dramaturgie*, thèse de doctorat inédite, Université de Paris X-Nanterre, 1997, p. 25-92.

mán de Alfarache[7]. Chapelain incarne, dans le domaine des lettres, le modèle parfait de l'ambivalence entre reconnaissance de dette à l'égard de l'héritage espagnol et volonté d'émancipation[8]. On doit aux travaux de bibliographie scientifique et d'histoire littéraire d'Alexandre Cioranescu les études modernes les plus complètes sur la présence littéraire espagnole en France du début du XVIIe siècle au milieu du XVIIIe siècle[9]. Ils ont définitivement tranché le conflit entre deux postures critiques, l'une soucieuse d'enraciner le Grand Siècle littéraire dans le commerce culturel espagnol, l'autre hostile à cette idée. Si Paul Hazard, dans un numéro spécial de la *Revue de littérature comparée* consacré à l'Espagne – en 1936 –, écrivait : « Lorsque notre classicisme se manifesta par un chef-d'œuvre [*Le Cid*], l'Espagne était présente[10] », René Bray, dix ans auparavant, appelait les historiens de la littérature à se détourner de la piste espagnole et à considérer « notre dette envers notre unique inspiratrice : l'Italie[11] ». En réalité, la question de l'importance de l'influence culturelle espagnole dans la genèse du classicisme français n'a jamais cessé d'être posée, depuis le XVIIe siècle.

Ainsi, au XVIIIe siècle, lorsque la dénonciation l'emporte – voir la soixante-dix-huitième lettre persane de Montesquieu ou certaines pages de l'*Essai sur les mœurs* de Voltaire –, ou laisse la place à la parodie ou à la dérision – Lesage et Beaumarchais, *Gil Blas* et

7. Christian Jouhaud, *Les Pouvoirs de la littérature*, *op. cit.*, p. 100. Voir une brève étude sur l'« hispanisme » de Chapelain : Christian Péligry, « Un hispanista francés del siglo XVII : Jean Chapelain (1595-1674) », *in* María Luisa López Vidriero et Pedro Catedra (éd.), *El libro antiguo español*, Salamanque-Madrid, Universidad de Salamanca – Biblioteca Nacional de Madrid – Sociedad española de historia del libro, 1986, p. 305-316. Pour un auteur bien moins connu : Christian Péligry, « Un hispanisant du XVIIe siècle : Pierre Bense-Dupuis », *Bulletin hispanique*, vol. LXXXI, 1979, p. 99-112.

8. José Luis Colomer, « España o la barbarie : Jean Chapelain, traductor y crítico de la literatura española », *in* María Luisa Donaire et Francisco Lafarga (éd.), *Traducción y adaptación cultural : España-Francia*, Oviedo, Universidad de Oviedo, 1991, p. 603-612.

9. Alexandre Cioranescu, *Bibliografía hispano-francesa (1600-1750)*, Madrid, CSIC, 1977 ; Id., *Le Masque et le Visage*, *op. cit.*

10. Paul Hazard, « Ce que les lettres françaises doivent à l'Espagne », *Revue de littérature comparée*, vol. XVI, 1936, p. 5-22.

11. René Bray, *La Formation de la doctrine classique en France* [1926], Paris, Nizet, 1951, p. 33.

Figaro –, la reconnaissance de dette littéraire à l'égard de l'Espagne demeure bien présente. Tandis que le même Voltaire peint Calderón sous les traits d'Eschyle, son épigone Linguet, dans le *Théâtre espagnol*, lance, non sans emphase : « Vous avez autrefois été nos maîtres en tout genre, mais surtout dans les Arts de l'esprit. Vos écrits nous ont été plus utiles, il faut l'avouer, que ceux même des Grecs et des Romains. Ceux-ci nous ont offert des modèles plus corrects ; mais si les romanciers et les comiques espagnols ne nous avaient préparés à la lecture des Sophocles et des Térences, il est plus que probable que nous n'aurions jamais pensé à imiter ces derniers. C'est la beauté des eaux du ruisseau qui nous a engagés à remonter jusqu'à sa source. Je ne sais pourquoi cette vérité s'est obscurcie parmi nous. Les Français doivent plus cent fois aux Espagnols qu'à tous les autres peuples de l'Europe[12]. » Cette opinion est partagée par un autre représentant illustre des Lumières tardives, signalé il est vrai par une hispanomanie littéraire consistante. Florian affirme l'intensité du transfert culturel de l'Espagne vers la France du cardinal de Richelieu par une remarque, un rien perfide, sur l'Académie : « Presque tous les académiciens dont le cardinal de Richelieu composa l'Académie française savaient l'espagnol, et traduisaient ou imitaient les auteurs de cette nation. Tous les romans, toutes les comédies de ce temps peignaient les mœurs de l'Espagne[13]. »

S'il ne fait guère de doute que les hommes des Lumières, notamment les Encyclopédistes, avaient toutes les raisons de se détourner de l'héritage hispanique, on ne saurait oublier qu'un auteur comme Voltaire était, lui aussi, ambivalent dans le jugement qu'il portait sur la culture espagnole. Tout en signalant la pauvreté philosophique de l'Espagne, sa nullité mathématique, sa dépendance à l'égard de l'Italie et de la France pour l'ingénierie et l'architecture, il n'en reconnaît pas moins son extraordinaire influence dans l'histoire européenne : « Les Espagnols eurent une supériorité marquée sur les autres peuples ; leur langue se parlait à Paris, à Vienne, à Milan, à Turin ; leurs modes, leur manière de penser et d'écrire,

12. Simon Nicolas Henri Linguet, *Théâtre espagnol*, Paris, 1770, t. I, p. 42.

13. Jean-Pierre Claris de Florian, *Œuvres*, t. III, *Nouvelles*, Paris, Briand, 1824, p. 85.

subjuguèrent les esprits des Italiens, et depuis Charles Quint jusqu'au commencement du règne de Philippe III l'Espagne eut une considération que les autres peuples n'avaient point. [...] Les Espagnols, depuis le tems de Philippe II jusqu'à Philippe IV, se signalèrent dans les arts de génie. Leur théâtre, tout imparfait qu'il était, l'emportait sur celui des autres nations ; il servit de modèle à celui d'Angleterre ; et lorsque ensuite la tragédie commença à paraître en France avec quelque éclat, elle emprunta beaucoup de la scène espagnole. L'histoire, les romans agréables, les fictions ingénieuses, la morale, furent traités en Espagne avec un succès qui passa beaucoup celui du théâtre ; mais la saine philosophie y fut toujours ignorée [14]. » On ne s'étonnera pas, dès lors, qu'au XVIIe siècle, loin de l'horizon des Lumières, dans la France de Louis XIII et Louis XIV, on ait reconnu la dette contractée auprès de la culture espagnole.

Les recherches d'Alexandre Cioranescu montrent qu'il existe une double dissymétrie dans les échanges hispano-français au XVIIe siècle. D'une part, la France reçoit bien plus de textes espagnols, sous la forme d'importation directe, d'éditions en espagnol réalisées en France, de traductions et d'adaptations – belles infidèles modernes –, que l'inverse. D'autre part, le nombre de sujets du roi de France qui s'installent temporairement ou définitivement en Espagne est, jusqu'à preuve du contraire, bien plus important que celui des Espagnols établis en France [15]. Tandis que l'Espagne envoie des livres, la France exporte des hommes : telle est la situation, au moins pendant les trois premiers quarts du XVIIe siècle. Connaisseur expert d'un grand nombre de bibliothèques françaises

14. Voltaire, *Essay sur l'histoire générale et sur les mœurs et l'esprit des nations, depuis Charlemagne jusqu'à nos jours*, Genève, Cramer, 1756, chap. 136, t. III, p. 325, et chap. 146, t. IV, p. 117-118.

15. René Ternois, « Les Français à Madrid après le traité des Pyrénées », *Espagne et littérature française. 4e Congrès des Sociétés françaises de littérature comparée*, Paris, 1962, p. 61-73 ; Daniel Alcouffe, « Contribution à la connaissance des émigrés français de Madrid au XVIIe siècle », *Mélanges de la Casa de Velázquez*, t. II, 1966, p. 179-198 ; J. Mathorez, « Notes sur les Espagnols en France, depuis le XVIe siècle jusqu'au règne de Louis XIII », *Bulletin hispanique*, vol. XVI, 1914, p. 337-371 ; Id., « Le mouvement de la pénétration des Espagnols aux XVIe et XVIIe siècles », *Bulletin hispanique*, vol. XXXIV, 1932, p. 27-51.

et soucieux d'y repérer la marque de la culture hispanique, Christian Péligry propose une chronologie des réceptions en forme de courbe : « Si l'on voulait représenter sous forme de graphique le retentissement qu'eut dans le royaume de Louis XIII et de Louis XIV la littérature espagnole du Siècle d'or, on tracerait une courbe qui, après un maximum situé vers 1610-1620, ne cesserait de descendre, en dépit d'une remontée sensible vers 1660, jusqu'aux premières lueurs du XVIIIe siècle [16]. » La connaissance scientifique qu'il produit sur la circulation et la collection des œuvres espagnoles en France confirme le diagnostic formulé, sur une base infiniment plus intuitive, par Adolphe de Puibusque dans ses volumes consacrés à la littérature espagnole, à la fin de la monarchie de Juillet.

Mais Adolphe de Puibusque mettait plutôt l'accent sur la question des usages de la langue : « Depuis la Ligue, aucune langue étrangère n'était plus répandue en France que la langue espagnole. [...] Les grammaires espagnoles se multipliaient comme les grammaires latines. [...] L'union des cours de France et d'Espagne, par le mariage de la fille de Philippe III avec Louis XIII, et de la fille de Philippe IV avec Louis XIV, prolongea pendant tout le XVIIe siècle le goût des Français pour la langue castillane [17]. » Le jugement de Puibusque trouve sa confirmation dans des manifestations tardives de l'excellente connaissance que des lettrés français pouvaient avoir de la littérature et de la culture espagnoles. Ainsi, par exemple, à l'occasion du mariage de Marie-Louise d'Orléans, nièce de Louis XIV, avec le roi d'Espagne Charles II (1679), un

16. Christian Péligry, *Le Siècle d'or espagnol. Livres anciens du monde hispanique*, Toulouse, Bibliothèque municipale de Toulouse, 1988, p. 38. Voir également : Antonio Iglesias-Diestre, Jean-Paul Oddos et Christian Péligry, *Deux siècles espagnols. Catalogues des livres espagnols des XVIe et XVIIe siècles conservés à la Bibliothèque municipale de Troyes*, Patrimoine des bibliothèques de France, volume IV, Bordeaux, Société des bibliophiles de Guyenne – Ministère de la Culture et de la Communication, 1988. Pour connaître la part hispanique d'un fonds ecclésiastique français aussi important que celui de l'ancienne abbaye parisienne Sainte-Geneviève, on consultera : Odette Bresson, *Catalogue du fonds hispanique ancien (1492-1808) de la Bibliothèque Sainte-Geneviève de Paris*, Paris, Presses de la Sorbonne Nouvelle, 1994.

17. Adolphe de Puibusque, *Histoire comparée des littératures espagnole et française*, *op. cit.*, t. II, p. 388-389.

discours de célébration de cette union, publié à Paris, imagine la réception de la nouvelle reine par le Parnasse espagnol dans le palais de l'Escurial[18]. L'auteur de ce texte officiel étale une connaissance encyclopédique proprement extraordinaire des artistes espagnols. Dans une première salve de références, sont cités plusieurs poètes – López de Mendoza, le comte d'Altamira, Diego López de Haro, Antonio de Velasco, Jorge Manrique, le marquis d'Astorga –, en compagnie de deux cents autres artistes réunis au palais-monastère de Saint-Laurent pour accueillir l'épouse de Charles. Pour être vraiment complet dans son inventaire des arts et des lettres espagnols, l'auteur suggère que le Siècle d'or de la littérature espagnole reste tronqué si l'on néglige sa dimension portugaise : « Ils étaient tous naturels Espagnols, la jalousie de cette Nation ne permit pas qu'on y receut des Portugais, quoi qu'il en eût quelques-uns de la cour de Philippe second[19]. » Neuf poétesses castillanes, tenues pour les muses de la monarchie hispanique, sont également présentes, à commencer par Luisa de Padilla et Francisca de Nebrija. Chez les auteurs politiques, spécialistes de l'« art de régner », Solorzano Pereira, Orozco, Covarrubias et Saavedra Fajardo répondent à l'appel. La plupart des grands auteurs, les Góngora, Quevedo, Lope de Vega, participent à la fête. Au premier rang de cette brillante compagnie, un Cervantès triomphant sourit à Marie-Louise : « Le célèbre Miguel Cervantes se distingua dans cette Troupe, non seulement par ses Nouvelles qui ont rempli toute l'Europe d'admiration et d'estime, tant pour la subtilité de son Esprit que pour la délicatesse de ses expressions, mais encore parce qu'on vit marcher devant lui Don Quixote[20]. » Cette présentation de Cervantès n'est pas banale, si l'on songe combien la gloire des lettres françaises, à l'âge classique, s'est articulée autour de l'affirmation d'un monopole gaulois de l'esprit et de la mesure dans l'expression, face aux mérites de nature différente qui honoraient les littératures étrangères. Ce discours de

18. *L'Espagne en feste sur la nouvelle de l'heureux mariage de Mademoiselle Marie-Louise d'Orléans fille de Monsieur frère unique du Roy avec le Roy Charles second*, Paris, Estienne Michalet, 1679.
19. *Ibid.*, p. 8.
20. *Ibid.*, p. 9.

circonstance, œuvre de commande pour la cour, exactement contemporain d'une période d'affirmation artistique particulièrement féconde en France, permet de nuancer l'idée que la littérature française dite classique se serait distinguée de l'hispanique en forgeant une raison et un équilibre qui auraient été tenus pour absents de ce modèle.

La manifestation la plus éclatante de la présence culturelle espagnole dans la France du XVIIe siècle demeure la connaissance savante de la langue castillane dans les milieux lettrés. Tous les auteurs renvoient au célèbre passage du roman héroïque de Cervantès, *Persilès* : « En France, ni homme ni femme ne laissent d'apprendre la langue castillane. » La multiplication des manuels de conversation et des précis de grammaire espagnols, recensés par Alexandre Cioranescu, semblent donner raison au persiflage de Cervantès [21]. Le statut acquis par la langue castillane comme langue diplomatique et de diffusion culturelle dans les cercles lettrés français est ainsi l'une des traductions les plus expressives de l'imprégnation hispanique dont ces milieux, y compris parmi les personnes qui approuvent la stratégie de réduction de la puissance de la maison de Habsbourg, font l'objet. Dans cet extraordinaire éloge de la reine catholique de Suède, Christine, que constitue le poème épique *Alaric, ou Rome vaincue*, Georges de Scudéry propose une hiérarchie des langues européennes :

> On l'entendra parler le langage d'Atique,
> langage tout ensemble, et doux, et magnifique,
> en termes aussi beaux, enchantant les esprits,
> que si dans le Lycée elle l'avoit apris.
> On l'entendra parler le langage d'Auguste,
> aussi facilement, aussi bien, aussi juste,
> que si le grand Virgile, ou le grand Ciceron,
> avoient repassé l'eau de leur faux Acheron.
> On l'entendra parler le langage de France,
> avec tant de justesse ; avec tant d'elegance ;
> avec tant d'ornemens ; que ses plus grands autheurs

21. Sabina Collet Sedola, « L'étude de l'espagnol en France à l'époque d'Anne d'Autriche », *in* Charles Mazouer (éd.), *L'Âge d'or de l'influence espagnole*, *op. cit.*, p. 39-51.

seront ses envieux, ou ses adorateurs.
On l'entendra parler le langage d'Espagne,
avec la gravité qui tousjours l'accompagne :
et comme si le Tage, et sa superbe cour,
avoient receu l'honneur de luy donner le jour.
On l'entendra parler cette langue pollie,
dont alors usera la fameuse Italie :
mais avec tant de grace, et de facilité,
qu'on en verra le Tybre, et l'Arne espouventé.
On l'entendra parler tous ces autres langages,
dont les peuples du nord parlent sur leurs rivages :
et par une eloquence esgale à ses grandeurs,
estonner et ravir tous leurs ambassadeurs[22].

On remarque dans cette succession de compétences qu'en dehors de deux langues antiques, et de la langue de Louis XIII, l'espagnol vient en tête et précède l'italien et les langues du Nord. L'inversion de valence qui donne au castillan la priorité par rapport à l'italien repose sur l'attribution d'usages différents. Alors que le quatrain italien développe le registre de la sophistication, de la grâce et de l'aisance, celui qui évoque la langue espagnole se limite au registre de la gravité, mais en convoquant la cour et le fleuve qui unit la Castille au Portugal, c'est-à-dire en dessinant un horizon politique. Les vers de Scudéry invitent à ne pas distinguer la notoriété littéraire, le succès linguistique et la puissance politique de l'Espagne de son temps. La représentation qu'il suggère de la hiérarchie des langues est partagée par de nombreux auteurs du XVIIe siècle. C'est notamment le cas du jésuite Dominique Bouhours qui voulut fonder une psychologie historique des langues, tout entière tendue vers l'exaltation de celle de Louis XIV. Dans son traité dialogué, *Entretiens d'Ariste et d'Eugène*, l'auteur, après avoir rendu l'hommage inévitable au grec et au latin avant d'affirmer la prééminence moderne du français, esquisse ainsi la hiérarchie des autres idiomes : « Le langage des Espagnols se sent fort de leur gravité, & de cet air superbe qui est commun à toute la nation. Les Allemans ont une langue rude & grossiere ; les Italiens en ont une molle et effe-

22. Georges de Scudéry, *Alaric, ou Rome vaincue, poème héroïque*, Paris, Augustin Courbé, 1654, livre 19, p. 398.

minée, selon le temperament & les mœurs de leur païs[23]. » L'identité parfaite des registres de Georges de Scudéry et Dominique Bouhours, dans des entreprises littéraires aussi différentes qu'un poème épique et une dissertation dialoguée, autour de la « gravité » et de la « superbe » espagnoles, a valeur de symptôme du fait qu'il s'agit là de lieux communs largement répandus. Non exempte de critique, la considération réservée au castillan demeure, donc, en plein règne personnel de Louis XIV, des plus avantageuses, dans le contexte du triomphe européen de la langue française.

La hiérarchie des valeurs linguistiques redouble un ordre de préséance politique qui s'exprime aussi dans son registre propre et éclaire les jugements de Georges de Scudéry et Dominique Bouhours. Ainsi, un éloge d'Anne d'Autriche souligne : « nous sommes allez la querir dans la seconde Cour de l'Europe : elle ne pouvoit sortir d'un meilleur endroit que de l'Escurial, n'estant pas du Louvre [...] nostre Reine vient d'une Maison qui depuis deux Siecles fournit des Empereurs à l'Occident [...] l'Angleterre et le Nord n'ont rien de comparable à l'Espagne[24] ».

Les familles royales successives, Valois puis Bourbons, même avant les mariages de 1615, connaissaient la langue castillane, en dépit du mot célèbre selon lequel Henri IV interdit que son fils la connût. La dédicace adressée par Brantôme à Marguerite de Valois, au début de ses *Rodomontades espagnoles*, ne laisse aucun doute sur le fait que la reine entendait parfaitement le castillan[25]. Une célèbre anecdote dans l'histoire diplomatique du Portugal « restauré » du duc de Bragance illustre à quel point le principal ennemi des Habsbourg d'Espagne, Richelieu, maîtrisait la langue de ses adversaires. Après qu'Anne d'Autriche, sœur de Philippe IV, eut publiquement tourné le dos à Francisco de Melo, ambassadeur de Jean IV de Bragance, le représentant portugais se rendit auprès du cardinal et s'adressa à lui en portugais (1641). La scène fut rappor-

23. Dominique Bouhours, *Entretiens d'Ariste et d'Eugène*, Paris, Sébastien Mabre-Cramoisy, 1671, p. 62.

24. René de Ceriziers, *Éloge d'Anne d'Autriche*, Paris, Charles Angot, 1661, p. 15-16.

25. Brantôme, *Discours d'aucunes rodomontades et gentilles rencontres et parolles espaignolles* [1599], in *Œuvres complètes*, 10 vol., éd. Ludovic Lalane, Paris, Renouard, 1873, t. VII.

tée en ces termes par le secrétaire de son ambassade : « Son Éminence connaît la langue castillane aussi bien que si elle avait été élevée à Tolède ; et comme Francisco de Melo ne l'employait pas, il lui demanda s'il la connaissait. Le Grand Veneur répondit que si, mais qu'il ne la parlait pas, parce que la haine qu'il ressentait à l'égard des Castillans était si grande qu'il se refusait à parler leur langue. À cela, Son Éminence lui répondit : Qu'importe, les langues ne se battent pas[26]. » Nul n'était mieux placé que l'adversaire d'Olivares pour entériner le statut de langue internationale du castillan. La connaissance profonde que Richelieu avait de la culture espagnole, dans les domaines de la théologie, de la politique et même de l'art dramatique, se manifeste dans la composition de sa bibliothèque[27]. La plupart des biographes de Mazarin se souviennent de ce que le jeune Romain qu'il fut accompagna le fils de son protecteur Colonna sur les bancs de l'université d'Alcalá de Henares et dans les rues de Madrid sous Philippe III, sans guère en tirer parti. En revanche, les auteurs de mazarinades y virent un trait supplémentaire de la répugnance que devait inspirer l'Italien[28].

Et, si d'aventure les principaux ministres du roi avaient ignoré la langue de Cervantès, le travail de traduction et d'adaptation d'œuvres espagnoles majeures, comme l'a montré Cioranescu, occupe une place de choix dans l'ensemble des publications de textes politiques. Ainsi, le garde des Sceaux Marillac reçoit en 1622 la dédicace de l'adaptation française du *Réveille-matin des courtisans* d'Antonio de Guevara. Ce célèbre ouvrage est tenu par son traducteur, Sébastien Hardy, pour le plus important de ceux que le XVIe siècle a laissés sur le comportement des courtisans : « Mais luy, plus que nul autre, en a descouvert le secret, apres une longue pratique des mœurs & des humeurs de ceux qui vivent à la suitte des Grands, ayant usé la pluspart de ses jours dans le tin-

26. João Franco Barreto, *Relação da viagem que a França fizeram Francisco de Melo, Monteiro Mor do Reyno, & o Doutor Antonio Coelho de Carvalho*, Lisbonne, 1642, p. 57.

27. Jörg Wollenberg, *Les Trois Richelieu, servir Dieu, le roi et la raison*, Paris, François-Xavier de Guibert, 1995, p. 113.

28. Madeleine Laurain-Portemer, *Études mazarines*, t. II, *Une tête à gouverner quatre empires*, Paris, édition de l'auteur, 1997, p. 980.

tamarre & parmi le charivary d'une Cour Imperiale[29]. » Ainsi, l'expérience d'une cour impériale et la notoriété de ce traité contemporain de Charles Quint, tout au long des règnes de Philippe II et Philippe III, en font le meilleur miroir des courtisans. Cette édition, qui par sa dédicace connut sans nul doute une grande publicité dans le royaume de France, est réalisée alors que la seconde traduction du *Courtisan* de Castiglione n'est plus rééditée depuis 1592, et que la troisième traduction n'est publiée qu'en 1690[30]. Mais il est vrai que la connaissance de la cour impériale offre d'autres attraits, en ce début de XVIIe siècle, que l'expérience, même intensive, des palais d'Urbino. En fait, la question de la consommation littéraire d'œuvres majeures rédigées en Espagne ne saurait être isolée, en France, de l'installation de la monarchie hispanique en position de modèle politique extraordinairement prégnant, même avant que la vogue littéraire n'atteigne son apogée. Ainsi Étienne Pasquier, dès la seconde moitié du XVIe siècle, avait bien noté combien les institutions espagnoles impressionnaient les diplomates des Valois : « Lorsque nous traitasmes la paix avec Philippe Roy d'Espagne vers l'an 1559 [...] ceux qui la negotierent, oyans que les Secretaires des commandemens de l'Espagnol s'appeloient Secretaires d'Estat, comme naturellement les François sont soucieux de nouveautez, nous quitasmes le mot de commandement en ces Secretaires, et commençasmes de les nommer Secretaires d'Estat, ainsi que nous les appelons encore aujourd'huy, ayans laissé ce qui estoit de notre creu[31]. »

Une fois que les ravages des guerres de Religion eurent été contrôlés et, provisoirement, interrompus par l'édit de Nantes, l'attraction de l'Espagne s'exerça bien au-delà des milieux catholiques intransigeants. Les opuscules autobiographiques de l'avocat protestant Jean Rou, traducteur de Juan de Mariana et de Saavedra Fajardo, témoignent bien de l'ampleur des transferts culturels de

29. Antoine de Guevarre, *Le Reveille-matin des courtisans ou moyens legitimes pour parvenir a la faveur & pour s'y maintenir*, Sébastien Hardy trad., Paris, Robert Étienne, Henri Sara, 1622, dédicace.

30. Baldassare Castiglione, *Le Livre du courtisan*, Paris, Gérard Lebovici, 1987, présentation, p. XXXVII.

31. Étienne Pasquier, *Recherches de la France* [1560-1615], éd. Marie-Madeleine Fragonard et François Roudaut, Paris, Champion, 1996, t. III, p. 1565.

l'Espagne vers la France du premier XVIIe siècle, et de l'intérêt marqué pour les formulations espagnoles de la question politique, y compris en dépit de la barrière religieuse. Son entreprise de traduction de Mariana n'est pas anodine, si l'on songe qu'au lendemain de l'assassinat d'Henri IV on prêcha contre le jésuite espagnol dans les églises de Paris et que son *De rege et regis institutione* fut publiquement brûlé à la demande du parlement de Paris, après avoir été condamné par la Sorbonne, le 4 juin 1610[32]. « De cette belle course en pays italien, je voulus passer aussi en Espagne, et la station que j'y fis fut de bien plus longue durée, puisque c'est de là que sont venues mes deux grandes traductions de Savédra et de Mariana, dont je fis même bientôt imprimer la première à l'appétit de 7 à 800 francs, dont la compagnie des libraires du Palais jugea à propos de me récompenser. [...] D'une part, ces langues étrangères dont je m'embarrassois, et ces lettres si peu nécessaires dont je fatiguois tout le monde, m'acquéroient insensiblement des facilités absolument nécessaires, tant à cette première partie de ma présente charge qui regarde les traductions que pour l'autre qui concerne le secrétariat des dépêches étrangères de toute sorte de puissances ; d'autre part, ma passion pour les romans et les comédies m'a servi à l'exécution de mes Tables de l'Histoire Universelle, et mon renoncement au palais m'a rendu plus facile l'abandonnement de ma patrie. [...] Ce fut dans les intervalles des accès de cette fièvre que, pour me divertir et me soulager un peu de mon mal, je me mis à la traduction du Prince politique et chrétien de Savédra [...][33]. » Le témoignage de Rou a le mérite d'articuler étroitement le domaine littéraire et le domaine politique, suivant trois scansions. Il prend acte de la notoriété des écrivains espagnols (romans et comédies) ; il identifie Mariana et Saavedra Fajardo, respectivement, comme l'historien de la monarchie hispanique et le philosophe politique dont les œuvres méritent d'entrer dans le commerce intellectuel de la France du temps ; enfin, il considère l'Espagne comme le pays où un secrétaire politique ou

32. Roland Mousnier, *L'Assassinat d'Henri IV*, Paris, Gallimard, coll. « Folio-Histoire », 1992.

33. *Mémoires inédits et opuscules de Jean Rou*, éd. Francis Waddington, Paris, Agence centrale de la société, 1857, t. I, p. 37 *sq.*

un diplomate doivent venir faire leur éducation politique. On remarquera que sa station espagnole fut, d'après son récit, bien plus longue que son séjour italien. Cette construction solide mérite d'autant plus qu'on la mette en valeur qu'elle procède de l'intelligence du monde que se forme un lettré protestant, au début du XVIIe siècle.

Plus avant dans le siècle, Jean Chapelain confirme le jugement porté sur Mariana[34]. De même, le père jésuite René Rapin eut l'occasion d'exprimer son admiration pour l'œuvre d'historien de son coreligionnaire espagnol. Dans un traité sur l'écriture de l'histoire, Rapin présente Juan de Mariana comme le seul « moderne » capable de rivaliser avec les Thucydide et les Tite-Live, distançant tous les historiographes français : « Mais de tous les historiens modernes aucun n'a écrit plus sensément que Mariana dans son Histoire d'Espagne. C'est un chef-d'œuvre des derniers siècles par cette seule qualité-là. [...] Mariana, dans son Histoire d'Espagne, n'a été surpassé d'aucun moderne, ni par la grandeur du dessein, ni pour la noblesse du style[35]. » Sans doute s'agit-il de l'éloge d'un père de la Compagnie par un autre, dans un contexte intellectuel de rejet de Machiavel et même d'Antonio Pérez[36]. Reste que la fortune de Mariana historien en France, dans le texte original, par les traductions et adaptations, par les abrégés, l'emporte dans les esprits sur la mémoire de la condamnation initiale du théoricien de l'acte tyrannicide.

Mathieu de Morgues, homme de plume du cardinal de Richelieu, avant d'en devenir l'adversaire, dans les premières années des grands affrontements pamphlétaires contre la maison de Habsbourg, d'Espagne comme d'Autriche, dénonçait l'influence délétère de la circulation des écrits politiques pro-habsbourgeois en France. Il s'agissait, d'une part, de désigner l'ennemi espagnol intérieur : « Les plumes de leurs ecrivains travaillent parmi nous au

34. Jean Chapelain, *Lettres*, éd. Philippe Tamizey de Larroque, Paris, Imprimerie nationale, 1883, t. II, p. 73 et 205.

35. René Rapin, *Instructions pour l'histoire*, Paris, Sébastien Mabre-Cramoisy, 1677, p. 9-10 et 148.

36. *Ibid.*, p. 145.

décry des Parlements, de la Sorbonne, & des plus fideles serviteurs du Roy ; pour faire que leur ruïne serve au bastiment de l'Empire Universel qu'ils ont proietté[37]. » Dans ce contexte polémique, les circuits de la librairie ont, d'autre part, une importance stratégique, pour une génération d'hommes qui vit la déferlante littéraire espagnole : « La distribution de ces beaux ouvrages se fait par quelques libraires qui sont surpris a Franc-fort, en ce qu'on leur fait couler subtilement ces feuilles dans les livres qu'ils ont achetez. Mais la voye la plus ordinaire est qu'ils sont portez par hommes incogneus & deguisez qui les rendent fidellement à ceux qui ont envoyé les memoires : & ceux cy les distribuent à leurs confidents, desquels ils exigent serment & secret, iusque à se vouloir asseurer par le respect & la saincteté d'un sacrement de la fidélité, & silence de ceux qui ont la curiosité de voir ces ouvrages, ou la malice de contribuer au décry, ou du Roy ou de celuy de ses Ministres que cette damnable cabale veut diffamer[38]. » L'évocation des circuits informels et semi-clandestins de diffusion des textes favorables à la monarchie hispanique est une autre façon de constater l'emprise littéraire et politique de l'Espagne sur divers milieux français. Les hommes de Richelieu étaient parfaitement conscients de l'étroite imbrication des deux domaines.

Le manuscrit de la *Monarchie de France* de Campanella (1632), issu de la plume d'un prédicateur inspiré, illustre la conscience aiguë de ce que la bataille culturelle est avant tout politique. Le moine calabrais assène que la France doit redevenir une puissance savante et théologienne, si elle veut assumer la tête de la lutte contre la maison d'Autriche : « Le roi doit encourager les sciences qui ne gâtent pas la chose publique mais l'embellissent [...] et faire que le monde vienne à nouveau apprendre à Paris, comme cela fut à l'époque où les Français détenaient l'Empire. Il est certain que celui qui s'empare des âmes s'empare aussi des corps et des fortunes ; c'est pourquoi les Espagnols s'efforcent de placer en chaire

37. [Mathieu de Morgues], *Advis d'un theologien sans passion* [1626], s.l., p. 12.

38. *Ibid.*, p. 7.

des docteurs espagnols dans tous les lieux d'études d'Allemagne et d'Italie[39]. »

Mais, comme l'indiquait le passage tiré d'une étude de Christian Péligry, la question de l'hispanomanie est aussi une affaire de datation. Le recueil organisé par Charles Mazouer sur l'« âge d'or de l'influence espagnole » adopte la chronologie classique qui situe la présence culturelle espagnole en France dans la première moitié du XVIIe siècle, plus exactement jusqu'à la fin de la régence d'Anne d'Autriche (1661). Or, on ne saurait exagérer l'effet littéraire d'une réaction française destinée à secouer le joug esthétique hispanique. On serait tenté de suivre l'opinion d'Alexandre Cioranescu, selon laquelle la métabolisation de la culture espagnole par deux ou trois générations de Français lettrés fut si profonde qu'en plein règne de Louis XIV, « les jeunes générations ne savent plus ce qu'elles doivent à l'Espagne[40] ». Il ne faudrait pas imaginer que l'histoire des relations politiques et culturelles de la France et de l'Espagne obéisse à un découpage en séquences clairement définies. Forte est la tentation de dessiner trois segments grossiers : le premier, correspondant à l'âge des guerres de Religion, porterait à son comble une hostilité déployée depuis le début du XVIe siècle ; le second, à l'âge de l'invasion mystique, ouvrirait les portes à une présence hispanique débordante ; le troisième, de l'amorce de gouvernement personnel de Louis XIV au bâtiment de Versailles, serait celui de l'émancipation et du dépassement de l'ancienne puissance par le nouvel astre européen. L'adhérence des goûts, la reproduction des formes d'écriture, l'assomption par les acteurs de l'ancien temps de postures spirituelles et politiques qui sont jugées contradictoires, depuis l'observatoire de la laïcité moderne, sont autant de phénomènes qui brouillent les cartes. Si l'on prend le balancement du publiciste calabrais Tommaso Campanella, de l'amour pour la *Monarchie d'Espagne* (1598) à l'amour pour la *Monarchie de France* (1632), comme le paradigme de l'alternative offerte aux sujets qui vécurent ces temps de fer, on privilégiera soit le récit

39. Tommaso Campanella, *Monarchie d'Espagne et Monarchie de France*, éd. Germana Ernst, trad. fr. de Nathalie Fabry et Serge Waldbaum, Paris, Presses universitaires de France, 1997, p. 579.

40. Alexandre Cioranescu, *Le Masque et le Visage*, *op. cit.*, p. 85.

d'une succession de sentiments, soit l'analyse des ambivalences du jugement. Comme le suggère Alexandre Y. Haran, il nous semble raisonnable de repérer des prises de position ambivalentes et des sentiments contrastés sur le rapport à l'Espagne, tout au long du XVIIe siècle français[41].

Un style hispanophile : Jean-Pierre Camus

Nous avons déjà souligné la rapidité avec laquelle la fièvre hispanophobe consécutive à l'assassinat d'Henri IV avait chuté. On constate également combien les affrontements contemporains du règne de Louis XIII ménagent un espace pour la reconnaissance de la grandeur espagnole. De ce point de vue, les Mémoires du maréchal de Bassompierre, ambassadeur du roi auprès de Philippe III, développent des arguments, somme toute assez élémentaires, mais qui s'inscrivent dans le désir de communion hispano-française. Pour le diplomate, l'affrontement militaire entre les deux royaumes a été voulu par les huguenots français et ne sert qu'eux : « Comme ceux de la religion n'ont jamais eu un plus puissant ennemy que le roy d'Espaigne, ny qu'ils aient plus craint et redoutté, aussy ont-ils tourné leurs principaux projets et desseins a son abaissement et ruine ; et lors qu'ils ont eu acces a l'oreille de quelque prince, ils l'ont toujours animé a luy faire la guerre. Mrs de Bouillon, de Suilly et des Diguieres, principaux personnages de cet estat, et les plus grands et habiles du party huguenot en France, quoique toujours contraires et animés les uns contre les autres, se sont neanmoins en tous temps unis a conseiller et presser le roy, voir mesmes l'ulcerer et envenimer contre la maison d'Austriche, et le roy d'Espaigne particulierement ; a quoy ils estoint aidés par la propre inclination du roy, alienée du roy d'Espaigne par son ressentiment des outrages receus par luy en ces dernieres guerres, et par l'apprehension de sa grandeur, quy, par rayson d'estat, luy devoit estre sus-

41. Alexandre Y. Haran, « L'Espagne dans l'imaginaire français du XVIIe siècle : entre idéalisation et démonisation », *XVIIe Siècle*, n° 195, 1997, p. 305-323.

pecte [...][42]. » Ce passage établit une très claire hiérarchie entre deux ordres de raison politique : l'une, principale, relève de la logique de guerre de religion, l'autre, seconde, pose l'existence d'une balance des pouvoirs, saisie en termes de raison d'État. Dans le dispositif, cette dernière étant soumise à la raison de religion, plus impérieuse, une possible accommodation des catholicités française et espagnole devient pensable, en dépit de la concurrence des puissances.

Après la période des mariages, le règne de Louis XIII, qu'on doit pouvoir interpréter avant tout comme une période de guerre de religion antiprotestante, voit la progressive cristallisation d'un parti dévot et d'un parti attaché à la personne du cardinal de Richelieu. Là encore, l'hostilité réciproque de ces options a vraisemblablement été accusée par une historiographie peu soucieuse de rappeler que l'extirpation intérieure du protestantisme les unissait profondément. On ne saurait oublier, en effet, que la posture « politique » faisait aussi honte à la Ligue d'avoir entravé la réconciliation de tous les catholiques, dont la finalité n'était autre que la liquidation de l'hérésie réformée : « Elle divise les Catholiques, qui unis eussent trop mieux fait la guerre aux heretiques[43]. » À supposer que la posture dévote relève bien d'une mobilisation pacifiée de l'esprit ligueur, et qu'à ce titre on reconnaisse l'hispanophilie comme l'un de ses traits caractéristiques, il serait faux de croire que ce qui se joue sous le ministériat de Richelieu se présente comme l'affrontement d'un parti « espagnol » et d'un parti « bon français ».

Il n'est pas jusqu'à la formulation de l'antagonisme qui ne ménage, en fait, un espace de convergence franco-espagnol. Ainsi un lettré on ne peut plus éloigné de l'archétype de l'écrivain dévot comme Gabriel Naudé construit-il une typologie des anti-France qui crée les conditions d'une entente possible. Il distingue trois adversaires de la France : les « Turcs », les Espagnols, les Hérétiques. Mais il les différencie aussitôt : « Au regard des Turcs, pour ce que l'on n'est pas en peine de chercher quel droict l'on a de

42. Maréchal de Bassompierre, *Journal de ma vie*, 4 vol., éd. marquis de Chantérac, Paris, Jules Renouard, 1870-1877, t. I, p. 261-262.

43. *L'Estat de l'Espagne*, s.l., 1593, p. 27.

leur faire la guerre, mais seulement par quels moyens ils peuvent estre vaincus. [...] Quant aux Espagnols y ayant plus de difficulté à trouver des raisons que des moyens de leur faire la guerre, pour ce que les opinions des politiques sont differentes sur leurs pretensions, & sur les acquisitions de leurs nouveaux Estats [...][44]. » Le lecteur attentif et admiratif de Grotius qu'était Naudé reprend ici schématiquement le problème de la justification de la guerre. Il souligne que, si l'opposition à l'égard de l'Empire ottoman se donne à lire comme une évidence dont il n'y a pas lieu de discuter la légitimité, tel n'est pas le cas de la lutte conduite par la France contre la monarchie hispanique. Les fondements de l'entreprise de Richelieu pour desserrer l'étau espagnol sont ainsi discutables, même s'il ne fait guère de doute que, pour sa part, Naudé les approuve. En revanche, l'impératif de solidarité chrétienne face à l'islam ottoman ne peut être discuté : on a là affaire à une figure de la raison d'État, étrangement compatible avec la priorité spirituelle affichée par la « politique espagnole ». Dans le monde des lettres et des chaires, nombre d'acteurs de la vie politique et intellectuelle du premier XVIIe siècle ne sauraient se laisser enfermer dans une dichotomie aussi simple.

Tel est, exemplaire, le cas de Jean-Pierre Camus, évêque de Belley, connu comme disciple de François de Sales et comme romancier particulièrement prolifique et actif à l'époque de Richelieu[45]. Dans son activité littéraire, il a situé l'action de plusieurs de ses fictions en Espagne. Certaines dans le goût mauresque[46], d'autres pour le plaisir de mettre en scène des chevaliers aux sentiments sublimes[47]. Ce penchant pour l'Espagne pourrait, de façon hâtive,

44. Gabriel Naudé, *Bibliographie politique de Monsieur Naudé contenant les livres & la methode necessaires à étudier la politique*, Paris, Veuve de Guillaume Pele, 1642, p. 79-80.

45. Sylvie Robic, *Le Salut par l'excès : Jean-Pierre-Camus (1584-1652), la poétique d'un évêque romancier*, Paris, Champion, 1999.

46. *Eugène, histoire grenadine offrant un spectacle de pitié et de piété*, Paris, Chappelet, 1623.

47. *Palombe, ou la femme honorable, histoire catalane*, Paris, Chappelet, 1625 ; *Daphnide ou l'intégrité victorieuse, histoire aragonnoise*, Lyon, A. Chard, 1625. Voir Henri Brémond, *Histoire littéraire du sentiment religieux en France*, t. I, *L'Humanisme dévot (1580-1660)*, Paris, Bloud et Gay, 1916, chap. II-5, « Le roman dévot », p. 273-307.

être interprété comme le signe d'une appartenance à la mouvance dévote[48]. Un tel soupçon semble être vérifié, car l'évêque de Belley avait visité l'Espagne en 1624, à la demande du cardinal de Bérulle, pour sonder les possibilités d'y établir l'Oratoire : « L'affection que ie porte à une sainte congregation qui est toute Françoise, & née à Paris, & dilatée seulement en France, dont la Reine d'Espagne nostre vertueuse Princesse, Sœur de nostre Roy Tres-Chrestien, desiroit l'establissement à Madrit, me convia d'y contribuer quelque service[49]. » Entré par la frontière catalane, il visite Canfranc, Montserrat, « lieu vraiment saint », Jaca et Saragosse, où il ne manque pas de faire ses dévotions à Notre-Dame du Pilar. Arrivé dans la capitale de la Castille, il est accueilli chez l'ambassadeur du roi de France et réside à la cour pendant deux semaines. Puis il visite la cathédrale de Tolède, les jardins d'Aranjuez et « le superbe monastère de l'Escurial », dont il dit, ailleurs : « Je confesse que l'an 1624, lors que j'y fus, je me plaignois d'avoir trop peu de deux yeux pour contempler tant de merveilles[50]. »

Son admiration pour le palais-monastère de Philippe II et les dévotions rendues dans les sanctuaires parmi les plus vénérés de la Péninsule en disent long sur la sympathie qui l'anime. En réalité, l'Escurial, qui deviendrait un thème littéraire globalement répulsif au XIXe siècle, on l'a vu, fait l'objet de jugements beaucoup plus ambivalents au XVIIe siècle. Loin s'en faut qu'il ait été alors unanimement considéré comme « super-forteresse digne de Kafka », selon le mot de Michel Bareau[51]. L'hommage rendu par Camus s'inscrit dans une série de témoignages qui traversent toute la période. Ainsi, dans le contexte de la préparation du double mariage de 1615, un envoyé de Marie de Médicis à la cour d'Espagne entonnait en ces termes ses louanges du bâtiment : « Et veri-

48. Wolfgang Leiner, « Jean-Pierre Camus et l'Espagne », *in* Charles Mazouer (éd.), *L'Âge d'or de l'influence espagnole*, *op. cit.*, p. 353-364.

49. Albert Garreau, *Jean-Pierre Camus, Parisien, évêque de Belley, 1584-1652*, Paris, Les Éditions du Cèdre, 1968.

50. Jean-Pierre Camus, *Divertissement historique*, Rouen, Vaultier, 1642, p. 57-58.

51. Michel Bareau, « On ne rit pas ! Pour une sécularisation de l'austérité monarchique dans les mythes de la *leyenda negra* », *in* Charles Mazouer (éd.), *L'Âge d'or de l'influence espagnole*, *op. cit.*, p. 137-145.

tablement c'est la plus belle chose, & la plus remarquable qui soit en ce pays, & le seul endroit, ou il paroist que les Roys d'Espagne ont conquis & despoüillé les Indes : quand à moy je la tiens pour un miracle, & non pas pour une merveille seulement, & tant s'en faut que je sois de l'opinion des Espagnols qui l'appellent la huictiesme merveille du monde, ie tiens que c'est la premiere, & m'estonne qu'eux-mesmes qui ont de coutume d'agrandir les petites choses avec des paroles si avantageuses, soient si retenus & moderez en la loüange d'un edifice si superbe & si magnifique[52]. » La réputation faite au palais demeure extrêmement favorable jusqu'à une période beaucoup plus tardive, comme en témoigne une pièce encomiastique sur le mariage de Marie-Louise d'Orléans et Charles II d'Espagne, en 1679 : « C'est ce superbe édifice que Philippe second acheva en douze ans, et ou la magnificence employa tant de mains, et tant de matériaux aussi différens. La France fournit l'Architecte et l'Entrepreneur général, Louys Defoix, disciple de Juanelo Terriano de Cremone en Lombardie, qui eut sous luy Jean Baptiste de Tolede, et Jean de Herrera. Les machines et les instruments nécessaires pour élever ces grandes masses de pierre se firent à Madrid, et à Tolède, on tira les marbres de la montagne de Bernardos, du bourg de Osma, d'Espeja, de la rivière de Genil auprès de Grenade, d'Aranjuez, de Filabres, et d'Estremoz. On fit les ouvrages de Bronze en Arragon, et en Flandres, ceux de fer à Guadalaxara, à Avila, et en Biscaye. Les bois furent coupez dans les forests de Cuenza, de Balsaïn, de Quexical, et des Naves. L'Indes fournit l'Ivoire, l'Ébène les bois de Cèdre, le Guayacan, et le Grenadille. Florence en travailla les brocards, Milan les ouvrages d'or, de crystal, et de lapis, Grenade les Damas et les Velours, l'Italie et la Flandre les peintures. Enfin toute l'Europe, et toute l'Amérique estoient occupées pour cet ouvrage [...][53]. » L'Escurial est donc présenté comme la quintessence de l'Empire et toutes ses richesses s'y affichent. Mais la

52. *Letre du Sr D.L.* [de Lingendes] *escritte de l'Escurial à Mademoiselle de Mayenne, sur le Voyage de Monseigneur, son frère*, Paris, Toussaint du Bray, 1612, p. 65.

53. *Mémoires touchans le mariage de Charles II Roy d'Espagne, avec la princesse Marie-Louise d'Orléans*, Paris, Claude Barbin, 1681, p. 22-23.

genèse du bâtiment, ici, est attribuée à un Français, ce même Louis de Foix qui aurait joué un rôle central dans l'affaire de l'infant don Carlos (voir *infra*). Le jugement de Jean-Pierre Camus n'est donc nullement isolé, il s'inscrit dans une tradition qui reconnaît dans l'ouvrage de Juan de Herrera un modèle qui habite le paysage français de l'architecture monumentale, comme le montrent le premier projet soumis à Anne d'Autriche pour le Val-de-Grâce et, vraisemblablement, celui de l'hôtel des Invalides et de l'église Saint-Louis[54].

Est-ce à dire qu'on ait affaire, avec Jean-Pierre Camus, à un membre du parti dévot, partisan de la ligne d'apaisement avec la maison de Habsbourg et hostile aux ambitions du cardinal de Richelieu ? Sans doute pas, ou pas seulement, car la posture hispanophile de Camus ne peut pas être indexée sur une affiliation à l'opposition au cardinal-ministre. Comme le rappelle Amelot de La Houssaie, à la fin du XVIIe siècle, Camus était de ces hommes de lettres que Richelieu consultait à propos de publications stratégiques dans l'usage politique des lettres : « Le Cardinal de Richelieu lui demandant son sentiment sur deux livres nouveaux qui commençoient à paraître, dont l'un étoit Le Prince de Balzac ; & l'autre, Le Ministre d'État de Silhon ; Monseigneur, répondit-il, l'un ne vaut guére, & l'autre rien du tout[55]. » Cette opinion situe sans doute Jean-Pierre Camus dans la mouvance du mysticisme conquérant, ou à tout le moins antipolitique, des premières décennies du XVIIe siècle[56]. Pour autant, sa posture « espagnole » n'alimente pas, lorsqu'il écrit, une attitude dissidente qui aurait été jugée inacceptable par le principal ministre de Louis XIII. En outre, dans les homélies apologétiques qu'il adresse à Louis XIII, l'évêque de Belley mobilise le culte de Saint Louis, appelé à un grand développement, en invitant le roi adolescent à supplanter l'Espagne sur le terrain de l'orthodoxie[57]. Sa disposition est donc

54. Voir les deux articles de Rafael Valladares cités *supra*.

55. Amelot de La Houssaie, *Mémoires historiques, politiques, critiques et littéraires*, Amsterdam, Michel Charles Le Cene, 1722, t. II, p. 24-25.

56. Henri Brémond, *Histoire littéraire du sentiment religieux en France*, t. I, *op. cit.*, chap. I-5, « Les maîtres salésiens II », p. 149-186.

57. Alain Boureau, « Les enseignements absolutistes de Saint Louis, 1610-1630 », *in* François Laplanche et Chantal Grell (éd.), *La Monarchie absolutiste et*

moins dichotomique qu'intégratrice de la gloire française naissante et de la vertu espagnole admirée.

En 1626, il publie simultanément *Le Cléoreste* et *La Défense du Cléoreste* en un même volume qui ne connut qu'une édition. On peut donc supposer que le prélat, dans la défense de son roman, anticipe des critiques attendues[58]. L'histoire, qui met aux prises des protagonistes espagnols et français, en situation d'émulation sentimentale, se présente cependant comme une longue dissertation sur l'amitié. Par le choix de l'Espagne, c'est ce doux sentiment, et non pas la rivalité, qui est mis en scène : « C'est elle [l'amitié] qui lie les personnes & en fait des familles, elle unit les familles & en fait des Citez, elle ioint les Citez en Provinces, elle attache les Provinces & en fait des Royaumes, elle enchaine les Royaumes & en compose des Empires, & comme elle n'est qu'union elle rapporte tout à l'unité, c'est le nœud de la société humaine, & le ciments des Républiques & des nations », précise Camus dans la préface de l'ouvrage, qui donne les clefs de lecture et d'interprétation de l'histoire morale que supporte la narration.

Un soldat français et un spadassin espagnol, entre deux épisodes guerriers, et deux épanchements sentimentaux, dialoguent sur les mérites respectifs de leurs nations et monarchies. Ils partagent le sentiment, que nous avons identifié dans le passage d'*Attila* de Corneille, et chez certains auteurs de voyages du XVIIe siècle, selon lequel les deux pays sont rivaux parce qu'ils sont les seuls qui comptent vraiment dans la chrétienté. La conviction de leur commune supériorité les rapproche autant qu'elle les sépare. Camus montre ainsi que les controverses qui divisent et identifient les deux pays relèvent essentiellement d'un imaginaire politique qui se trouve démenti par l'impératif de composition et de compromis : « Seigneur Bertolde, il n'y eut iamais Espagnol qui n'elevast sa nation iusques aux nuées, & l'importance est que ces loüanges sont touiours aux despens de la nostre, parce qu'il n'y a que la

---

l'Histoire de France, Paris, Presses de l'Université de Paris-Sorbonne, 1986, p. 79-97 ; Henri Brémond, *Histoire littéraire du sentiment religieux en France*, t. I, *op. cit.*, p. 122.

58. *Le Cléoreste* de Mgr de Belley [Jean-Pierre Camus], *Histoire françoise-espagnolle representant le tableau d'une parfaite divinité*, Lyon, A. Chard, 1626.

France qui face ombre à ceste grandeur imaginaire dont l'Espagne se flatte : de sorte que l'humeur des Espagnols est de souhaitter que la France ne fust rien, affin que l'Espagne fust tout[59]. » La remarque ironique du soldat français, loin de signifier, de façon unilatérale, une distance moqueuse, à laquelle seule la supériorité permet d'accéder, intervient plutôt comme une réponse agacée au raisonnement que le spadassin espagnol construit pour rendre compte des différences entre les « nations ». Le romancier place dans la bouche de Bertholde un parallèle de Charles Quint et de François Ier. Cette comparaison, renvoyant à la première moitié du XVIe siècle, offre l'occasion de penser les rapports franco-espagnols, en amont de la décomposition du royaume des Valois et de l'intervention directe du roi de Castille et d'Aragon dans les affaires de celui de France, c'est-à-dire en amont des griefs réciproques les plus lourds. Est-ce à dire qu'après la reconnaissance d'Henri IV et pendant le processus d'affermissement du pouvoir de Louis XIII, les relations entre les deux royaumes retrouvent un cours ordinaire ? Le passage explicite un mode de formulation des différences entre les deux sociétés et les deux monarchies, sous la plume d'un catholique militant du premier XVIIe siècle. Le propos du personnage espagnol consiste à évoquer les différences qui distinguent les deux systèmes institutionnels :

> Cela [...] me fait souvenir de la repartie que l'Empereur Charles Cinquiesme Roy des Espagnes fit à vostre grand Roy François son emulateur. Celuy-là en ce passage perilleux qu'il fit par la France, se remettant entre les mains de celui qui avoit toujours esté son Antagoniste, estant tombé en propos avecques vostre Roy de ce qui estoit des revenus de la Couronne de France, elle me vaut, dit vostre Prince, autant que ie veux, c'est un pré qui a toujours de l'herbe & que je fauche quand il me plaist. Ie ne fais pas ainsi en Espagne, reprit l'Empereur, aussi j'y commande à des hommes qui sont des animaux raisonnables, que si vos sujets se laissent tondre comme vous le dites, on les peut appeler des animaux sans raison. Ce mesme Empereur avoit de coustume de dire qu'en Allemagne il estoit Roy des Roys, parce que la Germanie est toute partagée en petits Princes Souverains, qui sont autant de Roitelets

59. *Ibid.*, t. II, p. 66.

> relevans de l'Empire, & en Espagne qu'il estoit Seigneur des Seigneurs, parce que les moindres compagnons y sont les Gentilshommes, y tranchent du Chevalier, ou tout au moins de l'hidalgue. Cela fait que les Espagnols ne servent que comme il leur plaist, & autant qu'ils voyent leur avantage. Et bien qu'ils affectionnent autant leur Prince que les François le leur (ce qui se voit dans cette extreme passion qu'ils ont de dilater son Empire, & de luy acquerir tous les iours de nouvelles provinces & de nouveaux mondes, & de la conservation de sa personne) si ne lui sont-ils pas soumis servilement & d'une façon abiecte, mais infiniment ialoux de conserver leurs privileges (comme l'on peut remarquer en Aragon) ils ne luy obeyssent que iusques où il n'y a point de preiudice à leur liberté. Et à dire la vérité, ceste espèce de toute-puissance que la flatterie, ou plustost l'Idolatrie Politique attribuë aux Souverains, est une sorte d'auctorité qui aboutit (si le Prince n'est fort modéré) dans la Tyrannie. Car que ne se peut persuader de soy celuy de qui l'on met le front dans les estoiles, & que l'on rend égal à Dieu, dont il n'est que l'image, & la chétive creature[60] ?

Ce monologue relève, au cœur de la narration romanesque, du genre du traité politique. Publié en 1626, il ne doit pas être interprété à la lumière de controverses et de luttes postérieures, notamment sur le pouvoir tyrannique du cardinal de Richelieu : la « journée des Dupes » est largement postérieure (1630). En revanche, il paraît clair que ce discours résonne d'échos entendus dans les tardifs miroirs des princes ou traités du favori espagnols de la fin du XVIe siècle et du début du XVIIe siècle. Le fait que l'anecdote soit placée dans la bouche d'un matamore ne limite pas la portée de son analyse, d'autant que l'auteur ne distingue pas sa prise de parole par des procédés parodiques qui inviteraient à disqualifier ou à mettre à distance ses arguments. Leur bonne tenue rhétorique plaide pour une lecture empathique de ces pages. François Ier règne donc sur un peuple d'animaux à tondre. L'autorité extraordinaire du roi sur la société est interprétée comme une porte ouverte sur l'« idolâtrie politique », voire la « tyrannie ». Aucun de ces termes n'est mobilisé à la légère : « idolâtrie » renvoie au

60. *Ibid.*, t. II, p. 53-54.

registre de l'infidélité religieuse ; « politique » peut être entendu, ironiquement, dans son acception substantive, désignant le parti de ce nom issu des compromis de la fin du XVIe siècle ; le terme de « tyrannie », dans la bouche d'un homme d'armes hispanique, réveille la question du tyrannicide. La présentation qui est faite de l'architecture de la monarchie hispanique met en valeur le pacte plutôt que la sujétion, le dialogue permanent du « roi des rois » avec des corps privilégiés plutôt que l'abjecte soumission. Par ce biais, le monde hispanique serait moins sujet aux dérives de la tyrannie que ce royaume où les sujets sont ravalés au rang de cheptel.

Pourtant, dans le feu de la polémique, des auteurs français s'étaient faits l'écho de la protestation antifiscale qui commence à s'élever en Castille dès 1575 [61], tel l'auteur de *L'Estat de l'Espagne* : « Aussi l'Espagne s'en va depeuplee [...] pour l'alacavalle, qu'ils appellent le dixieme denier de toute vente & revente, voire l'habit neuf que vous porterez en vos malles [62]. » Jean-Pierre Camus a cependant su enregistrer tout ce qui, du point de vue de la composition des autorités, demeure contractuel dans la monarchie hispanique. Il en va non seulement de l'organisation politique du royaume, mais aussi du rapport au sacré, puisque la flatterie de l'entourage associée à l'humiliation des sujets favorise l'idolâtrie politique et la divinisation abusive de la personne royale. L'intérêt de ce passage réside donc dans le fait que Camus, sans s'identifier à son personnage, articule logiquement la réduction des pouvoirs corporatifs et le processus de divinisation du titulaire de la couronne. Inversement, la souplesse institutionnelle du système hispanique et son respect des franchises historiques s'accommodent bien d'une orthodoxie catholique romaine qui, de cette façon, ne produit aucune dérive césaropapiste.

Le passage, en invitant à une réflexion complexe sur les traits spécifiques des deux monarchies, participe du genre de l'opposition ou de l'antipathie réciproque. Mais il le fait, tout comme Carlos

61. José Ignacio Fortea Pérez, *Monarquía y Cortes en la corona de Castilla. Las ciudades y la política fiscal de Felipe II*, Salamanque, Cortes de Castilla y León, 1990.

62. *L'Estat de l'Espagne*, *op. cit.*, p. 23.

García, quelque dix ans plus tôt, dans un tout autre contexte, pour mieux célébrer ou espérer l'union des deux couronnes : « La raison qui nous tient si reservez est le peu d'hommes que produit l'Espagne, ce qui oblige les Capitaines à les conserver soigneusement, & à les mesnager prudemment. Mais la France en estant une fourmilliere, elle ressemble à cette hydre qui poussoit plus de testes qu'on ne lui tranchoit. [...] Mais sous le Soleil il n'y a rien de tout point accompli. Dieu gouverne ceste grande horloge du Monde par de certains contrepoids dont nous ignorons les ressorts & les causes, & dont nous admirons les effects. Et pour revenir à la qualité de mercenaires que vous nous reprochez, ie treuve que vostre nation en est beaucoup plus noircie que la nostre ; car en ces guerres civiles aussi ordinaires à la France que le flux à la mer, & dont le nom sera tantost ignoré en Espagne, chacun n'y cherche-t'il pas son propre intérest & à pescher en eau trouble ? Qui ne sçait que les Grands s'y conservent en credit, en fomentant de continuelles rebellions dans les deux partis que forment les deux Religions qui deffigurent le visage de vostre Monarchie ? Qui ne sçait que les considerations humaines appelées raisons d'Estat, y chocquent à tout propos les maximes de l'Évangile, & tout cela par l'interest l'ambition ou l'avarice des particuliers [63] ? » Alors que la crise de la Valteline fait rage et que la politique de Louis XIII est déjà conçue comme un mécanisme destiné à desserrer l'étau espagnol, Camus constate une supériorité démographique et matérielle de la France que seules les guerres de Religion ont empêché de jouer à plein face à l'Espagne. Mais il n'imagine pas le retour de balancier comme l'écrasement de l'ancienne puissance par celle qui est à naître.

Dans les deux forts volumes du *Cléoreste*, *La Défense du Cléoreste* occupe les pages 663 à 819. Il s'agit donc d'un manifeste longuement médité. En outre, dans la mesure où le roman ne connut qu'une seule édition, la défense qui en est donnée par son auteur doit être considérée comme préventive. C'est donc que l'évêque de Belley s'attendait à ce que son aménité politique à l'égard de l'Espagne suscite des réactions hostiles dans le monde des lettres françaises. En effet, pour l'essentiel, la « défense » porte

63. *Le Cléoreste*, *op. cit.*, t. II, p. 63-64.

sur la question espagnole. D'entrée, Camus affirme sa position modérée à propos de l'« opposition » hispano-française : « Je fais l'office de la Colombe[64]. » Toute sa démonstration, sur ce point très proche du schéma élaboré par Carlos García, consiste à montrer que l'amour peut s'épanouir malgré l'antipathie naturelle. Car ce n'est pas toujours la ressemblance qui fait la sympathie[65]. Mais l'enjeu d'un discours de la mutuelle compréhension et de l'amitié possible entre les deux pays, en fait, doit être compris en premier lieu comme de nature intérieure : « L'heresie se rit de voir les Catholiques pour des raisons d'Estat acharnez les uns contre les autres[66]. » En vérité, l'ennemi, tant intérieur qu'extérieur, demeure l'hérésie, c'est-à-dire le protestantisme. Et sur ce plan, Camus préfère le cousinage des catholiques espagnols à celui des sujets protestants du roi de France.

Avec une salutaire véhémence, il lance une charge contre les discours convenus sur les tempéraments collectifs qui envahissent les représentations littéraires ou graphiques de son temps. « À la verité ie n'ay point encor appris en l'eschole de la Charité Chrestienne, que pour estre bon François il faille parler mal des nations estrangères. [...] Cependant c'est d'une elegance à la moderne d'appeler les Allemands yurongues, les Italiens dissimulez, les Espagnols arrogans. [...] Il est vray que ie dis en ce livre quelque bien de la nation Espagnole ; mais qui voudra mettre à la balance les iustes reproches que ie fais à ses deffauts[67]. » L'auteur met ainsi en balance les lauriers qu'il tresse à l'Espagne catholique et les travers des sujets espagnols qu'il dénonce.

Citant un de ses autres romans « espagnols », *Eugène*, Camus rappelle qu'il n'a pas hésité à offrir au lecteur français l'éloge des Rois Catholiques pour leur œuvre d'extirpation de l'islam : « Là dessus de certains Esprits qui ne semblent nez que pour faire des contrepointes en l'harmonie du Monde, crient à l'Espagnol, comme si honorer la Vertu de Ferdinand & d'Isabelle, estoit un crime de leze-majesté

64. *Ibid.*, t. II, p. 663.
65. *Ibid.*, t. II, p. 666.
66. *Ibid.*, t. II, p. 669.
67. *La Défense du Cléoreste*, *ibid.*, t. II, p. 783-784.

Françoise[68]. » On ne saurait récuser en termes plus clairs le clivage installé à la fin des guerres de Religion entre catholiques « bons français » et partisans ultras de l'Espagne. À travers le genre romanesque, Camus annonce, de surcroît, la vogue des biographies élogieuses des principaux monarques hispaniques que connaît le monde de l'édition française au XVIIe siècle, et sur laquelle nous aurons à revenir. Le rappel de l'œuvre des Rois Catholiques lui offre l'occasion de se démarquer d'une position néo-ligueuse, en signifiant une distance par rapport à la politique espagnole de son temps. Il lui reproche, en effet, comme d'autres auteurs nettement hispanophobes, de ne plus se consacrer à la croisade en Afrique et en Palestine : le roi de Castille ne l'est-il pas également de Jérusalem ? Cette ambition reste la visée légitime de l'Espagne, son expansionnisme territorial en Europe en est la face inacceptable.

Reste que, sans ambages, Jean-Pierre Camus affronte la question de la composition entre la fidélité à l'idéal politique de la catholicité triomphante et la fidélité à la maison régnante de France, face aux ambitions de celle des Habsbourg : « Et parce que ie dis en ce livret-là, qu'à un homme qui a plus de zele pour sa Religion que pour sa nation, il importe peu qui en chasse les Infideles, soient les lys, soient les lyons, aussitôt ces gens recrient à l'Espagnol, comme si nous avions autant d'interest de conserver la Palestine au Turc à cause de nostre alliance que la Valtoline aux Suisses[69]. » L'allusion à la crise de la Valteline, exactement contemporaine de la publication du *Cléoreste*, est là pour montrer au lecteur que le romancier n'hésite pas à se prononcer sur des événements touchant l'actualité politique la plus immédiate. L'affirmation du primat du critère religieux, c'est-à-dire de défense de la catholicité face à l'islamet à la Réforme, est donc pleinement assumée, au risque d'essuyer l'accusation de ressusciter l'option « espagnole » ligueuse. L'époque d'Henri IV est ici bel et bien enterrée. *La Défense du Cléoreste* opère bien comme un manifeste. Elle a pour objectif d'annoncer que les admirateurs français de la catholicité hispanique sont désormais débarrassés des complexes dérivés de l'infidélité des « États de la Ligue » et du sentiment de culpabilité lié aux

68. *Ibid.*, t. II, p. 785.
69. *Ibid.*, t. II, p. 786.

régicides. Camus n'hésite pas à demander la réhabilitation d'hispanophiles contemporains de la Ligue : « Qu'ils voyent ce que feu M. du Vair Evesque de Lizieux & Garde des Sceaux, escrit en ses Traitez Oratoires à la loüange de la nation Espagnole, lors mesme qu'il blasme plus aspremement les pratiques qu'elle tramoit en France pour y fomenter la guerre civile de la Ligue, & je m'asseure qu'ils auront honte de crier à l'Espagnol contre un des meilleurs François & des plus zelez pour son païs que nostre siecle ait produit [70]. » On trouve, il est vrai, le même argument sous la plume de Jean Boucher, consacré à Philippe II : « Comme aussi pour blasmer un catholicque, zelateur du nom de Dieu, & le tirer en enuie, on l'appelloit Espaignol. Pour dire auec Dauid, Opprobria exprobrarium tibi ceciderunt super me. Les blasmes de ceux qui te diffamoient, sont tombez sur moy [71]. » Camus se sert donc également de *La Défense du Cléoreste* pour prévenir les commentaires désobligeants que son voyage en Espagne ne peut, dit-il, manquer de susciter auprès de certains cercles [72]. Ses dispositions à l'égard de l'Espagne peuvent encore susciter réserves et controverses. Pour établir qu'il a existé une attitude fondamentalement ambivalente, on ne peut se limiter à repérer les manifestations de sympathie à l'égard de l'Espagne. Il est indispensable, ne serait-ce que sous forme de rappel, de goûter les aigreurs de l'hostilité anti-espagnole afin de mieux savourer les douceurs qui les accompagnent ou les suivent de près.

Éléments de la polémique

La démonisation de l'Espagne dans la production pamphlétaire française avait atteint, entre 1592 et 1598, un degré de violence

70. *Ibid.*, t. II, p. 789.

71. Jean Boucher, *Oraison funèbre sur le trespas de tres haut, très grand, et très puissant monarque Dom Philippe second roy d'Espaigne*, Anvers, Jean Moretus, 1600, p. 76.

72. Jean-Pierre Camus, *La Défense du Cléoreste*, in *Le Cléoreste*, *op. cit.*, t. II, p. 792.

difficilement égalable par la suite[73]. Les moments les plus intenses correspondent en gros au règne d'Henri IV (exception faite des années qui suivent la signature du traité de Vervins – 1598) et à l'époque qui va de la préparation de l'entrée en guerre au ministériat de Mazarin. Cette production de textes a fait l'objet de recensements et d'études déjà nombreux, aussi bien dans le cadre fixé par le paradigme de la *leyenda negra* que dans celui des recherches centrées sur les relations franco-espagnoles. Il ne saurait être question de reproduire ici l'inventaire de ces discours polémiques. Mais certains d'entre eux, qui, comme en témoignent leurs nombreuses rééditions, ont connu une large diffusion et une notoriété durable, permettent de dessiner le paysage thématique sur lequel s'est forgée l'ambivalence française.

L'Anti-espagnol de l'avocat Arnaud, père du Grand Arnauld, circule dans Paris, au risque de la vie de son auteur, dès 1592[74]. Comme la *Satyre Ménippée* (1594) et la version monarchiste du *Dialogue du maheustre et du manant* (1593), il s'agit d'un texte portant essentiellement sur l'extrémisme ligueur, la question espagnole servant à déconsidérer les Seize et le duc de Mayenne. La finalité de ces textes consiste ainsi à faire honte à Mayenne d'avoir troqué « sa couverture française pour une cape à l'espagnole », plutôt que de dénoncer la monarchie hispanique pour elle-même. La salve d'accusations lancées contre les ligueurs s'accompagne toujours de l'accusation espagnole : « Les predicateurs ont presché pour la conservation de la Religion et de l'Estat, et on leur a reproché qu'il ne leur appartient de parler de l'Estat et que c'estoient des ignorans. [...] Ils ont crié contre la paix avec l'heretique, et on les a appelez sanguinaires, perturbateurs du repos public. [...] Ils ont crié contre l'establissement du Roy et de ses parens et presché qu'il leur falloit faire la guerre, et on les a appelez rebelles, amateurs de guerre et pençionnaires d'Espagne[75]. » Le *Dialogue du maheustre et du manant* a pour fonction politique de

73. María Pilar Suárez, « La literatura de combate », *in* Mercé Boixareu et Robin Lefere, *La historia de España en la literatura francesa*, *op. cit.*, p. 181-193.

74. Sur l'attribution de ce pamphlet paru anonymement à Arnauld, voir : Robert Arnauld d'Andilly, *Mémoires*, Hambourg, A. Van den Hoeck, 1734, t. I, p. 14-15.

75. François Cromé, *Dialogue du maheustre et du manant*, texte original avec les variantes de la version royaliste, éd. Peter M. Ascoli, Genève, Droz, 1977, p. 139.

dédouaner le duc de Mayenne de la dérive mystico-utopique des Seize et de dessiner une position symétrique de rejet d'Henri IV et d'une solution espagnole : « Et y a pareille jalousie en ce prince, Duc de Mayenne, et son Conseil, contre les Seize pour le faict de l'Espagnol, que celle que le defunct Roy Henry avoit contre les princes de Lorraine, qui s'aidoient de la faveur de l'Espagnol, qui estoit une des principales causes de la haine qu'il portoit à ces princes, que celle que porte le Duc de Mayenne contre les Seize, et consequemment leur ruine [...] [76]. » La plupart des ouvrages favorables au compromis catholique et royal proposé par Henri IV associent les projets fantaisistes de succession à la maison de France et le jusqu'au-boutisme de certaines communautés urbaines au soutien que l'Espagne assure à la Ligue. En un mot, comme le dirait avec netteté un historien tardif de la Ligue, le chanoine Anquetil, le rejet d'Henri IV par Paris et toutes les « bizarreries » politiques des derniers temps des guerres de Religion relevaient de la « politique espagnole » [77].

Il convient, en outre, de ne pas accorder à *L'Anti-espagnol* et à la *Satyre Ménippée* une sorte de monopole dans l'interprétation politique de l'attitude de Philippe II en France au temps de la Ligue. Après tout, les liens de clientèle croisés entre rois d'un pays et grandes familles d'un autre ne contrevenaient pas nécessairement à la foi jurée d'un vassal naturel à son suzerain. Sur ce point, Brantôme dément l'idée que les relations établies par Philippe II avec quelques puissantes maisons françaises aient pu relever de la félonie : « Et si l'on me met au devant pourquoy il a tant entretenu de pensionnaires en France, et donné pensions, je le croy et l'advoue, et en nommerois plusieurs et des plus haults hupez, si je voulois ; mais il les faut blasmer ceux là, car il n'appartient à aucun subject, sans congé du prince, prandre pention d'un estranger. Mais il faut louer le roy d'Espaigne ; car ce n'a jamais esté à mauvaise intention qu'il entretenoit ses pensionnaires, non pour luy aider à faire la guerre contre leur maistre, mais pour luy persuader tousjours à ne la faire point et le tenir en ceste bonne humeur de paix.

76. *Ibid.*, p. 142-143.

77. Louis-Pierre Anquetil, *L'Esprit de la Ligue ou Histoire politique des troubles de France, pendant les* XVIe *et* XVIIe *siècles*, Paris, Moutard, 1779, t. III, p. 136.

En quoy certes tels conseillers ont bien faict et sont à louer, si ce n'est qu'ilz n'en devoient tirer d'argent pour si sainct office, et que la loy le deffend comme j'ay dict[78]. » L'auteur, suivant la pente naturelle du genre littéraire qu'il cultive, ne se prive pas, à d'autres pages, de reproduire toutes sortes de ragots sur la personnalité de Philippe II, mais les analyses politiques qu'il produit paraissent infirmer l'agressivité de ces anecdotes. Il n'hésite pas, par exemple, à rejeter toute la responsabilité de la participation de l'Espagne aux guerres de la Ligue sur les ligueurs eux-mêmes : « Il est vray qu'on dira qu'à la fin il a fort favorisé la ligue : je le croy ; car on l'avoit tant picqué et piccoté, qu'à la fin il fallut bien qu'il ruast, estant si sensible et genereux qu'il estoit[79]. »

Dans la mesure où la lutte contre les protestants devient la marque même de la politique intérieure de Louis XIII, telle une *Reconquista* française, l'appréciation du rôle exercé par les Rois Catholiques dans leurs rapports avec la France et avec le mouvement réformé se charge de nuances. Ainsi Mézeray, dans son *Histoire de France*, en vient-il à reconnaître que la guerre que mène le fils d'Henri IV contre les huguenots répond précisément aux desseins des rois d'Espagne. Charles Quint ayant pris la tête de la croisade européenne antiprotestante, c'est une France catholique engagée dans le même combat que le roi d'Espagne appelle de ses vœux, et qui ne se manifeste qu'avec le deuxième Bourbon : « Il [Philippe II] faisoit son compte que n'y en ayant point de plus puissans que lui et l'empereur, on leur mettroit cette charge entre les mains, et qu'ayant en leur disposition les armes, les deniers et toute l'autorité de l'Europe, ils trouveroient bien les moyens de s'en faire souverains, et de mettre dans leur maison cette monarchie universelle dont Charles V avoit formé le projet. Il n'y avoit que deux obstacles qui pussent rompre ce dessein, les forces de la France et les protestans, lesquelles étant jointes ensemble, étoient capables de se défendre de cette monstrueuse ambition. Il falloit donc les désunir et se servir de l'un pour ruiner l'autre ; [...] et il s'assuroit que la France consentiroit non-seulement, mais encore

78. Pierre de Bourdeille, seigneur de Brantôme, *Œuvres complètes*, t. I, Paris, Jannet, 1858, p. 94.

79. *Ibid.*

aideroit de tout son pouvoir à exterminer les protestans, d'autant que les maux qu'elle souffroit de la faction huguenotte lui faisoient haïr toutes les nouvelles sectes [80]. » On voit donc, après la disparition de la Ligue, combien le grief adressé à Philippe II d'avoir voulu subvertir puis absorber le royaume de France faiblit dans des milieux catholiques et royalistes.

Il n'en reste pas moins que les propos les plus violents sur le monde espagnol se réfèrent d'abord à la situation créée par la fin des guerres civiles françaises. Cela ne signifie pas que les écrivains français n'aient pas visé l'Espagne pour elle-même. Mais alors, comme l'indique un pamphlet contemporain des précédents ouvrages, c'est moins l'intransigeance aveugle de Philippe II qui semble en cause que son usage réputé machiavélien de la religion au service d'une pure politique de puissance : « Le Roy d'Espagne qui cy devant disoit qu'il ne falloit traicter avec nostre Roy devoyé de la foy, ne laissoit cependant, & ne laisse encores d'essayer de faire la paix avec ses sujets de Hollande & Zelande tous Lutheriens, Calvinistes ou Anabaptistes : il offre les laisser en l'exercice libre de leur religion, leur laisser leurs villes & gouvernemens en l'estat qu'ils les tiennent, demande seulement qu'on le recognoisse pour roy [81]. » Cet argument, on aura l'occasion d'y revenir, est intégralement réversible en positif. Sous Richelieu, pour faire l'éloge de Philippe II, on signalera son refus obstiné et stérile du compromis religieux dans les Flandres comme la marque de son désintéressement politique.

On a vu qu'aux XVIIIe et XIXe siècles la question de l'Inquisition est l'un des biais par lesquels la critique de l'Espagne ne s'embarrasse guère de nuances. L'horreur qu'elle inspirait depuis les Lumières justifiait, à elle seule, l'intervention de la France révolutionnaire en Espagne, selon l'abbé Grégoire [82]. Tel n'est pas le cas aux XVIe et XVIIe siècles : rien ne serait plus anachronique que d'imaginer une culture française unanimement révulsée par les

80. François-Eudes de Mézeray, *Histoire de France* [1643], Paris, Gouvernement, 1830, t. X, p. 351-352.

81. *L'Estat de l'Espagne*, *op. cit.*, p. 22-23.

82. *Lettre du citoyen Grégoire, évêque de Blois, à Don Ramon-Joseph de Arce, archevêque de Burgos, grand inquisiteur d'Espagne*, Paris, Librairie chrétienne, s.d.

méthodes du Saint-Office. Lorsque les critiques sont formulées, elles présentent souvent des nuances. On trouve même sous la plume d'un historiographe protestant comme La Popelinière, en 1580, une analyse modérée de l'institution : « [...] plusieurs [...] conseillerent le roy d'eslire des gens lesquels eussent l'œil à ce que ces tant bigarrées superstitions, Iudaique & Mahumetante ne prinsent pié au prejudice de la religion Catholique [...] [83]. » À l'inverse, un catholique comme Brantôme manifeste son admiration et son adhésion au programme catholique que s'attribue la monarchie hispanique tout en dénonçant certains aspects de l'action politique et des institutions espagnoles, en particulier l'Inquisition. Ainsi peut-il applaudir les horreurs de la guerre des Alpujarras, féliciter les Habsbourg d'avoir délivré leurs royaumes du marranisme et, néanmoins, reproduire la critique de l'Inquisition contenue dans le second quatrain d'un sonnet sur la mort de Philippe II :

> Mais Charon l'a passé, qui avec luy embarque
> Cest'inquisition dont le fœu furieux
> A si long temps bruslé les hommes genereux,
> Conduisant aux enfers ce triumphe en sa barque [84].

Les historiographes français de la première moitié du XVIIe siècle ne manquèrent pas de noter que la rébellion des Pays-Bas associait comme aucun autre conflit, pas même celui d'Irlande, révolte et dissidence religieuse. Il était alors naturel de souligner le rôle de l'installation de l'Inquisition à la mode castillano-aragonaise dans les Flandres comme le déclencheur des événements de 1568. Le rappel du risque d'infection juive et mahométane ne pouvait que rencontrer des échos dans une France encore fumante de son instabilité religieuse et lacérée de discours apocalyptiques.

On ne saurait oublier, en outre, qu'un décret d'expulsion des juifs du royaume de France fut pris par lettres patentes du 23 avril 1615, enregistrées par le parlement de Paris, le 18 mai de la même année. Ce thème, comme gloire accordée à Philippe II, est, sans

83. Henri Lancelot de Voisin, sieur de La Popelinière, *Histoire de France*, La Rochelle, 1580, t. II, f. 11v°-12r°v°.

84. Pierre de Bourdeille, seigneur de Brantôme, *Œuvres complètes*, t. I, *op. cit.*, p. 112.

surprise, présent dans la littérature ultra-ligueuse, comme en témoigne ce passage de l'oraison de Jean Boucher : « Il a esté la butte de tous les mescreans de la terre, Idolatres, Mahometans, Iuifs, Hereticques de toutes fortes, & de leurs confederez les Politiques[85]. » La description extrêmement minutieuse que Scipion Dupleix livre des procédures judiciaires du Saint-Office prouve qu'il a puisé à bonne source pour son analyse. Sa réflexion sur le tribunal le conduit à formuler une conclusion étonnamment mesurée : « Voila pour monstrer que les Inquisiteurs ne sont si cruels & inexorables qu'on les chante : voire qu'ils n'ont si grande puissance que le vulgaire pense, qui ne les imagine autres que diables, bien empressez pour anatomiser le corps d'un pauvre prisonnier[86]. » Et le rôle positif joué par l'Inquisition face aux risques conjugués de l'islam et du judaïsme devient un lieu commun chez certains écrivains de la seconde moitié du XVIIe siècle : « Ce que nous pourrons dire en notre sujet est que, sans les rigueurs de l'Inquisition établie par Isabelle et Ferdinand, cette maudite & abominable Secte des Maures eust causé encore de plus grands malheurs & au spirituel & au temporel dans les Espagnes[87]. » La complexité des jugements sur l'institution inquisitoriale ibérique s'explique aussi par l'expression d'un discours sur les judaïsants qui ne s'écarte guère de celui des plus ardents défenseurs du Saint-Office : « On sçait qu'ils sont obligés de garder au moins les dehors de la Religion Catholique pour être tolerés dans tous les Païs soumis à l'Inquisition. Ainsi bien que ceux de Lisbonne soient Chrêtiens apparens, & que depuis plus de deux cens ans ils soient obligés de vivre exterieurement comme les anciens Catholiques, neanmoins ils sont tellement attachés à leurs rêveries, qu'ils naissent et meurent Juifs[88]. »

85. Jean Boucher, *Oraison funèbre sur le trespas de tres haut, très grand, et très puissant monarque Dom Philippe second roy d'Espaigne*, *op. cit.*, p. 79.

86. Scipion Dupleix, *Histoire générale de France, avec l'état de l'Église et de l'Empire*, t. II, Paris, Sonnius, 1639, f. 12r°-v°.

87. Hilarion Coste, *La Parfaite Heroïne ou l'histoire de la vie et de la mort d'Élizabeth ou Isabelle de Castille*, Paris, Edme Martin, 1661, p. 107.

88. Jean Maugin de Richebourg, *Abrégé de l'histoire de Portugal* [1699], Paris, Michel David, 1707, p. 388.

La question du regard porté sur l'Inquisition espagnole devient un enjeu intérieur français, dès lors que le repoussoir hispanique sert à justifier, par contraste, les rigueurs catholiques françaises contre les huguenots. Les persécutions subies par les protestants français ont été présentées comme moins rigoureuses que celles déchaînées contre les nouveaux-chrétiens ibériques. Pierre Bayle ne manque pas, à la fin du siècle, de relever toute l'hypocrisie de cet usage du thème de l'Inquisition espagnole dans le débat français : « Les espagnols se glorifient de leur inquisition, et reprochent aux françois la tolérance des calvinistes. Les françois (je parle de ceux qui ont écrit avant la derniere persécution) répondent mille bonnes choses, et citent les anciens peres à perte de vûë, pour prouver qu'il ne faut pas violenter la conscience, et disent contre les suplices de l'inquisition autant de mal que les protestans. Ils continueront encore, et reprocheront aux espagnols, que leurs bûchers, et la cruauté de leurs tribunaux d'inquisition, font honte au christianisme, et que s'il faut persécuter, il faut garder les mesures qu'on a gardées en France. J'espere de vivre assez pour voir quelque habile espagnol montrer l'absurdité et le ridicule de ces objections ; car en effet on a le plus beau jour du monde de se moquer des invectives sanglantes, que les ecrivains françois ont poussées contre l'inquisition espagnole, non pas que dans le fond ils la blâmassent à cause d'elle-même, mais seulement parce qu'elle n'étoit pas établie chez eux ; car si on l'y établissoit, tout aussi-tôt on en verroit cent panégiriques affichez aux coins des ruës[89]. » Ces remarques indiquent assez qu'il convient d'observer une grande prudence dans l'appréciation des discours français sur l'Inquisition espagnole. Vu depuis le Refuge protestant, l'équivalence entre les dragonnades et les bûchers de l'Inquisition relève de l'évidence, quoi qu'on ait pu écrire pour invalider cette assertion. Jules Michelet, on l'a vu, ne s'y trompera pas. Et Bayle de construire le parallèle de la dragonnade et de l'*auto de fe* ibérique : « C'est que les mêmes raisons qui autorisent les croisades dragonnes, et autres procédures à la nouvelle mode de France, pouvant

89. Pierre Bayle, *Commentaire philosophique sur ces paroles de Jésus-Christ Contrain-les d'entrer, ou Traité de la tolérance universelle*, in *Œuvres diverses*, La Haye, P. Husson, 1727, p. 405.

autoriser les persécutions à rouës et à bûchers, il ne s'agit que de voir en quels tems et en quels lieux la premiere sorte de contrainte est préférable à la seconde ; [...] chacun de ces peuples se sert des moïens qu'il croit les plus propres ; s'il fait mal, ce n'est pas qu'il contrevienne à l'ordre de Jésus-Christ ; c'est seulement qu'il n'a pas assez de connoissance du caractere espagnol, ou qu'il connoît mieux le caractere françois [90]. » Comme l'avaient bien compris les historiens du XIXe siècle, un tel argumentaire est incompatible avec la perspective franco-centrée et profane que prétend fonder le Voltaire du *Siècle de Louis XIV*.

Il faut, en outre, souligner que, du règne d'Henri IV au ministériat de Mazarin, les argumentaires anti-espagnols sont très largement nourris des dissensions surgies au sein de la monarchie hispanique, au temps de son extension maximale, c'est-à-dire après l'incorporation de la couronne portugaise. Entre 1580 et 1600, les libraires français traduisent et diffusent des allégations hostiles à la monarchie espagnole provenant de trois sources : les milieux des partisans d'Antoine, prieur de Crato, prétendant malheureux à la succession portugaise, les cercles sébastianistes annonçant le retour du roi portugais disparu à la bataille d'El-Ksar el-Kébir (1578), et Antonio Pérez, secrétaire d'État de Philippe, déchu et réfugié en France [91]. Plus tard, la sécession catalane des années 1640-1652 et le passage provisoire sous suzeraineté française offrent l'occasion de multiplier les textes anticastillans dans les milieux catalans installés en France [92]. Des écrivains français trouvèrent dans ces écrits des sources d'inspiration, notamment pour légitimer l'annexion du

90. *Ibid.*, p. 405.

91. Paloma Bravo-Blondeau, « La légende noire et la vision des Espagnols par Antonio Pérez à la fin du XVIe siècle », *in* Jean Dufournet, Adelin Charles Fiorato et Augustin Redondo (éd.), *L'Image de l'autre européen, XVe-XVIIe siècle*, Paris, Presses de la Sorbonne Nouvelle, 1992, p. 159-168. À une date encore tardive, des textes antonistes circulent à Paris : *Psalmi confessionales, inventi in scrinio sereniss. Reg. Portugaliae D. D. Antonii*, Paris, C. Morellum, 1616.

92. Francesc Martí Viladamor, *Cataluña en Francia, Castilla sin Cataluña y Francia contra Castilla, panegyrico glorioso al christianissimo monarca Luis XIII el Justo*, Barcelone, L. Deu, 1641 ; Id., *Manifiesto de la fidelidad catalana, integridad francesa*, s.l., 1646.

Roussillon[93]. De même, la Restauration portugaise de 1640 offrait l'occasion de répandre dans le public français divers textes sur la tyrannie hispanique et l'échec des armes du maître de l'Escurial[94]. Steve Uomini observe, avec justesse, que « l'anticastillanisme trouve ici son lieu d'expression optimal[95] ». De même la présence de communautés marranes dans plusieurs villes du littoral occidental du royaume de France eut-elle un effet contrasté, de diffusion de la culture ibérique et de dénonciation de ses aspects les plus communément rejetés, telle l'Inquisition[96].

On ne peut omettre de mentionner, enfin, les très nombreuses éditions consacrées à la dénonciation par Bartolomé de Las Casas des crimes contre les populations indigènes commis en Amérique par les *conquistadores* espagnols. Le corpus des publications fondées sur les écrits du père dominicain est impressionnant du dernier tiers du XVIe siècle jusqu'au XVIIIe siècle. Il n'est cependant pas homogène. Les versions les plus anciennes sont, de loin, les plus virulentes dans l'accusation d'inhumanité. À mesure qu'avance le XVIIe siècle, elles se font plus nuancées. Ainsi, un éditeur de 1697 explique sa démarche : « On a adouci en quelques endroits des choses qui paroissoient trop cruelles, & qui auroient pû faire de la peine aux personnes delicates[97]. » Comme on aura l'occasion de le voir, les horreurs de la conquête et de l'établissement des sociétés hispaniques en Amérique sont sans doute dénoncées par des auteurs français, mais elles sont également expliquées, et pour ainsi dire justifiées. Et si l'on accepte d'utiliser le célèbre texte de Marmontel sur l'histoire du Pérou comme la butte témoin tardive des

93. Charles Sorel, *La Défense des Catalans, où l'on voit le juste sujet qu'ils ont eu de se retirer de la domination du roi d'Espagne*, Paris, de Sercy, 1642 ; Pierre de Casenave, *La Catalogne française, où il est traité des droits du Roy sur la Catalogne*, Toulouse, 1644.

94. François de Grenaille, *Le Mercure portugais ou relations politiques de la fameuse révolution d'Estat arrivée en Portugal*, Paris, Antoine de Sommaville et Augustin Courbé, 1643.

95. Steve Uomini, *Cultures historiques dans la France du XVIIe siècle*, Paris, L'Harmattan, 1998, p. 333.

96. Israël Salvator Révah, « Le premier établissement des marranes portugais à Rouen (1603-1607) », *Mélanges Isidore Lévy*, Bruxelles, 1955, p. 539-552.

97. Bartolomé de Las Casas, *La Découverte des Indes occidentales par les Espagnols*, Paris, éd. André Pralard, 1697, préface.

discours tenus en France contre la déshumanisation subie par les Indiens en Amérique espagnole, alors l'ambivalence de l'attitude française paraît dans toute sa complexité. Le traité a beau être consacré aux monstruosités produites par le « fanatisme » hispano-catholique aux Indes occidentales, il n'en reste pas moins que, si l'exploitation fut inhumaine, la capacité d'y renoncer aurait été surhumaine : « Les peuples de la zone tempérée, transplantés entre les tropiques, ne peuvent, sous un ciel brûlant, soutenir de rudes travaux. Il falloit donc, ou renoncer à conquérir le nouveau monde, ou se borner à un commerce paisible avec les indiens, ou les contraindre par la force de travailler à la fouille des mines et à la culture des champs. Pour renoncer à la conquête, il eût fallu une sagesse que les peuples n'ont jamais eue, et que les rois ont rarement[98]. » En tout état de cause, les massacres et les tortures sont le fait des hommes de sac et de corde que les Rois Catholiques envoyèrent à l'autre bout du monde connu. Mais le traitement dégradant des habitants du Nouveau Monde, explique Marmontel, se déploya contre la volonté des monarques et de leurs ministres : « On sait que la volonté d'Isabelle, de Ferdinand, de Ximenès, de Charles Quint, fut constamment de ménager les indiens[99]. »

Les mariages de 1615 sont accompagnés d'une abondante littérature de célébration de la paix retrouvée. Cependant, la méfiance à l'égard de l'Espagne et de ses ambitions ne désarme pas pour autant dans tous les milieux. En témoigne, par exemple, un étonnant pamphlet dialogué, *Les Grans Iours d'Antitus, Panurge, Guerido*[100]. Le premier attrait de ce petit livre est d'abord d'ordre philologique et littéraire, car il met en scène un noble français, un paysan gascon, un spadassin espagnol, un cavalier italien qui chacun, exception faite du gentilhomme français, s'exprime dans un sabir différent des autres. Ensuite, il traduit avec malice un certain scepticisme politique, donné pour populaire, à l'égard des nouvelles alliances. La première salve est donnée par le seigneur français Antitus : « Voyes ce Diego. Qui se pourroit accomoder avec

98. Jean-François Marmontel, *Incas, ou la Destruction de l'empire du Pérou*, Paris, Lacombe, 1777, p. XIII.

99. *Ibid.*, p. XII.

100. *Les Grans Iours d'Antitus, Panurge, Guerido & autres*, s.l., s.d. [1615 ?].

luy ? Il voudroit tousjours tenir le haut du pavé ; seroit continuellement a frizer sa moustache a quelque D. Fernando a quelque Gonsalvo ; ne nous parleroit que des Indes Orientales & Occidentales ; mettroit en composte les Rois & les Empereurs ; se tiendroit tousjours bandé come ceste arbaleste de passe, roulant les yeux, fillant les moustaches & sur le quand a moy. À table tousiours le haut bout & les meilleurs morceaux. [...] Quand ils sont ches eux ils vivent de miel & de sauterelles come les disciples de S. Jean Baptiste a leurs despens, ailleurs ils brisent come des loups afamés [101]. » Plusieurs des traits prêtés à l'Espagnol paraissent, tout comme le style dialogué lui-même, tirés d'une culture théâtrale qui fait mouche. Et, alors que le spadassin Diego s'indigne des moqueries dont il fait l'objet, *« Agora no es tiempo burlarse assi de los Castillanos pues somos amigos de Frances »* [Désormais le temps est fini de se moquer ainsi des Castillans puisque nous sommes amis du Français], le paysan gascon Guerido lance à ses interlocuteurs : « Une fois aprés que lou mariage do Rey fut cocglu in Espagneul a la moustache engoumée me demandit la passade, i lou refusis, o me dissit, Como me tratas assi agora que estamos todos parientes ! I pensis crevé de rire & li dissis quo n'avés ia mie a faire diquets parens qui en mangiant tant. I pense per vray quol estet fou de crere per iqu que nous fussians tous parens [...] » [102].

Le rejet de l'amitié espagnole est aussi le résultat de la soudaineté du retournement diplomatique, négocié dès 1612, deux ans à peine après l'assassinat d'Henri IV. Les personnages du dialogue contemplent une maison en ruine, qui n'est autre que la France ravagée par les guerres de Religion. Ils s'expriment sur la façon dont il faut envisager l'avenir du bâtiment. Vitruve, le spadassin espagnol Diego, le capitaine italien Stephanello sont d'avis de tout raser pour reconstruire. Antitus, qui incarne la noblesse de France, commente leur avis ainsi : « Vous voyés mes amis, l'advis de ces gens là & recognoissés leur malice & leur étourdissement : destuicy en ce qu'ils s'imaginent que la ruine d'une si grande masse seroit facile, l'autre en ce qu'ils espereroient profiter à la demolition. Les Architectes & Ingenieurs ne veulent que novelle

101. *Ibid.*, p. 4.
102. *Ibid.*, p. 11.

besogne. [...] Diego & Stephanello estrangers qui pour le voisinage de la maison penseroient profiter avec d'autres voisins à la destruction. Enfin c'est la comedia del interés, que i'ay veu iouer en Espaigne[103]. » Ce pamphlet pose que les protagonistes intéressés à la ruine de la maison de France, mais qui sont aussi ses interlocuteurs politiques, appartiennent au monde hispano-italien. Le monde septentrional demeure absent. Sur ce point, l'*Antitus* est emblématique d'une sorte de spécialisation thématique qui accorde à la question des relations franco-espagnoles une place essentielle, loin devant toute autre question. Cette géopolitique recoupe, point par point, la hiérarchie des langues que nous avons déjà rencontrée. Ainsi, en pleine célébration de la double union matrimoniale de 1615, la méfiance peut encore s'exprimer avec force[104].

La dégradation des relations entre Louis XIII et Marie de Médicis, et l'ascension de Richelieu au détriment de personnages tels que Marillac ou Bérulle, ont eu pour effet d'ouvrir plus largement l'éventail des discours sur les relations que la France devait entretenir avec l'Espagne. La franche accusation anti-espagnole, qui avait libre cours depuis la reprise des hostilités à la fin du règne d'Henri IV, côtoie les déclarations d'amour pour l'Espagne de Philippe III et Philippe IV. Mais, une fois dégagées de la situation créée par la politique d'intervention de Philippe II dans les guerres de Religion, les relations franco-espagnoles se signalent progressivement comme la compétition de deux champions d'une même cause. La maison de France, bien que toujours humiliée par le respect dû aux articles de l'édit de Nantes, aspire à ravir à l'Espagne le rôle de capitaine de la catholicité militante. Elle est contrainte d'accepter des alliances protestantes contre la monarchie hispanique, mais engage simultanément le travail de réduction des aires de pouvoir arrachées par les huguenots sous Henri IV. La justification de la politique d'hostilité à l'égard de l'Espagne, alors même que la reconquête catholique française trouve en elle ressources spirituelles et solidarité politique, porte sur la critique de

103. *Ibid.*, p. 22-23.

104. Denis Richet, « La polémique politique en France de 1612 à 1615 », *in* Roger Chartier et Denis Richet (éd.), *Représentations & vouloirs politiques. Autour des États généraux de 1614*, Paris, Éd. de l'EHESS, 1982, p. 151-194.

son aspiration à la monarchie universelle. Et, dès les premières manifestations de cette formulation du propos anti-espagnol, la production pamphlétaire française met en balance deux ambitions symétriques.

Ainsi, *Le Désespoir de Barradas*, publié en 1626, au moment de la crise de la Valteline, présente les arguments de la France de Louis XIII contre les ambitions espagnoles à travers le prisme de la monarchie universelle[105]. Le texte répond avec vivacité à une rumeur qui voudrait que l'accumulation des victoires de l'Espagne en 1625, le dernier *annus mirabilis* de son histoire moderne, à Bréda, à Bahia, à Cadix, aurait plongé le roi de France et sa cour dans un état de stupeur. Celui-ci apparaît, au contraire, sous des atours héroïques pour dompter l'orgueil insupportable de l'Espagnol : « Premièrement, il combat contre l'Orgueil le plus extravagant qui soit entre les hommes, en peut-on imaginer un pareil ? Dire que la maison d'Austriche doive tenir l'Empire de toute la Chrestienté, que c'est un décret de Dieu. N'est-ce pas un orgueil Plutonique ? [...][106]. » À la même date, Malherbe ironisait sur cet orgueil et sur son enracinement dans une culture apocalyptique aussi tenace que régulièrement démentie, à cause des échéances non tenues de la Providence historique : « Je conseille à ces pauvres gens que, s'ils prétendent à la Monarchie universelle, comme on leur veut faire accroire, ou qu'ils aillent plus vite en besogne, ou qu'ils voient d'obtenir un sursis de la fin du monde pour achever leur dessein à leur aise. Au train qu'ils vont, un terme de cinq ou six siècles ne leur fera point de mal[107]. »

La stratégie d'exposition de l'auteur du *Barradas* consiste à montrer que l'Espagne est, en fait, bien mal placée pour assumer la direction de la catholicité militante, et la maison de Habsbourg pour prétendre monopoliser le titre impérial. Il s'agit de faire douter de la bonne foi d'une politique hispanique qui ne serait pas si romaine que le prétendent ses propagandistes : « Secondement, le Roy combat l'Hypocrisie, ils alleguent ordinairement que tous leurs

105. *Le Désespoir de Barradas*, *Au Roy*, 1626, s.a., s.l.
106. *Ibid.*, p. 3.
107. Étienne Thuau, *Raison d'État et pensée politique à l'époque de Richelieu*, *op. cit.*, p. 208. Texte de Malherbe, tiré du recueil Faret en 1627.

desseins ne buttent qu'à la propagation de la foy Chrestienne. On sçait que ce n'est qu'une pure mocquerie, un pretexte ridicule, un vieux manteau graté, retourné, dont la corde paroist par tout. Lorsqu'on envoye en Espaigne des Mandats de Rome, ils sont receuz avec grande apparence de respect, mais on n'en fait rien, & disent qu'on y advisera dans cent ans [...][108]. » On remarque que le seul argument avancé pour démontrer l'hypocrisie de la royauté espagnole, dans ses protestations d'orthodoxie catholique, porte sur la mise en œuvre différée de brefs et décrets pontificaux, pourtant dûment reçus et enregistrés. Les querelles du Roi Catholique et du Saint-Siège sur les questions liées au patronage royal étaient alors bien connues, mais elles ne signifiaient nullement que les monarques hispaniques se seraient engagés sur la voie d'un régalisme de rupture. Il est piquant de voir ce pamphlet français faire reproche à la couronne espagnole d'un ultramontanisme trop tiède.

Devant le spectacle offert par la résistance du roi de France face aux progrès récents de la puissance hispanique, « tous les peuples de la terre qui ne sont point esclaves de la crapaude ambition de ces bazanez, battent les mains de ioye [...][109] ». Cette attitude démontre que Louis XIII est « destiné pour chastier l'insolence de ces usurpateurs ». Le registre de l'usurpation indique assez clairement qu'il est reproché à l'Espagne d'occuper une place qui revient à la France. La seconde partie du texte, sur laquelle nous reviendrons au chapitre 6, affirme clairement la candidature française à une monarchie universelle. Il ne s'agit donc pas de dénoncer les fondements essentiels de la formule hispanique, et surtout pas l'alliage qu'elle produit de la politique de puissance et de l'orthodoxie catholique : « On dira que ce discours sent le Parpaillo, mais il est bien accompagné : car il y a quantité de gens de bien Ecclesiastiques, Princes, Seigneurs, Gentils-hommes, Magistrats, Bourgeois qui volent de mesme aisle avec ce Parpaillo imaginaire. Les bons Catholiques cognoissent mouches en laict, & sçavent bien comment estoit coiffée cette devote Margot de la Ligue, les peuples ne veulent plus danser avec elle, on a beau faire retentir le tambourin,

108. *Le Désespoir de Barradas*, *op. cit.*, p. 4-5.
109. *Ibid.*, p. 12.

& la flute [110]. » Le ministère de Richelieu annonce ainsi la naissance d'une option française, débarrassée de toute dépendance doctrinale et politique à l'égard de la cour d'Espagne, détachée des milieux anciennement ligueurs, mais fondée sur l'intransigeance catholique. Pourtant, dès ce moment et jusqu'à la sanction diplomatique de la victoire française au traité des Pyrénées (1659), il serait erroné et anachronique de concevoir la proposition française comme une voie fondamentalement alternative par rapport à la politique espagnole. La mobilisation d'auteurs réputés libertins ou sceptiques, tel François de La Mothe Le Vayer, dans la guerre des discours face à l'Espagne ne peut occuper tout l'espace de la critique historiographique. Le poème épique du père Joseph, la *Turciade*, guerre poétique entreprise contre la puissance ottomane, alors que les soldats espagnols des présides combattent les troupes turques les armes à la main en Afrique du Nord, lui aussi travaille à contester la place de l'Espagne à l'avant-garde de la croisade catholique. Ce poème n'est pas moins significatif, parce que archaïque, que la prose libertine, parce que moderne, des modalités par lesquelles s'exprime le désir de la monarchie française de l'emporter sur sa rivale.

Les *Mémoires* pour l'éducation du Dauphin attribués à Louis XIV accordent une place singulière aux querelles de préséance qui opposèrent les ambassadeurs de France et d'Espagne à Londres en 1661. La victoire symbolique remportée par le jeune roi est tenue, dans ses *Mémoires*, pour un tournant majeur de l'histoire de France : « Ce succès se peut sans doute appeler heureux, puisque j'ai obtenu ce que mes prédécesseurs n'avaient même pas espéré. [...] Et je ne sais si depuis le commencement de la monarchie il s'est rien passé de plus glorieux pour elle [...] [111]. » L'importance accordée à la victoire de Louis dans cette affaire manifeste la puissance et la dignité dont est créditée la monarchie hispanique. Dans les alexandrins de *La Pucelle ou la France délivrée*, Jean Chapelain, lui aussi, situe dans l'opposition victorieuse aux ambitions espagnoles le principe même de la gloire de Louis :

110. *Ibid.*, p. 15-16.

111. Louis XIV, *Mémoires pour l'instruction du Dauphin*, éd. Pierre Goubert, Paris, Imprimerie nationale, 1992, p. 102-103.

LOUYS, ce Roy nouveau, cet Enfant de Miracle,
Jamais à ses desseins ne trouvera d'obstacle,
Et, des l'instant qu'au throsne on le verra monter,
Il fera de son bras la puissance eclater.
L'Ibere audacieux, de ses forces entieres,
Inondant à Rocroy, les Françoises frontieres,
LOUYS prendra son Foudre, &, sur luy le dardant,
Le fera trebucher, sous son effort ardent[112].

De même, l'éloge d'Anne d'Autriche s'articule autour de sa capacité à résister à la tentation de se comporter plus en sœur du roi d'Espagne qu'en reine mère et régente de France. Comme celle de Louis, l'œuvre politique d'Anne se définit d'abord dans le conflit franco-espagnol :

Par ces bras vigoureux, si chers à la victoire,
ANNE, du jeune Auguste & la Mere & la Gloire,
À qui du Gouvernail le soin sera commis,
Estouffera bien-tost l'espoir des Ennemis.
Pour respondre aux devoirs, & de Reyne, & de Mere,
Son grand cœur oublira son Païs, & son Frere,
En faveur de l'amour, l'amour elle esteindra,
Et pour le naturel, le naturel perdra.
Elle verra, par tout, le fier Lion d'Espagne,
De trouble & de frayeur, luy ceder la campagne,
Et le Soldat François, sous elle, ardent & pront,
De lauriers, en tous lieux, s'ombragera le front.

Au lendemain de la signature du traité des Pyrénées et du mariage de Louis XIV avec Marie-Thérèse, fille de Philippe IV, nièce d'Anne d'Autriche et cousine germaine de Louis, le regard porté sur l'Espagne ne change pas du tout au tout. La rivalité demeure. Elle ne tarde pas à s'exprimer avec éclat lors de la guerre de Dévolution (1667), entreprise par Louis pour conquérir les terres héréditaires des Pays-Bas, dont il prétendait qu'elles devaient revenir à Marie-Thérèse en vertu de la coutume de Brabant qui excluait des successions les enfants du deuxième lit. Or, telle était la condi-

112. Jean Chapelain, *La Pucelle ou la France délivrée*, Paris, Augustin Courbé, 1656, livre VIII, p. 256.

tion de Charles II d'Espagne, et non pas de la reine de France, née du premier mariage de Philippe IV avec Isabelle de Bourbon. Le roi, comme l'avait fait avant lui Philippe II pour hériter de la couronne portugaise, demande à ses juristes de produire l'argumentation sur les droits qu'il revendique pour son épouse. Il leur accorde une large publicité, fait imprimer des traités de justification en plusieurs langues européennes, dont l'espagnol. Ces textes préparent, accompagnent et suivent les conquêtes de la campagne de 1667 dans les Pays-Bas du Sud. L'argumentation dissimule la déprédation sous les traits de la relation familiale et amoureuse. Ces discours largement diffusés par la volonté de la cour de France exposent le programme de grignotage du domaine hispanique et défendent la convergence nécessaire des deux monarchies.

Un des traités rédigés sur commande de la couronne française procède par formulation d'objections erronées et réponses ajustées à ces objections. Il développe tous les arguments alignés par les juristes du roi, mais, en plus, disserte sur des questions générales touchant les relations franco-espagnoles, y compris l'hypothèse d'une union des deux couronnes, rendue possible après la naissance du Dauphin en 1661. Ainsi, à la 13e objection, « Le cas de l'union des Couronnes arrivant, les François & les Espagnols ne s'accordoient jamais, à cause de leur antipathie naturelle », l'auteur répond : « Je responds que cette antipathie est née des guerres ; que la cause cessante, l'objet cesse ; cela se prouve par Philippe de Comine, qui ne rapporte qu'entre la France, & la Castille, y avoit alliance de Roy à Roy, de Royaume à Royaume, d'homme à homme : Marianne Espagnol ensuite confirma la mesme chose [113]. » L'appel à Commynes et à Mariana est significatif de l'usage des références par les auteurs français de cette époque. Il repose sur un affadissement doctrinal qui passe sous silence, à la fois, le soupçon de cynisme politique qui entoure le mémorialiste de Louis XI et l'intransigeance tyrannicide attribuée au jésuite espagnol, les rendant ainsi compatibles.

Contre le thème de l'antipathie naturelle, utile en certaines conjonctures politiques, il s'agit désormais d'avancer l'idée que

113. *LXXIV Raisons qui prouvent plus clair que le jour que la Renonciation de la Reyne de France est nulle*, s.a., s.l., s.d., 13e objection.

la conflictualité qui marque les relations des deux couronnes est accidentelle et historique. La 19e objection revient sur la question : « Il pourroit arriver de là que les Espagnols seroient sousmis aux François. » La réponse annonce la candidature de la France à la succession de Charles II : « Philippe Second n'y regardoit pas de si près, & que si les François eussent consenty à l'union des Couronnes il eust tout accordé pour cela. – Que les François sont moins Estrangers aux Espagnols, que les Goths ou les Allemands. – Que l'on ne dit point en Espagne que les Arragonois soient soumis aux Castillans, ny que les Espagnols soient soumis aux Allemans, ny en France que les Bretons, les Provençaux & Dauphinois soient assubjettis aux François, encore que ces provinces soient venües à la France. – Que les partisans de la Maison d'Espagne, pour colorer le dessein de la Monarchie ou elle aspire, soustiennent que le Christianisme, est en peril evident à moins qu'il ne s'esleve en Europe une domination proportionnée à la puissance du Turc, & capable de lui faire teste ; [...] et que ce qui n'est uny, est moins fort que ce qui est uny ; si au jugement des Espagnols, si par leur confession il est nécessaire pour la salut de la Chrestienté d'unir les Couronnes de France & d'Espagne, & de les mettre sur la teste d'un mesme Prince, n'est-il pas mille fois plus à souhaiter que cela arrive par la justice, que par la violence [...][114]. » Par un ironique retour à l'envoyeur, il s'agit de montrer que, si l'incorporation du royaume à la monarchie hispanique par l'élection d'Isabelle Claire Eugénie à la couronne de France était une hypothèse caressée par son père Philippe II, désormais Louis, en position de force, et proche de la maison de Habsbourg par les liens du sang, peut, à son profit, en reprendre le projet. Mais, dans ce cas, une telle perspective appelle une idéologie de la sympathie des deux monarchies rivales, plutôt que la reprise des arguments belliqueux.

Le traité sur les droits de la reine, paru la même année, développe des thèmes très proches[115]. Il démonte ce qu'il identifie comme les quatre arguments opposés par la monarchie hispanique aux prétentions du roi de France sur l'héritage brabançon de Marie-

114. *Ibid.*, 19e objection.

115. *Tratado de los derechos de la Reyna Christianissima, sobre varios Estados de la Monarquia de España*, Paris, En la imprenta Real, 1667, p. 132-133.

Thérèse : la nécessité de préserver la paix conclue en 1659, l'égalité des parties dans le mariage de l'île des Faisans, la recherche du bien commun des deux royaumes et, enfin, l'impossibilité d'imaginer, à terme, une monarchie unique franco-espagnole. Il ne s'agit là, selon le publiciste auteur du traité, que de vains prétextes facilement démontables. L'aide et le conseil apportés par les Français au long des siècles dans la reconquête chrétienne de l'Espagne montrent que ces deux nations ont été étroitement attachées par le passé, par exemple du temps de Charles V de France et Henri II Trastamare. Cette « sainte alliance » de roi à roi, comme de royaume à royaume et de vassal à vassal, a fait des Français et des Espagnols d'authentiques « frères » dans la lutte commune. Il n'est dès lors nullement aberrant d'imaginer une authentique union des couronnes sur la tête d'un même monarque ou, à tout le moins, dans la même maison royale.

L'idée développée par Auguste Mignet, au XIXe siècle, selon laquelle le mariage espagnol de 1659 serait la clef d'interprétation de tout le règne de Louis XIV, et l'insistance d'Henri Hauser sur le fait que cette orientation stratégique majeure date du ministériat de Mazarin, trouve une cabalistique confirmation dans un occasionnel de 1652, intitulé *L'Horoscope impérial de Louis XIV Dieudonné*. Fondée sur l'exégèse de quelques quatrains de Nostradamus, cette défense du cardinal de Mazarin augure un mariage et une alliance de la France et de l'Espagne comme apothéose impériale pour l'enfant-roi : « Le Roy d'Espagne estant mort, ses sujets seront en grand trouble & fascherie, [...] la mort du Roy d'Espagne estant arrivée, obligera le Roy de France de faire deux armées, l'une par terre, & l'autre par mer, à cause de l'intelligence qu'il aura avec la fille d'Espagne, laquelle sera portée par pareille affection pour estre mariée avec Sa Majesté. [...] C'est une chose merveilleuse de voir comme nostre Oracle François a preveu cette Alliance, ou pour mieux dire, ce mariage. [...] On parle de paix, voilà qui va bien, de croire qu'elle soit asseurée, nostre Oracle ne l'asseure puisqu'il dit que la guerre iamais ne fut si grande. Pour esperer une veritable paix, nostre Oracle dit qu'il ne la faut point attendre que immediatement apres le mariage du Roy avec la fille d'Espagne [...] [116]. » Bien entendu, ces passages portent l'éloge d'Anne d'Autriche, en pleine Fronde, alors que la famille royale n'a pas encore pu rejoindre Paris. Le style exégétique et le jeu hermétique sont appropriés pour associer étroitement le paroxysme de la guerre et l'avènement d'une ère de paix providentielle entre les deux luminaires de la terre.

L'alliance et le mariage espagnols, dans l'économie du texte, sont placés en position culminante, comme l'achèvement d'un double processus, à court terme, de retour à la paix civile française, et, à moyen terme, d'accession de Louis à la stature impériale. Sachant que cet horoscope opère dans le jeu polémique de son temps comme une contre-mazarinade, on ne peut en déduire sérieusement que Mazarin ait conçu le plan grandiose qui fait contenir la succession d'Espagne (1700) dans le traité des Pyrénées (1659). Mais on peut, au moins, faire le constat que le thème de l'union entre les deux grandes monarchies catholiques est projeté sur un horizon politique et eschatologique et que l'idée circule dans les textes français, avant même les premiers pas du gouvernement personnel de Louis XIV.

Jacques Carel de Saint-Garde, dans un écrit encomiastique, célèbre la naissance du Dauphin en 1661, et lui attribue le titre de « prince d'Espagne » [117]. Cette désignation s'appuie sur l'examen de son arbre généalogique mais aussi sur l'horoscope dressé à son intention, qui affirme que les deux peuples n'en forment qu'un. Dans sa défense des droits de Marie-Thérèse sur le Brabant, Georges d'Aubusson agite le fantasme d'une précoce succession française à la couronne espagnole. Il rapporte qu'entre la mort de l'infant Prosper et la naissance de Charles (1661), futur Charles II (1665), pendant six jours, l'ambassadeur de France a été reçu à la cour de Madrid avec des égards particuliers, signe que les Espagnols eux-mêmes envisageaient une possible succession française [118]. Une fille de Marie-Thérèse fut aussi imaginée comme possible « future Reyne

116. *L'Horoscope impérial de Louis XIV Dieudonné. Prédit par l'Oracle François Michel Nostradamus*, Paris, François Huart, 1652, p. 13 et 15.

117. Rafael Valladares, « Felipe II y Luis XIV », art. cité, p. 148.

118. Georges d'Aubusson, *La Défense du droit de Marie-Thérèse d'Austriche Reine de France a la succession des couronnes d'Espagne*, Paris, Sebastien Mabre-Cramoisy, 1699, préface.

d'Espagne[119] ». L'argumentaire français sur les droits de la reine fournit, on l'a vu, l'occasion de développer le thème, encore utopique, d'une incorporation de la monarchie hispanique par la maison de France, à la façon dont, selon les publicistes de Louis XIV, l'Autriche s'est emparée de la couronne des Espagnes depuis la mort des Rois Catholiques : « Quand mesme il seroit vray que Dieu qui dispose à son gré des Sceptres & des Couronnes auroit permis que toutes les terres de la domination des Rois Catholiques fussent passées par titre de succession dans les mains de la Reine, ou en celles de ses Enfans, la Monarchie d'Espagne regardée dans son entiere consistance, auroit-elle lieu de se plaindre (pour ainsi dire) ? Seroit-ce un mal pour tout le corps politique de ce grand Estat, s'il estoit uny avec la France, & si ces deux Nations meres de tant de Heros ne faisoient qu'un mesme peuple, qu'un mesme Empire, & qu'une mesme puissance ? Bien loin alors de s'occuper à se nuire & à s'abaisser, ils porteroient leur gloire dans toute l'estenduë de l'Univers, & leurs armes en feroient connoistre les noms victorieux chez les peuples les plus Sauvages, & qui ne se connoissent pas eux-mesmes[120]. »

La façon dont Charles Quint, par un jeu particulièrement favorable d'alliances matrimoniales et de successions prématurées, s'était retrouvé à la tête d'une puissance territoriale qui le plaçait en bonne position pour accéder à la couronne impériale devient un thème obsessionnel dans la France du XVIIe siècle. Ce processus de construction politique par l'amour est l'autre face de l'engagement belliqueux du Roi-Soleil. La stratégie dynastique et lignagère en direction de l'Espagne est constante. Elle trouve même à s'exprimer à l'occasion du mariage de la nièce de Louis, Marie-Louise d'Orléans fille de Monsieur, avec Charles II en 1679 : « Le lendemain le Roi ayant fait venir la Reine, Monsieur et Mademoiselle dans son grand Cabinet, il leur dit qu'il avait résolu d'accorder Mademoiselle au Roi d'Espagne ; que ce parti lui paroissoit fort

119. Bonaventure de Soria, *Abrégé de la vie Tres-Auguste et Tres-Vertueuse Princesse Marie-Thérèse d'Austriche*, Paris, Lambert Roulland, 1683, p. 71.

120. *Considérations sur le contract de mariage de la Reine pour monstrer quel est le droit de Sa Majesté sur le duché de Brabant, & sur les Comtez de Henaut, Namur, &c.*, Paris, Martin Le Prest, 1674, p. 5-6.

glorieux et fort avantageux à sa nièce ; que sa fille, s'il en avoit, n'en auroit point d'autre [121]. »

Les prétentions dynastiques de la maison de France sur la couronne hispanique sont ainsi en tout point comparables à celles des Habsbourg de Castille sur le royaume de Portugal au XVIe siècle, ce dont les propagandistes royaux de Louis avaient conscience et qui suscitait quelque embarras puisque, depuis 1641, la couronne de France avait reconnu la légitimité de la nouvelle dynastie portugaise des Bragance [122]. Dans les deux cas, la justification accouche d'argumentaires sur la solidarité, l'union des deux pays [123]. Le siècle précédent avait vu se réaliser le fantasme d'une unification catholique de la péninsule Ibérique, celui de Louis le Grand résoudrait la question angoissante de l'hostilité entre royaumes également catholiques par la communion dynastique. Mais, dans un cas comme dans l'autre, le mariage des nations supposait que l'interaction entre les contractants serait complexe et les séductions mutuellement reçues.

Les registres de l'hostilité, de l'admiration et, pour finir, de l'aspiration à la fusion ont ainsi tissé un écheveau complexe de discours dont il ne suffit pas de dire qu'ils nous apparaissent contradictoires entre eux. C'est leur composition qui est intéressante, car elle permet de reconstituer des moments oubliés de l'histoire culturelle et politique française. Si l'on veut essayer de trouver une clef de lecture, celle-ci nous est peut-être donnée dans l'histoire du thème de l'antipathie naturelle entre les deux nations. Il nous faut alors revenir en arrière, pour saisir comment cette idée a été formée, mettre en lumière son ambivalence principielle et en observer les effets dans la France du XVIIe siècle.

121. *Mémoires touchans le mariage de Charles II Roy d'Espagne, avec la princesse Marie-Louise d'Orléans*, *op. cit.*, p. 31.

122. *Tratado de los derechos de la Reyna Christianissima, sobre varios Estados de la Monarquia de España*, *op. cit.*, p. 9-20.

123. Sur le cas castillano-portugais, on établira un parallèle avec les études de Fernando Bouza : *Imagen y propaganda. Capítulos de historia cultural del reinado de Felipe II*, Madrid, Akal, 1998, et *Portugal no tempo dos Filipes. Política, cultura, representaçoes (1580-1668)*, Lisbonne, Ediçoes Cosmos, 2000.

Naissance et développement du thème de l'antipathie

La conjoncture toute particulière du double mariage, négocié en 1612 et célébré en 1615, est un moment remarquable de l'histoire des interactions hispano-françaises [124]. Il a fait l'objet d'une abondante littérature encomiastique et a suscité une riche historiographie, dont José-María de Perceval a récemment analysé l'ensemble des pièces [125]. La fascination pour cet événement, à tout le moins du côté français, tient dans la rapidité extraordinaire du retournement qui, de la crise hispanophobe paroxystique entraînée par l'assassinat d'Henri IV (1610), attribué à un complot espagnol, aux premières négociations souhaitées par Marie de Médicis et Philippe III et amorcées dès 1612, aboutit, cinq ans après l'avènement de Louis XIII, à une double alliance matrimoniale. Dans la France de la régente Médicis, après un siècle d'affrontements, après l'affirmation des prétentions de Philippe II sur la couronne de France, le sens donné à un tel renversement ne pouvait manquer d'être centré sur la question religieuse. Le célèbre carrousel qui fut célébré sur la place Royale – actuelle place des Vosges – en 1612, dont il nous reste des représentations picturales, gravées et des descriptions, mit en scène la noblesse de cour, accompagnée d'animaux exotiques, et divisée entre groupes de chevaliers chrétiens et de soldats vêtus à l'ottomane [126]. Figurants grimés en « esclaves mores », éléphants et pyramides de carton complétaient la mise en scène de cet Orient face auquel la chrétienté régénérée par le double mariage se dresserait bientôt. C'était là une façon de dire que l'alliance projetée refermait la blessure béante par laquelle saignait la chrétienté dans sa lutte contre les forces du mal, et d'éviter le grief traditionnellement opposé à la couronne de France pour s'être alliée à Soliman. Le thème est déployé dans l'un des poèmes les plus célèbres publiés à l'occasion de l'alliance :

124. F. T. Perrens, *Les Mariages espagnols sous le règne d'Henri IV et la régence de Marie de Médicis (1602-1615)*, Paris, Didier, 1869.

125. José-María de Perceval, *Bodas reales que cambiaron la historia*, Barcelone, Planeta, 1995.

126. *Le Carousel des pompes et magnificences faictes en faveur du mariage du Tres-Chrestien Roy Loys XIII avec Anne Infante d'Espagne*, Lyon, Claude Cayne, 1612.

La main du Tout-puissant qui veut avec l'Espagne
Joindre d'un lien d'Amour la France sa compagne
Veut par le Tres-Chrestien, & Catholique accord
Dechasser des Chrestiens l'adversité publique,
D'Europe & d'Asie Afrique & Amérique,
Et raser les Croissans jusqu'à l'extreme bord.

Ils feront resplandir la Foy par tout le monde
Ils se rendront seigneurs de la terre & de l'onde
Ils feront justement establir gouverneurs
Ceux qui sont maintenant sous la serve contrainte
Des cruels ennemis de son Église Saincte,
Laquelle ils remettront en ses premiers honneurs [127].

Nous avons là affaire à une évocation de l'âge d'or, mais sous la version de l'unification de la chrétienté et de la réconciliation des frères ennemis. Il serait erroné de n'y voir qu'un ensemble de représentations et de formules uniquement attachées à l'événement qu'elles encensent. En réalité, ce thème demeure présent tout au long du XVIIe siècle. Il peut être activé ou mis en sommeil, considéré sous le regard mélancolique d'une impossible union ou proposé aux rois de France comme programme de politique chrétienne.

L'événement de 1612-1615 a provoqué la publication d'un livre qui fixe, pour tout le siècle, et même au-delà, les registres de l'argumentation sur les rapports historiques, métaphysiques et naturels qu'établissent les deux pays. Cet ouvrage est connu, par une abréviation trompeuse, comme l'*Antipathie* du docteur Carlos García. Pour comprendre ses significations complexes, on doit se reporter à l'excellente édition de Michel Bareau, aux interprétations de José-María de Perceval et à l'étude de Jean-Marc Pelorson sur le milieu de son auteur [128]. Le point de départ de García invite à une lecture qui se veut contradictoire. Son objet consiste à mettre en valeur la concorde

127. *Convenances admirables des noms et des mariages du Roy & de Madame*, Lyon, B. de Viette, 1615, cité dans Carlos García, *La oposición y conjunción de los dos grandes Luminares de la tierra o la Antipatía de Franceses y Españoles* [1617], éd. Michel Bareau, Alberta, Alta Press, 1979, p. 321.

128. Édition de Michel Bareau, voir note précédente. Jean-Marc Pelorson, « Le docteur Carlos García et la colonie hispano-portugaise de Paris (1613-1619) », *Bulletin hispanique*, vol. LXXI, 1969, p. 518-576.

franco-espagnole installée par le double mariage de 1615 en dressant l'inventaire des différences et des différends qui opposent les deux mondes. « Aussi peu dira-t-on que l'une soit sortie de l'autre, car la France n'a rien de l'Espagne, n'y ne s'essaye de l'imiter, ny l'Espagne de la France ; mais toutes les autres nations sont sorties de ces deux, puisqu'elles tirent de ces deux principes & très fécondes forces tout ce qu'elles ont de bon : estant donc si convenable à ces deux nations d'estre principes, il faut qu'elles ayent ce qui leur est essentiel, à sçavoir, la contrariété [129]. » Sur le modèle des mythologies anciennes, les deux luminaires sont deux principes absolument séparés mais ils se trouvent à l'origine de toutes les autres nations et de toutes les républiques. La contrariété qui oppose les deux monarchies n'a rien alors que de très naturel.

De l'auteur de cet ouvrage on sait peu de chose, si ce n'est son origine espagnole, son attachement à des cercles hispanophiles, l'amitié qui le lie au prince de Joinville, fils de François de Guise, au duc de Ventadour et à l'entourage de Marie de Médicis. La critique philologique semble établir que García est également l'auteur du pamphlet *L'Espagnol françois* (1615), qui fut une réponse à la série de textes hostiles à la régente publiés dans l'entourage des princes malcontents, tels *Le Diogène françois*, *La Cassandre françoise*. Comme l'a montré Denis Richet, dans le contexte polémique des années 1612-1615, l'approbation ou le rejet des mariages espagnols occupent une place de premier plan [130]. Face aux dissensions que le clan condéen excite, au sein du Conseil de régence, puis de l'extérieur, l'auteur de *L'Espagnol françois* affirme ne se reconnaître d'autre ennemi que les réformés. Il suggérait ainsi que Malcontents et Politiques n'avaient d'autre choix, comme bons catholiques, que de manifester leur assentiment et leur fidélité à la reine mère et à son entourage. L'*Antipatía*, publiée en 1617 chez François Huby, en version française et en version castillane, doit être lue, dans ce contexte politique et pamphlétaire, comme un plaidoyer rétrospectif en faveur des mariages de 1615.

129. Carlos García, *La oposición y conjunción de los dos grandes Luminares de la tierra*, *op. cit.*, p. 189.

130. Denis Richet, « La polémique politique en France de 1612 à 1615 », art. cité.

Or, la postérité de ce texte et l'usage qu'en ont fait ceux qui l'ont utilisé s'écarte de beaucoup de cette signification première. Divisé en vingt chapitres, l'ouvrage consacre les trois premiers à des réflexions sur la nocivité du conflit, les cinq suivants à la noblesse et à l'éminence des Français et des Espagnols face à toutes les autres nations, un chapitre présente l'autoportrait de l'auteur, cinq brefs chapitres brossent le tableau des différences observables entre les deux nations et de leur antipathie réciproque, les derniers célèbrent les effets eschatologiques merveilleux qu'il faut attendre de la « conjonction des deux astres » rendue possible par le double mariage. Ainsi, l'exposé de l'antipathie naturelle n'occupe que cinq chapitres, au demeurant beaucoup plus brefs que les autres, au point que la critique philologique suggère qu'il s'agit d'un unique chapitre divisé, afin que l'ouvrage atteigne le nombre de vingt chapitres. Pourtant, c'est bien cet inventaire des traits de caractère, d'humeur, des penchants, goûts et comportements collectifs des deux nations, en tant qu'ils paraissent incompatibles, qui a fait l'objet d'emprunts littéraux ou déguisés, notamment par certains rédacteurs de récits de voyages (cf. *infra*). La lecture intégrale du texte ne laisse pas de doute sur le fait que, pour Carlos García, l'évocation de tout ce qui sépare Français et Espagnols fonctionne comme le faire-valoir de l'heureuse conjonction matrimoniale et dynastique de 1615, lui conférant la sacralité d'un miracle politique. C'est le concours de la monarchie hispanique au faîte de sa puissance et d'une France relevée des cendres des guerres de Religion qui est l'objet du texte, et non pas, comme font mine de le croire certains auteurs, tel François de La Mothe Le Vayer, la fameuse antipathie. Nous ne sommes plus du tout dans les coordonnées des dernières années du XVIe siècle. Les lecteurs ne sont plus sommés de choisir entre la soumission à l'Espagne catholique, que prône un Jean Boucher, et le rejet de l'Espagne comme ennemi politique qu'appelle la *Satyre Ménippée*. Ce dont l'*Antipatía* formule l'augure, c'est une union catholique dont la France serait protagoniste, à égalité de dignité avec l'Espagne. C'est même là l'objet central de son texte : « Voicy des mariages preordonnez du Tout-puissant, pour joindre avec un lien d'amitié conjugale & indissoluble les deux plus grands & puissants Roys du monde : le Tres-chrestien & le Catholique : pour l'exaltation de la Foy chrestienne, pour l'augmentation de la saincte Église Catholique, & pour manifester sa gloire[131]. » Les usages et lectures qui ont été faits de ce livre de circonstance ont valeur de métonymie du phénomène culturel plus global que nous cherchons précisément à décrire ici. En effet, les emprunts et remplois de l'argumentation de Carlos García procèdent à une sélection étroite des ressources qu'il offre. Ce processus révèle un phénomène global de gommage des manifestations hispanophiles françaises au bénéfice des discours de sens contraire.

Les deux grandes monarchies parentes se retrouvent donc sur le terrain eschatologique du triomphe annoncé de la foi chrétienne contre l'ombre menaçante de l'islam méditerranéen et centre-européen : « Il n'y a point de doute que si ces deux sages & braves nations travailloient unanimement à communiquer aux Infidèles le merveilleux talent de sciences & de vertu dont Dieu les a douées, elles auroient arraché des griffes du Diable un nombre infiny d'âmes, & nous voyons [...] qu'un Prince infidèle & tyran, au deshonneur & blasme très grand de ces deux nations, domine par tout l'Orient, que tout le Christianisme luy rend hommage & obéissance, qui estend quasi aux trois parties du monde sans aucun contredit, l'impie, brutale & meschante secte de Mahomet, & qu'il est partout honoré du titre de Grand Seigneur, au grand mespris de l'honneur qui est deu à la foy catholique [...], ce qui ne provient & n'a fondement aucun que sur la haine & pernicieuse inimitié de ces deux peuples[132]. » Cet horizon est aussi éloigné de l'hispanophobie protestante de la fin du XVIe siècle que du discours ultra-ligueur. Le registre de la croisade auquel l'auteur emprunte une part importante de son argumentaire permet de rassembler deux histoires catholiques qui avaient pu paraître, avant la paix de Vervins (1598), inconciliables. L'espoir de conciliation projeté par l'ouvrage rejoint celui de Campanella, alors avocat du point de vue espagnol : « Aussi le Turc est-il pour nous ce que furent autrefois les Assyriens pour les Hébreux, divisés en deux royaumes, celui de Juda et celui d'Israël, puis opposés les uns aux autres par diverses hérésies, à moins que l'ange d'Espagne ne nous aide [...][133]. » C'est pourquoi, selon le moine calabrais : « Les Fran-

131. Carlos García, *La oposición y conjunción de los dos grandes Luminares de la tierra*, *op. cit.*, p. 321.

132. *Ibid.*, p. 253-255.

133. Tommaso Campanella, *Monarchie d'Espagne*, *op. cit.*, p. 13.

çais, les Italiens et les Espagnols, à l'instigation du pape, doivent s'allier. »

L'union réalisée par les mariages entre les deux mondes relève donc de l'œuvre divine : « Or si en toute la nature il y a chose visible qui nous monstre le divin pouvoir, c'est l'admirable conjonction de ces deux nations ; [...] car il s'en trouve une qui eust peu conjoindre deux natures esloignées d'une distance presque infinie, & les porter de l'extrème inimitié à l'extrème union & alliance. Si la discorde & contrariété de ces deux nations estoit un accident superficiel & nouveau, la seule prudence & dextérité des hommes sages & attrempez, auroient esté suffisantes pour y remédier. Mais l'antipathie n'estant pas accidentelle, ainsi naturelle, & qui comme un second péché originel est tombé des pères aux enfans, & d'eux aux nepveux, & outre cela fomentée par la malice supine de l'esprit de division ; nous devons infailliblement croire que c'est un ouvrage du Ciel, & qu'à Dieu seul estoit réservée ceste conjonction glorieuse [...] ; & en ceste façon la bonté divine, [...] trancha par sa toute puissance le cours impétueux de ce mal, & par sa miséricorde & bonté establit un remède parfaict & salutaire ; à sçavoir ceste divine conjonction, afin que par ce moyen le Monde fust déchargé, non seulement des maux & des calamitez que la discorde promettoit, ains aussi enrichy des fruits précieux que l'on doit attendre de l'union, l'un desquels & le plus grand est l'exaltation de l'Église militante [...] [134]. » Le paragraphe montre bien que le thème de l'antipathie excède les bornes de la raison historique – ou accidentelle – relevant de l'opposition naturelle, avec une force ontologique qui ne se dit qu'en termes théologiques, une polarité qui aurait la puissance d'un second péché originel. C'est donc une transmutation des essences que manifeste le double mariage. Plus tard, dans la conjoncture des années 1620 et 1630, la commande et la diffusion de textes hostiles à l'Espagne a poussé auteurs et lecteurs à effacer l'essentiel du dispositif pour ne garder que le postulat, en fait purement rhétorique, de l'antipathie.

Les effets de cette construction textuelle débordent largement l'espace des traités métaphysiques et affectent toute la bibliothèque

134. Carlos García, *La oposición y conjunción de los dos grandes Luminares de la tierra*, *op. cit.*, p. 279-281.

du discours français sur l'Espagne. Car, au XVIIe siècle, nous y reviendrons, les motifs d'une ontologie des nations, fût-elle intégralement séparée de toute expérience empirique, peuvent mieux que toute observation sincère construire le discours sur autrui et administrer les preuves de son exactitude. C'est pourquoi Carlos García se trouve en mesure d'agrémenter, sans y voir de contradiction méthodologique, sa métaphysique des nations de considérations tirées d'expériences, supposées réelles, comme illustrations du propos mais qui n'ont aucune valeur probatoire. Ainsi, l'expérience de la socialisation des Français en Espagne et des Espagnols en France rehausse le motif des couleurs de l'expérience ordinaire : « [...] il ne passoit de France en Espagne aucuns gentilhomme ou personnes de considération, ainsi tous pauvres & misérables, gens des frontières de Gascogne & de Béarn [...]. Toutes ces petites gens s'adonnent très avarement à tous mestiers vils & abjects, gardent les vaches & les pourceaux, vuident les privez, ramonent les cheminées & autres semblables, ils sont fort sobres & espargnants pour le manger, car avec une ciboulle ou une teste d'ail & un morceau de pain bis ils passeront toute la journée. Mais en récompense ils mettent le plus clair de leur gain en vin, lequel estant plus violent que celuy de leur païs les enyvre facilement : de façon que la pluspart du jour, l'on les void aller par les rues yvres comme des soupes. Ce qui faisoit croire en Espagne que le surplus des françois estoit semblable à ceste canaille, & de là s'engendra le mespris, hayne & inimitié contre les François.

« La mesme chose arrivoit aux François car peu ou point d'Espagnols de qualité passoient en France, & ne s'y voyoit que les pauvres misérables qui venoient pour estre touchez des escrouelles ; sur quoy les François fondoient leur opinion que tous les Espagnols estoient de mesme façon, & de là prirent subject de tenir les Espagnols pour gens de néant, les mespriser, ensuite les haïr mortellement[135]. » Ce passage est riche d'indications documentaires, notamment sur la conscience que l'on pouvait avoir des mouvements migratoires français en direction de l'Espagne. La mention du toucher des écrouelles, quant à elle, permet à la fois de grossir le trait en faisant comme si les Espagnols étaient devenus,

135. *Ibid.*, p. 269-271.

dans la conscience française, un peuple scrofuleux, et de rehausser l'avoir de la monarchie française dans l'addition merveilleuse que réalisent les mariages de 1615. On comprend comment d'autres auteurs purent aisément piller García, en particulier dans ces chapitres XI (De l'antipathie des corps et des âmes), XII (De la contrariété aux habits), XIII (De la contrariété au boire & au manger), XIV (De la contrariété au marcher), XV (De la contrariété au parler). Mais cette contrariété, posée dans les termes d'une anthropologie aussi rudimentaire dans la description que métaphysique dans ses fondements intellectuels, se trouve en retrait par rapport aux arguments politiques que la polémique protestante et « politique » avaient déployés, contre l'Espagne, de la crise de la Ligue à la régence de Marie de Médicis. Car, ce qui peut être tiré de Carlos García pour alimenter un discours de justification de la guerre qui oppose le royaume de France à la monarchie hispanique demeure extrêmement pauvre dans le registre politique.

En 1636, François de La Mothe Le Vayer, homme de plume au service du cardinal de Richelieu, compose un *Discours sur la contrariété des humeurs qui se trouve entre certaines Nations & singulièrement entre la Françoise & l'Espagnole*. Il pille les chapitres mentionnés ci-dessus, car son objectif est de convaincre le lecteur de la justesse de l'entrée en guerre contre Philippe IV, malgré les déconvenues des premiers engagements militaires. Contrairement à Carlos García, La Mothe Le Vayer renoue avec les tours polémiques de la fin du XVIe siècle, et, sans citer Guillaume d'Orange ou Agrippa d'Aubigné, il parvient à placer sa charge sur le terrain politique : « Or est-il que suivant la doctrine commune des Escoles, les principes doivent naturellement estre contraires ; d'où il s'en suit que tant que ces deux nations seront des principes politiques, elles auront nécessairement une perpétuelle et formelle opposition[136]. » Singulier travestissement de la posture sceptique qui fait la notoriété de l'auteur. Mais il est vrai qu'il s'agit d'une œuvre de commande et qu'un philosophe distan-

136. François de La Mothe Le Vayer, *Discours sur la contrariété des humeurs qui se trouve entre certaines Nations & singulièrement entre la Françoise & l'Espagnole*, Paris, Richer, 1636, p. 33.

cié comme La Mothe Le Vayer ne devait guère ressentir une profonde sympathie pour le modèle théologico-politique castillan.

Dans un pamphlet postérieur à la Fronde, à la veille de la paix des Pyrénées, François de La Mothe Le Vayer, désormais au service de Mazarin, développe des arguments anti-espagnols enracinés dans les controverses antérieures au règne de Louis XIII. Son discours sur la différence de piété entre les catholiques français et les catholiques espagnols est une réponse à la dénonciation par les polémistes espagnols de l'alliance contractée par Mazarin et Oliver Cromwell, l'hérétique régicide [137]. L'argumentation consiste à montrer que la prétention hispanique à incarner la forme la plus orthodoxe et cohérente de fidélité à la catholicité relève de l'imposture. Les remarques de l'ambassadeur marquis de Gramont sur les ridicules de la dévotion espagnole résonnent comme une revanche après qu'on a fait honte, si longtemps, au royaume de France de sa tiédeur catholique : « L'indévotion de quelques Espagnols, et leur mascarade de religion, est une chose qui ne se peut comprendre ; et rien n'est plus risible que de les voir à la messe avec de grands chapelets pendus à leurs bras, dont ils marmottent les patenôtres en entretenant tout ce qui est autour d'eux, et songeant par conséquent médiocrement à Dieu et à son saint sacrifice [138]. » L'inusable argument du sac de Rome de 1527 et les tensions traditionnelles entre le Saint-Siège et une couronne hispanique exerçant sur la curie romaine une tutelle jugée insupportable fournissent l'essentiel des arguments. Le second thème, plus défensif venant d'un Français, porte sur l'hypocrisie espagnole dans sa dénonciation des alliances militaires entre catholiques et hérétiques ou infidèles. L'exercice imposé demeure la justification, toujours embarrassée, des accords avec l'Empire ottoman : « Celle [l'alliance] du Roy avec le Turc n'a pour but, outre le commerce de quelques-uns de ses sujets, que le soulagement, & le rachapt des pauvres esclaves Chrestiens, avec

137. François de La Mothe Le Vayer, *En quoy la piété des François differe de celle des Espagnols dans une profession de mesme Religion*, Paris, Augustin Courbé, 1658.

138. Maréchal de Gramont, *Mémoires* [1604-1661], éd. Petitot et Monmerqué, Paris, Foucault, 1827, t. II, p. 80.

la conservation des lieux Saints [...] [139]. » Rien ici qui ressemble à une justification en termes de balance des puissances : le principal registre mobilisé reste celui de la lutte contre certains aspects de l'expansion de l'islam, par des accords avec la Porte. En revanche, Philippe II, dont au passage il n'est pas mentionné que son nom reste attaché à Lépante, est présenté comme un monarque timoré, retenant son neveu Sébastien de Portugal de reprendre la croisade du Maroc pour ne pas rouvrir les hostilités avec Constantinople [140]. Il est également rappelé que Charles Quint s'est allié à l'hérétique Henri VIII d'Angleterre dans sa lutte contre le catholique François Ier. Cet argument rejoint l'accusation visant l'empereur de n'avoir pas eu la volonté politique d'arrêter Luther. Jean-Louis Guez de Balzac, lui aussi, développe la gamme complète des arguments qui font honte à l'Espagne d'une catholicité déficiente [141]. C'est pourquoi, plus tard, Pierre Bayle ironise sur ces griefs à l'encontre de l'empereur : « Une infinité de gens, et sur tout en France, ont crié et invectivent encore tous les jours contre Charles V comme si pour n'avoir pas emploïé ses forces rigoureusement contre le luthéranisme [...] [142]. » Et l'on voit le chemin parcouru par la France bourbonienne depuis le siège de Paris et la diffusion de la *Satyre Ménippée*, lorsqu'à l'Espagne les « bons Français » reprochaient son soutien intéressé à la Ligue. Désormais, Philippe II doit être présenté comme un catholique moins intransigeant que ne l'avance la propagande royale espagnole, tandis que le fils et le petit-fils d'Henri IV ne le cèdent plus à personne en matière d'orthodoxie romaine. De l'intervention hispanique dans les guerres de Religion, La Mothe Le Vayer préfère retenir l'instrumentalisation par Philippe II de la dissidence huguenote navarraise contre les Valois, plutôt que son appui aux États de la Ligue : « Quant à Philippes II, bien qu'il tinst apparament le party de la Ligue ; il ne laissoit pas d'avoir ses intelligences avec le feu Roy, avant sa conversion, lors qu'il n'estoit encore que Roy de Navarre,

139. François de La Mothe Le Vayer, *En quoy la piété des François differe...*, *op. cit.*, p. 19.

140. *Ibid.*, p. 31.

141. Jean-Louis Guez de Balzac, *Le Prince. Lettre à Monseigneur le cardinal de Richelieu*, Paris, Du Bray, Rocolet et Sonnius, 1631, p. 236-238.

142. Pierre Bayle, *Commentaire philosophique...*, *op. cit.*, p. 405.

luy fournissant & au party huguenot, les moyens de subsister, & d'entretenir des troubles en France[143]. » Il rejoint, là encore, le reproche adressé par Campanella à Olivares, lorsqu'il l'accuse d'avoir appuyé citoyens rochelais et sujets anglais contre le très catholique roi de France[144]. En 1658, près d'un demi-siècle après la mort du roi de l'édit de Nantes, le basculement s'est opéré et la France de Louis XIV peut déjà justifier ses alliances d'un moment par un bilan de reconquête catholique digne de l'histoire espagnole elle-même. Le thème de l'antipathie est désormais traversé de façon orthogonale par la concurrence franco-espagnole, sur le terrain commun de la catholicité en politique.

Mais le texte de 1636 sur la contrariété des humeurs est encore rédigé par La Mothe Le Vayer à un moment où les rapports franco-espagnols sont pensés sur le mode d'un duel de titans et d'une opposition de ministres : le comte-duc d'Olivares contre le cardinal de Richelieu[145]. Quelques années plus tard, nous le verrons, à mesure que l'orthodoxie catholique étend son empire dans le monde des lettres françaises, l'image d'Olivares prend des couleurs de plus en plus flatteuses. Dans son développement, La Mothe Le Vayer, à la façon de Carlos García sur ce point encore, formule un premier état d'une théorie des climats : « Or le tempérament des hommes, considerez ainsi en gros, dépend principalement de celuy des régions qu'ils habitent & celui des régions de leur position naturelle. [...] les François sont froids & humides ; comme leur terre d'où vient leur blancheur ; les Espagnols sont chauds & secs ce qui les rend bazanez[146]. » Encore vaut-il la peine de remarquer que ce genre de typologie avait été assumé par Campanella, dans le texte de 1598, c'est-à-dire dans le contexte d'un éloge fervent de la monarchie hispanique : « Et les Espagnols exercent mieux leur domination sur les Africains que sur les Flamands, parce qu'ils sont différents d'eux : les Espagnols sont chauds, secs, petits, astucieux, éloquents et les Flamands sont froids, gras, grands, lents

143. François de La Mothe Le Vayer, *En quoy la piété des François differe...*, *op. cit.*, p. 35.

144. Tommaso Campanella, *Monarchie d'Espagne*, *op. cit.*, p. 501.

145. John H. Elliott, *Richelieu et Olivares*, *op. cit.*

146. François de La Mothe Le Vayer, *Discours sur la contrariété des humeurs*, *op. cit.*, p. 19.

d'esprit, taciturnes, etc.[147] » ; plus loin le portrait est renforcé : « noirs, petits, astucieux, sobres, austères, continents, patients, ayant du discernement, mélancoliques, avares, cérémonieux, graves et différents en tout[148] ».

Ces traits censés être typiquement hispaniques ne sont donc pas exclusivement mobilisés par des textes hostiles à l'Espagne. On saisit là le paradigme de tous les « parallèles » de la France et de l'Espagne qui voient le jour au XVIIe siècle. La version négative de l'antipathie que présente La Mothe Le Vayer devient une des sources essentielles des relations de voyages françaises en Espagne à partir du milieu du XVIIe siècle. En fait, son opuscule, transposition du livre de Carlos García, gomme l'essentiel de l'eschatologie de la réunification chrétienne, sans renoncer pourtant à l'appeler de ses vœux, en toute fin d'ouvrage, bien que rien dans le dispositif du texte ne permette d'y voir autre chose qu'une figure aussi vaine qu'imposée.

Le *Discours de la contrariété* connaît deux éditions, 1636 et 1647, il est accompagné, en 1644, d'un *Examen de la constance des François et des Espagnols* anonyme qui puise à la même source, en lui imprimant la même distorsion négative. Mais la version de La Mothe Le Vayer ne chasse pas du marché de la librairie le texte original de Carlos García de 1617, qui connaît neuf éditions au XVIIe siècle, dont une en 1638 et une autre en 1645. Même si La Mothe Le Vayer durcit le ton et détourne le sens de l'*Antipatía*, le discours d'union dont celle-ci est porteuse rencontre et touche un public lecteur, même après la déclaration de guerre de 1635. Les cardinaux-ministres ne songent apparemment pas à faire interdire le livre de García. Un demi-siècle plus tard, retrouvant l'esprit du texte premier, un plagiat associait les thèmes de l'antipathie et de l'appariement providentiel des deux nations, au profit de la majesté de Louis XIV, placé en position de commandement de cette union sacrée[149]. Le dernier avatar de la veine textuelle de l'antipathie revient en France, depuis l'Espagne bourbonienne, dans un bref

147. Tommaso Campanella, *Monarchie d'Espagne*, *op. cit.*, p. 217.

148. *Ibid.*, p. 285.

149. *Dissertation historique et politique sur l'Antipathie qui se trouve entre les François et les Espagnols*, s.l., 1688.

opuscule du père Feijoo[150]. L'analyse comportementale qui semble distinguer la gravité hispanique de la frivolité gauloise ne trouve plus de traduction politique crédible. Le contentieux hispano-français est vidé de toute dimension naturelle, au profit d'un discours historique. Entre l'entente décrite par Commynes à propos du XVe siècle et le Pacte de famille du XVIIIe siècle, la rivalité des XVIe et XVIIe siècles est expliquée par l'enchaînement de crises et des conflits de puissances. Le père tutélaire des Lumières espagnoles reprenait ainsi le thème de Carlos García pour effacer tout raisonnement humoral : seul restait valide alors le rêve eschatologique d'une chrétienté réconciliée avec elle-même.

L'antipathie peut être retrouvée dans le palimpseste des discours français sur l'Espagne tout au long du XVIIe siècle. Elle sert de matrice à divers types de raisonnements et offre aux auteurs la commodité d'une argumentation identifiable, compréhensible et mobilisable à tout moment. En dépit de l'usage partiel qu'en fit son premier relais, François de La Mothe Le Vayer, il n'est pas certain que le sens original de la démarche de Carlos García, identification des écarts pour mieux admirer le chemin parcouru jusqu'à la convergence, se soit entièrement perdu. Reste que la rhétorique de l'antipathie opère comme un exposé modèle pour tout discours sur l'altérité. C'est pourquoi le corpus des voyages français en Espagne est l'un des lieux où on la voit opérer avec le plus d'efficacité. Car les voyageurs partaient pour décrire de la différence et n'étaient reconnus comme auteurs de récits de voyages qu'à la condition d'honorer un contrat d'écriture qui les obligeait à cataloguer les formes de l'altérité.

150. Padre fray Benito Jerónimo Feijoo, *Antipatía de franceses y españoles*, in *Discursos*, *Obras escogidas*, éd. Vicente de la Fuente, Madrid, Ediciones Atlas, Biblioteca de Autores Españoles, 1952, t. I, p. 81-84.

4

Des voyageurs en Espagne ou la découverte du connu

L'usage des voyages

Un fin connaisseur des relations culturelles franco-espagnoles rendait hommage à la curiosité des hommes du Grand Siècle par ces mots : « [...] une belle tentative, incomplète d'ailleurs, pour étreindre la réalité de l'Espagne. Aucun autre peuple que la France n'a fait au XVIIe siècle une entreprise de rapprochement intellectuel aussi ample et aussi intelligente[1]. » Il soulignait ainsi la place exceptionnelle qu'occupe la péninsule Ibérique dans la géographie des échanges intellectuels définie depuis la France. L'abondance de textes français de voyages ou de description de l'Espagne au XVIIe siècle, imprimés ou manuscrits, qui nous ont été conservés, a facilité la mobilisation un peu anarchique de cette formidable ressource textuelle. Il convient pourtant de prêter attention aux dispositifs sociaux et littéraires qui ont favorisé cette production, en commençant par s'interroger sur le sens que pouvait revêtir, pour des Français du XVIIe siècle, l'initiative de se rendre en Espagne, et d'en tirer un récit ou une description.

Pour les hommes lettrés qui la sillonnèrent au XVIIe siècle, l'Espagne est une terre connue. Elle ne saurait constituer le prétexte pour une littérature de *conquistadores* : ni d'outre-mer, ni australe, ni polaire, ni païenne, ni puérile. L'Espagne se trouve aux portes

1. J.J.A. Bertrand, *Sur les vieilles routes d'Espagne (les voyageurs français)*, Paris, Les Belles Lettres, 1931, p. 94.

mêmes de la France. Dans ces conditions, les processus d'identification ainsi que la prise de conscience de l'altérité ne peuvent avoir le même sens ni la même fonction que dans les discours sur les mondes nouveaux et lointains. Le modèle ainsi condensé par Michel de Certeau : « cette curiosité conquérante et jouisseuse, occupée à dévoiler ce qui demeure occulte, a son symbole dans les récits de voyages avec le face-à-face du découvreur, vêtu, armé, croisé, et de l'Indienne nue [2] », ne peut en aucun cas rendre compte des regards portés sur l'Espagne depuis la France, ni des pratiques textuelles qui en découlent. La nudité et la virginité des Indes (occidentales) sollicitent la relation de voyage et fondent sa pertinence comme genre spécifique, si ce n'est autonome. En revanche, il est difficile d'isoler sous la catégorie de « genre (littéraire) » les récits de voyages internes au monde connu – en Europe, en chrétienté, sur le pourtour méditerranéen, voire dans les Indes orientales – par rapport à d'autres types de productions textuelles relatives à l'Espagne : dissertations politiques, libelles, sommes historiques, dictionnaires géographiques, traductions ou adaptations littéraires. Dans le vaste corpus de textes relatifs à l'Espagne, on peut imaginer que les relations de voyages manifestent plus de spontanéité que les discours officiels ou historiographiques, plus figés et orientés vers une démonstration. Cette fraîcheur supposée des voyages ne va pourtant pas de soi.

« [...] sous Richelieu, non seulement l'"usage de cour" devient le critère de l'expression élégante, mais encore la "naïfveté" elle-même devient l'objet d'une rhétorique raffinée, qui [...] tend à conjuguer une spiritualité chrétienne de la simplicité avec une esthétique mondaine et française de l'urbanité sans affectation pédante ni flatteuse. Cet approfondissement esthétique de la "naïfveté" joue à plein en faveur des genres "marginaux", "Mémoires" et "lettres", qui se trouvent dès lors devenir des monuments de l'"usage de cour" et de l'élégante simplicité qui est la marque de la bonne société [3]. » Aux types de textes énumérés par l'auteur comme véhicules de cette simplicité affectée, les récits de voyages peuvent

2. Michel de Certeau, *L'Écriture de l'histoire*, Paris, Gallimard, 1978, p. 242.

3. Marc Fumaroli, « Mémoires et histoire », in *Les Valeurs chez les mémorialistes français du* XVIIe *siècle avant la Fronde*, Paris, Klincksieck, 1978, p. 34.

sans doute être associés. C'est la question de la pertinence du critère d'authenticité, validé par l'impression de naturel ou de spontanéité, qui se trouve ainsi posée. La critique littéraire offre aux historiens les instruments nécessaires pour qu'ils s'affranchissent de la frontière mentale qui est censée séparer les textes de fiction d'autres qui n'en seraient pas. L'usage historiographique des sources littéraires favorise le soupçon à l'égard de toutes les sources, y compris les archives.

Le récit de voyage a une fonction sociale claire : il permet de briller dans les salons. Jean Chapelain s'en plaignait : « Nostre Nation a changé de goust pour les lectures et au lieu des romans qui sont tombés avec La Calprenède, les voyages sont devenus en crédit et tiennent le haut bout dans la Cour et dans la Ville[4]. » Dans le même sens, Charles Baudelot de Dairval notait : « On juge presque toujours avantageusement, de ceux qui ont pénétré dans les terres éloignées, pourvu qu'ils ne soient pas tout-à-fait ignorans. [...] André Thuret par exemple étoit un homme qui n'avoit ny lettres ny science ny jugement, à peine encore avoit-il de sens commun. Cependant parcequ'il avoit parcouru l'un & l'autre hémisphère, & qu'il avoit la témérité d'écrire une histoire, il imposa même à d'habiles gens[5]. » Les relations de voyages en Espagne ont bénéficié de la vogue déjà ancienne des voyages exotiques et de la fascination exercée par la péninsule Ibérique sur le public français. Mais l'attrait des deux types de relations est très différent. L'exotisme tend à réduire l'inconnu au connu ; la promenade espagnole recherche l'inconnu dans un monde dont on oublie, pour un temps, la proximité.

L'objectif des auteurs est de faire impression. Cette volonté de créer l'émotion explique pourquoi l'histoire littéraire s'est emparée de ces livres. Les voyageurs définissent leurs ouvrages par rapport à d'autres productions textuelles : « Les Voyages étant en effet d'un genre metoyen entre les uns et les autres, en ce qu'ils ne traitent que des aventures des particuliers comme des Romans mais avec

4. Cité dans Geoffroy Atkinson, *Les Relations de voyage au XVIIe siècle et l'Évolution des idées*, Paris, Champion, 1924, p. 5.

5. Charles César Baudelot de Dairval, *De l'utilité des voyages*, Paris, Pierre Aubouyn et Pierre Émery, 1686, p. 34.

autant de vérité & plus d'exactitude que les Histoires[6]. » Le voyage confirme l'histoire (les textes d'histoire) et lui confère un supplément de vérité. Cette prétention à l'exactitude, qui est interdite au roman ou même à l'histoire des temps passés, passe par la mise en scène de la vérification sur place d'informations que seul le déplacement de l'auteur autorise. La crédibilité du voyage comme produit de consommation littéraire et mondain repose sur la confirmation d'anecdotes et lieux communs identifiables et pour cela fiables. Dans la seconde moitié du XVIIIe siècle, d'autres systèmes de légitimation se construisent sur la spécialisation annoncée du regard – recherches linguistiques ou expéditions archéologiques, par exemple. L'éclectisme revendiqué par les récits du XVIIe siècle n'autorise cependant aucune variation dans la procédure de validation : la mise à jour de l'information n'est valorisée que lorsqu'elle permet de confirmer tel ou tel élément du vaste fonds d'anecdotes et de traits pittoresques, connus des voyageurs avant leur départ et des lecteurs dans leur attente littéraire. C'est pourquoi il est vain de vouloir séparer les relations de première main des imitations, dans la mesure où les voyageurs authentiques actualisent, comme s'ils en faisaient la découverte, toute une collection de clichés disponibles. En outre, on peut faire crédit aux compilateurs de ce qu'ils faisaient bien leur travail et ne négligeaient rien de ce que leurs sources rapportaient. L'antinomie classique, plus judiciaire qu'historique, entre les témoins véritables (oculaires) et tous les autres demeure inopérante. La méfiance méthodologique à l'égard des compilations, associée au développement des sciences modernes, n'épargne pas les historiens. Mais il est anachronique de vouloir distinguer les discours de la vérité en marche, armés des sarcasmes rabelaisiens sur la scolastique ou du *Discours de la méthode*. C'est oublier que la compilation et la glose demeurent dominantes dans la culture écrite du XVIIe siècle européen. Il ne s'agit pas d'identifier un livre premier dont les récits constitueraient le commentaire. Les traités de l'antipathie que nous avons rencontrés, la production pamphlétaire suscitée par les événements saillants (la Ligue, les mariages espagnols, l'accusation de tyranni-

6. François Bertaut, *Le Journal d'un voyage en Espagne*, Paris, Thierry, 1664, p. 15.

cide, la déclaration de guerre de 1635, le traité des Pyrénées, la guerre de Dévolution), les pages anciennes de Commynes, *Le Prince* de Machiavel, l'œuvre de Cervantès, la *comedia* traduite ou transposée, constituent les fondements de la culture de départ.

La spontanéité supposée de l'écriture paraît bien flétrie, dès lors qu'on perçoit à quel point les voyageurs sont guidés dans leur démarche par la littérature politique. On remarque, en particulier, l'influence du thème de l'antipathie qui agit comme une véritable matrice du récit. Ainsi, lorsque vient le moment de conclure sa relation, Antoine de Brunel en formule l'intuition centrale : « Pendant que i'ay esté à Madrid, j'ay tasché de connoître si cette aversion qu'on dit leur estre réciproque estoit si forte au fond & dans la réalité qu'on le croist & qu'elle paroist. [...] Chacun a son caractère et son sceau spécifique, tant au corps qu'à l'esprit, qui est pour ainsi dire son principe d'individuation qui le distingue l'un de l'autre[7]. » La mission du voyageur a donc été de vérifier, sur place, l'hypothèse de la diversité, laquelle n'est que la face cachée et adoucie de l'hostilité militaro-politique.

Le monde est un livre ouvert : la tradition du voyage « culturel » ou « académique » n'est pas absente du corpus. Le chemin du savant Balthasar de Monconys s'apparente à une typique *peregrinatio academica*[8]. Dès la fin de sa scolarité dans un collège jésuite de Lyon, à dix-sept ans, le jeune Balthasar, accompagné de son fidèle serviteur, part découvrir le monde. Louis Coulon, par ironie, attribue de grandes vertus pédagogiques au commerce espagnol : « & notre voyageur en pourra faire s'il veut une escole de la Morale, pour apprendre sans austres livres, que la conversation des Espagnols, les vertus qu'il doit pratiquer & les vices qu'il doit fuir, pour devenir un homme de bien, qui doit être le terme de ses voyages[9] ». Brunel, enfin, prétend faire un voyage humaniste : « une partie de cette vie que nous employons depuis six ans, à étudier le monde en la vraye & grande Escole qu'est le

7. Antoine de Brunel, François van Aarsen, *Voyage d'Espagne*, Cologne, Pierre Marteau, 1666, p. 329.

8. Balthasar de Monconys, *Journal des voyages de M. de Monconys*, Lyon, Boissat et Remeus, 1665-1666.

9. Louis Coulon, *Le Fidèle Conducteur pour le voyage en Espagne*, Troyes, Oudot, 1654, préface.

Voyage [...] [10] ». On ne saurait prendre en exemple le cas de René Descartes abandonnant « totalement l'étude des lettres » et prétendant employer sa « jeunesse à voyager », et surtout sans rapporter de récit de voyage. La déclaration de rupture d'avec la culture scolastique passe par l'éloge empirique du voyage. L'alternative du livre et du voyage, du jugement reçu et de l'observation, vaut pour mettre en scène l'entreprise de refondation qu'imagine le philosophe français, mais elle ne saurait s'imposer pour une intelligence historique des récits de voyages de son temps. Ces textes, véhicules de clichés qui appartiennent à la culture du lectorat et perméables aux modes littéraires, jouent un rôle important dans les processus d'interaction culturelle entre monde hispanique et France à l'époque moderne. Entre compilation méthodique et goûts littéraires mouvants, ils paraissent pouvoir concilier l'immobilisme scolastique et l'évanescence des modes. Les diplomates, secrétaires, ecclésiastiques ou hommes de lettres qui ont composé de tels récits se situent exactement sur cette ligne qui unit, comme une frontière, le pays visité et la culture – politique – des visiteurs.

La géographie de la Péninsule est investie d'un sens politique fort, comme le suggère l'abbé Morvan de Bellegarde : « Je me suis appliqué à connoître le génie des Espagnols, pour pénétrer les mysteres de leur politique. L'Espagne est, pour ainsi dire, à la tête de l'Europe, bornée de l'Ocean & de la Mer Mediterranée, qui la separe de l'Afrique : les Pyrenées lui servent de barriere contre la France [11]. » Les dictionnaires proposent la représentation lettrée de l'espace ibérique. Le Moreri consigne que : « Sa véritable figure la fait ressembler à une presqu'Isle environnée de l'Océan vers le septentrion, vers l'occident & en partie vers le midy ; de la mer Méditerranée vers l'Orient elle est contiguë au Continent, où les monts Pyrénées la séparent de la France & d'où elle s'avance jusqu'au détroit de Gibraltar, qui est l'ouverture de l'Océan à la mer Méditerranée & qui sépare l'Espagne de l'Afrique [12]. » Le diction-

10. Antoine de Brunel, *Voyage d'Espagne*, *op. cit.*, préface.

11. Abbé Morvan de Bellegarde, *Modeles de conversations pour les personnes polies*, Paris, Jean Guinard, 1697, p. 312.

12. Louis Moreri, *Le Grand Dictionnaire historique*, Amsterdam-La Haye, 1698, p. 451.

naire géographique de Baudrand compare classiquement la Péninsule à un cuir de bœuf tendu : « Il est une grande presqu'île, séparée de la France au nord-est par les Pyrénées [...]. Il est enfermé entre le 9e de longitude et le 24e [...] [13]. » Cet enfermement est également exprimé dans les vers de Paul Pellisson, au chant IV de l'*Eurymédon* :

> Sur le détroit fameux des colonnes d'Hercule,
> Là des mers & des monts l'Ibère est remparé [14].

L'évocation des Colonnes d'Hercule comme verrou, alors que dans l'héraldique de Charles Quint le détroit de Gibraltar symbolisait l'ouverture vers une expansion indéfinie, ne manque pas de piquant. L'image de l'Espagne cul-de-sac contraste, en effet, singulièrement avec la fonction de base de départ vers le lointain que lui reconnaissent certains voyageurs, tels La Hontan, Mocquet ou Monconys. Pour ces auteurs, l'Espagne est le point de départ des voyages, du Voyage par excellence. Mais l'horizon d'outre-mer demeure absent de la plupart des relations de voyages. L'Espagne est pensée sur le mode de l'isolement au mieux, de la place d'armes fortifiée lorsqu'on la craint, du rabougrissement lorsque la peur en sera exorcisée. La richesse des relations de voyages se trouve précisément dans ce qui semble les disqualifier comme source d'histoire socio-ethnologique. Leur vérité, c'est-à-dire leur pertinence, est affirmée par l'adhésion qu'elles réclament et obtiennent de la part du lecteur. Raymond Foulché-Delbosc montre que nombre de ces textes connurent un véritable succès de librairie [15]. Ce sont autant de petites idées de l'Espagne.

Les « guides » permettent de voyager sans se déplacer. On recueille chez soi les fruits de la grande leçon du monde, récoltés par d'autres. Jouvin et Jordan rédigent des guides de la péninsule Ibérique considérée comme une totalité géopolitique dont l'auteur doit « faire le tour ». Le projet est différent de celui des voyageurs :

13. Baudrand, *Dictionnaire géographique universel*, Amsterdam-Utrecht, François Halma et Guillaume van de Water, 1701.

14. Paul Pellisson, *Œuvres diverses*, Paris, Didot, 1735, t. I, p. 55.

15. Raymond Foulché-Delbosc, *Bibliographie des voyages en Espagne et au Portugal*, Paris, Welter, 1896.

ils ne prétendent rendre compte que de leurs déambulations qui, généralement, ne concernent qu'un itinéraire limité. Les guides annoncent atteindre l'exhaustivité et apparaissent aussitôt des ouvrages de référence, au même titre que les dictionnaires. Plus question de se situer à mi-chemin entre histoire et roman : à partir du modèle historique, l'auteur procède au même exercice de compilation, sous un vernis rhétorique légèrement différent. Être une somme, fixer une fois pour toutes l'« estat présent de l'Espagne », tel est l'objectif de ces textes. Jordan expose sa méthode : « Ainsi j'ai eu lieu de faire plusieurs remarques curieuses touchant la religion, les coûtumes, les mœurs et les forces de diverses nations, aussi bien que sur les raretez qui se trouvent dans leur païs que j'ai jointes aux mémoires d'un sçavant homme de mes amis qui a employé 22 ans à les ramasser & qui n'a pas vécu assez longtemps pour les mettre dans l'ordre qu'ils devoient être[16]. » Il est donc vain d'opposer l'information directe et la compilation de lieux communs ou d'observations tirées de la bibliothèque du rédacteur. Tout comme les voyageurs, les auteurs de guides accumulent les « raretez » dont rien ne prouve qu'ils ne les ont pas lues chez d'autres écrivains.

Au début du XVIIIe siècle, une batterie de textes voit le jour : *Les Délices de l'Espagne* d'Álvarez de Colmenar (1707), *L'Estat présent de l'Espagne* de l'abbé de Vayrac (1718), et le *Voyage* d'Étienne de Silhouette (1729). Ces livres prétendent tous rectifier les erreurs des relations antérieures : « on a vu quelque relations de voyageurs, comme celle de madame d'Aunoi, & quelques Gentils-hommes François & Hollandois, qui ont fait part au public de ce qu'ils avoient remarqué de plus considérable. [...] Cependant on ne les a suivis qu'avec précaution, parce qu'on les a quelquefois surpris en faute, même ceux qui passent pour les meilleurs », souligne Colmenar[17]. Son œuvre ne s'en présente pas moins comme une compilation superficiellement critique, qui modère l'acidité de cer-

16. Claude Jordan de Colombier, *Voyages historiques de l'Europe, vol. II qui comprend tout ce qu'il y a de plus curieux en Espagne et au Portugal*, Paris, Brunet, 1693-1700, préface.

17. Juan Álvarez de Colmenar, *Les Délices de l'Espagne et du Portugal*, Leyde, Pierre van der Aa, 1707, préface.

tains récits hispanophobes du siècle antérieur. L'abbé de Vayrac, lui aussi, dénonce les ouvrages de ses prédécesseurs : « La plupart de nos géographes ont décrit si confusément l'Espagne qu'à peine s'en peut-on former une idée médiocrement raisonnable après qu'on a lu leurs ouvrages[18]. » La réhabilitation de l'Espagne est l'objectif avoué du prélat. Décrétant, en toute scientificité, que la relation doit tenir compte de la diversité régionale espagnole et s'abstenir de tout jugement général, Vayrac explique : « Les génies de chaque province ne sont-ils pas différents ? Les Navarrois sont appliqués & laborieux ; les Biscayens sont industrieux & gais ; les Castillans sont fiers, paresseux & melancoliques [...][19]. » Cette prise en compte de la variété semble bien factice. Et si l'on y regarde de plus près, on remarquera que le dernier terme de la citation répète sous l'étiquette de « Castillans » le *topos* généralement utilisé pour désigner les Espagnols en général : fierté, paresse, mélancolie.

La préface d'Étienne de Silhouette, enfin, vaut qu'on s'y attarde : c'est de loin la plus précise de cet ensemble, la plus ambiguë aussi. D'entrée, l'auteur dénonce la compilation : « Ceux qui ont donné des relations au public, les ont souvent égayées par des traits satyriques, parmi ces traits il y en a toujours la moitié de faux ; mais la plupart des Auteurs ont cela de commun avec les Poëtes, qu'ils préfèrent la réputation d'homme d'esprit à celle d'homme véridique. [...] il y a une infinité de relations de voyages, & particulièrement d'Italie ; la plupart ne sont que de mauvaises compilations[20]. » À cette salutaire critique de la compilation, Silhouette ajoute : « On dît que la plupart des Auteurs se peignent dans leurs ouvrages ; nul ne s'y fait si bien reconnoître qu'un voyageur dans sa relatîon [...] ; & comme les choses pour lesquelles il a un goût dominant sont celles qu'il a le mieux observées », la relation ne peut pas être « véridique »[21]. Dénoncer l'omniprésence du voyageur (et de ses préjugés) dans la relation semble raisonnable.

18. Abbé de Vayrac, *Estat présent de l'Espagne*, Paris, 1718, préface.

19. *Ibid.*, p. 24.

20. Étienne de Silhouette, *Voyage de France, d'Espagne, de Portugal et d'Italie*, Paris, Merlin, 1770, préface, p. xv.

21. *Ibid.*, p. XII.

En revanche, la critique de la spécialisation pose problème : « Il y en a qui voyagent en sçavans, remplissent toutes leurs relations d'inscriptions, d'autres s'appliquent à l'étimologie du nom des villes, & à la recherche du temps de leur fondation. Ces gens-là voyagent en Géographes, & leurs relations ressemblent à des dissertations. » Pourtant l'élaboration de la relation autour d'une interrogation est peut-être la seule garantie d'une moindre soumission au préjugé. L'éclectisme revendiqué par Silhouette est le plus sûr refuge du savoir compilatoire et imprécis, des ragots et des divagations les moins assurés.

Ainsi, les travers que la critique historiographique découvre dans ces ouvrages sont assumés par l'édiction des règles du genre. Álvarez de Colmenar condense ainsi le programme idéal du voyageur : « Un voyageur ne doit point se fixer à aucune partie ; il doit examiner tout, il doit s'appliquer à connoître dans chaque endroit la religion, les mœurs, la langue, le climat, les productions du pays, le trafic, les manufactures, le gouvernement, les forces, les fortifications, les arsenaux, les monuments antiques, les bibliothèques, les cabinets des curieux, les ouvrages de peinture, de sculpture & d'architecture [...] enfin il doit tâcher de se trouver aux solemnités, & s'informer, s'il lui est possible, du caractère des différents Princes & celui des différentes cours [22]. » Pourtant ce cahier des charges ne fut guère respecté par le voyageur français du XVIIe siècle, du moins à propos de l'Espagne. On remarque l'évident primat du questionnement politique dans le programme du voyageur. En outre, la description d'une méthode précautionneuse peut bien n'être qu'un effet d'annonce. Il n'est pas inutile de savoir que, pour mener à bien un projet aussi exigeant, Silhouette a visité l'Italie et l'Espagne entre le 28 avril 1729 et le 2 février 1730. Et s'il fallait encore se convaincre de la persistance de la pratique compilatoire, un passage précise sa place dans la méthode : « Il y a eu des voyageurs assez bizarres pour se piquer de ne vouloir dire que des choses nouvelles, mais ce sont ceux qui en disent les plus

22. Juan Álvarez de Colmenar, *Les Délices de l'Espagne et du Portugal*, *op. cit.*, préface.

inutiles & de plus fausses[23]. » Cette remarque invite-t-elle à chasser l'invention et la fantaisie, ou bien à défendre de la façon la plus scolastique l'autorité des livres ? Ce glissement du raisonnement par lequel la posture critique se désamorce elle-même constitue un indice de la vitalité des lieux communs véhiculés par les récits de voyages. Reste que, à la fin du long XVIIe siècle, le voyage en Espagne demeure traversé d'interrogations politiques et prétend rendre compte d'une situation complexe, irréductible à quelques traits caricaturaux.

Au XVIIIe siècle, on ne se contente plus d'opposer la relation rédigée à chaud au récit élégant à vocation salonnarde. Martin, dans l'« Avertissement du libraire », articule deux griefs : « On ne doit chercher ici, qu'une narration simple & ingénuë, sans autres ornements que ceux de la vérité. Pour ceux-là, qui sont assurément les plus estimables, pour ne pas dire les seuls estimables, on les trouvera partout exactement dans ces voyages ; bien différens en cela de quelques autres qui ont paru composés par des gens qui n'ont voyagé que dans leur cabinet, ou tout au plus dans le dictionnaire de Moreri, ou par des personnes qui ont préféré le Roman ou le merveilleux au véritable[24]. » La fausseté des autres voyages est par conséquent le fait de faux voyageurs. Cette critique manque l'essentiel. De même, Álvarez de Colmenar reproche à ses prédécesseurs le caractère partiel de leurs livres : une bonne façon de vanter le programme encyclopédique de ses quatre volumes. Il s'agit de savoir si l'on peut s'affranchir de la masse compacte de préjugés dont le réseau constitue la trame même des récits de voyages. Leur vérité est à chercher, en réalité, dans la culture politique qu'ils véhiculent et à laquelle ils adhèrent.

Une des modalités importantes du constat d'altérité consiste à indiquer que l'on ne connaît pas le pays décrit. Plusieurs auteurs rendent la monarchie hispanique responsable de ce déficit d'information. Ils reprochent à la dynastie des Habsbourg la fermeture de l'Espagne sur elle-même, qui semble, somme toute, bien relative.

23. Étienne de Silhouette, *Voyage de France, d'Espagne, de Portugal et d'Italie*, *op. cit.*, p. XV.

24. Monsieur M. Martin, *Voyages faits en divers temps en Espagne, en Portugal, en Allemagne, en France et ailleurs*, Amsterdam, 1700.

Sans doute les « nations de marchands » des pays protestants n'ont-elles pas été les bienvenues dans les ports espagnols, sans doute Philippe II a-t-il mis un frein aux pérégrinations académiques des étudiants castillans et aragonais dans les universités européennes. Mais les phénomènes de censure politique et théologique n'ont certainement pas enfermé le pays dans une sorte d'autarcie culturelle. Les pinacothèques et les bibliothèques espagnoles témoignent assez de l'intensité de la circulation des œuvres et des textes. La présence d'officiers, d'ecclésiastiques, de soldats et d'aristocrates espagnols en Italie, aux Pays-Bas, à la cour de Vienne, au Portugal, les réseaux marranes pourchassés et tolérés selon les lieux et les circonstances sont porteurs d'un système informel d'échanges qui dément l'image de l'Espagne comme pays cadenassé à son identité. On ne peut prendre tout à fait au sérieux les mots du maréchal de Bassompierre qui soupirait contre « cette nation qui ne connoît que ses mœurs et non celles de ses voisins [25] ». Ce n'est pas sans mauvaise foi qu'un voyageur, sans doute Espagnol établi en France, Álvarez de Colmenar, analyse les formes de l'isolement hispanique : « L'Espagne et le Portugal ont été peu connus des Étrangers dans ces derniers siècles, soit à cause du peu de commerce qu'ils ont avec les Espagnols, soit parce qu'on voit peu de Voyageurs tentés d'aller visiter ces Royaumes, soit enfin parce que les Espagnols et les Portugais eux-mêmes sont peu empressez à faire connoître leur pays aux autres, par de bonnes & d'exactes descriptions [26]. » À l'évidence, la mutuelle ignorance des deux « nations », la vigueur des reliefs qui séparent les deux royaumes, le contraste des climats, tout invite à penser l'Espagne, vue de France, sur le mode de l'altérité radicale.

Le discours sur l'ignorance mutuelle met l'Espagne en accusation et demeure presque toujours péjoratif. Jordan condense à merveille le motif : « Et le mal est que voyant fort peu les autres Nations, elle n'a pas moyen de s'apercevoir de ce défaut qui leur

25. François maréchal de Bassompierre, *Ambassade du maréchal de Bassompierre en Espagne en l'an 1621*, Cologne, Pierre Marteau, 1668, p. 21.

26. Juan Álvarez de Colmenar, *Les Délices de l'Espagne et du Portugal*, *op. cit.*, préface.

vient avec le lait qu'elle suce et le Soleil qui l'éclaire[27]. » Ainsi, l'ignorance mutuelle des deux *nations* alimente et consolide une théorie politique des contraires ou « principes opposez » qui invite à considérer que la société espagnole offre des traits profondément exotiques. La frontière est un lieu magique, c'est le poste d'entrée ; le passage est l'acte fondateur du voyage. Le voyageur devient écrivain en quittant le royaume de France : « [...] ie ne commençais à charger ma tablette de remarques que lorsque ie fus sur la frontière de ce Royaume[28]. »

Il ne faut pas attendre des récits de voyages du XVIIe siècle qu'ils nous livrent une géographie ou une ethnographie primitives. Telle n'est pas leur fonction. Ils n'en deviennent que plus riches d'information sur la circulation des stéréotypes culturels et enrichissent notre intelligence de l'interaction franco-hispanique. Leur vérité profonde se donne dans la relation qu'ils suscitent et établissent avec le public lecteur. En administrant la preuve de la véracité des clichés par la réalisation du déplacement, ils affermissent l'un par l'autre. C'est parce que l'Espagne visitée est conforme à ce qu'on en attend que le voyage est tenu pour authentique, c'est parce qu'ils ont été constatés *de visu* par l'auteur-témoin que les clichés se révèlent véridiques. Il s'en suit que certains « passages obligés » se répètent dans de nombreux textes.

Des voyageurs en Espagne : parcours des lieux communs

Entre France et Espagne, il est un poste frontière clair et défini : entre Hendaye et Irun, la Bidassoa, l'île des Faisans que la propagande figurée des mariages de 1615 et 1659 a rendu aussi célèbre que l'Escurial : « rivière Bidassoa, aussi fameuse par le Traité, que par la separation des premiers et des plus considérables Royaumes de l'Univers[29] ». Le véritable marqueur frontalier est la langue, par quoi s'expriment les génies contrastés des deux nations anti-

27. Claude Jordan de Colombier, *Voyages historiques*, *op. cit.*, t. II, p. 33.
28. Antoine de Brunel, *Voyage d'Espagne*, *op. cit.*, p. 2.
29. Sieur Bonair, *Triomphe de la Chretienté : par la Paix entre les Couronnes ; & le mariage du Roy, avec l'Infante*, Paris, Pierre Du Pont, 1660, p. 3.

nomiques, quitte à inventer l'existence d'une coupure linguistique comme celles que même les constructions nationales du XIXe siècle n'ont pu imposer aux populations frontalières. Antoine de Brunel note sur ses tablettes : « C'est une surprise bien grande que, dès qu'on est au-delà de la Bidassoa, on n'est plus entendu si on ne parle espagnol, au lieu qu'un moment auparavant on s'aidoit du françois[30]. » La remarque prend d'autant plus de relief que Brunel, en compilateur doué mais hâtif, évoque la singularité de la langue basque, dont la pratique est attestée de part et d'autre de la frontière. Mais il n'a pas su mettre en cohérence les deux vignettes. Avec cet exemple, on voit comment la fonction stratégique de la limite, dans une rhétorique de la différence, annule la pertinence d'un passage sur les Basques. On peut encore accuser la rupture, comme le fait Muret : « Quoyque le passage ne soit pas fort large, il ne laisse pas de causer une différence entière entre ces deux peuples [...] et quoy qu'Andaye et Hiron puissent se battre à coups de pierres, leur humeur néantmoins est autant différente que s'ils estoient eloignez de cinquante lieues[31]. » Le fait basque est escamoté au profit d'une remarque qui tient du lieu commun spectaculaire et non de l'observation ethnographique.

Le coup littéraire, d'autant plus volontiers lancé qu'il sera plus apprécié du public lecteur, a pour fonction de réactiver, sur le mode de l'observation, le registre rhétorique de l'antinomie des peuples. Dans la conclusion du voyage d'Antoine de Brunel, on retrouve l'utilisation la plus poétique de la frontière, au cœur du dispositif d'un discours sur la différence. Sur les traces de Charles et Roland, le voyageur dauphinois s'installe, dit-il, sur le sommet de Roncevaux où il se livre à une *egregia contemplatio* sur les deux pays qui s'offrent à son regard. Cette vision, plus prophétique qu'oculaire, du haut de la crête, oppose la terre brûlée d'Espagne au « théâtre d'une fertilité presque générale » de la France. Cette discrimination lui permet d'introduire une longue réflexion sur la « contrariété » des humeurs entre les deux pays. La mise en scène est grandiose, car dans un siècle qui peine à penser les frontières naturelles il

30. Antoine de Brunel, *Voyage d'Espagne*, *op. cit.*, p. 7.

31. Muret, *Lettres écrites de Madrid en 1666-1667*, éd. Alfred Morel Fatio, Paris, Picard, 1879, p. 13-14.

faut faire la preuve par les Pyrénées[32]. L'incorporation durable du Roussillon catalan au royaume de France est aussi à ce prix.

Les *topoi* fonctionnent comme des signes élémentaires, bien connus, banalisés et par conséquent devenus immédiats et nécessaires : en composition, ils livrent le discours de l'évidence. Autant aborder la question de la valeur documentaire des récits de voyages à partir d'un cas limite qui est situé au cœur de la production littéraire du Grand Siècle : le voyage en Espagne de la comtesse d'Aulnoy. Il s'agit du plus célèbre récit, avant celui de Théophile Gautier, mais aussi de l'un des plus douteux puisqu'une part de la critique s'est interrogée sur la réalité du déplacement physique de la conteuse[33]. Quoi qu'il en soit, le livre de la comtesse n'a jamais cessé d'être tenu pour l'un des plus complets, des plus riches et des plus vivants récits de pérégrination française en Espagne. Ce récit, on le sait, est l'une des lectures les plus importantes de Victor Hugo dans la genèse de *Ruy Blas*. Il répondit, en son temps, à l'attente d'un public lettré et courtisan, ce qui veut dire qu'il obéit à des règles qui en assurent la meilleure réception : il parcourt sans varier les sentiers les plus battus. Le soupçon qu'il puisse s'agir d'un déplacement imaginaire ne doit pas détourner de ce livre emblématique. L'authenticité et la véracité s'attachent sans doute à la réalité de l'aventure touristique, mais la portée culturelle du texte demeure autonome, ses « effets de réel » également. Les opérations de vérification archivistiques qui sont la marque de l'érudition historique ne pèsent guère, ici, face à la postérité d'un texte qui fut longtemps porteur d'images reçues et partagées en France sur l'Espagne. Le souci de vérité est doublement mis à mal : outre le soupçon sur la réalité du déplacement de l'auteur, les informations rapportées paraissent saturées d'invraisemblances. En dépit de toutes les anecdotes fantaisistes dont les récits de voyages sont

32. Peter Sahlins, *Frontières et identités nationales. La France et l'Espagne dans les Pyrénées depuis le* XVII*e siècle* [1989], Paris, Belin, 1996 ; Daniel Nordman, *Frontières de France. De l'espace au territoire,* XVI*e*-XIX*e siècle*, Paris, Gallimard, 1998, p. 150-192.

33. Madame d'Aulnoy, *Relation du voyage d'Espagne*, éd. Raymond Foulché-Delbosc, Paris, Klincksieck, 1926 ; Jeannine Mazon, « Madame d'Aulnoy n'aurait-elle jamais été en Espagne ? », *Revue de littérature comparée*, vol. VII, 1927, p. 724-736.

pleins – d'où l'exaspération des tenants de la *leyenda negra* à leur égard –, l'Espagne décrite par les voyageurs, réels ou imaginaires, est celle qu'ils ont vue ou celle dont ils pouvaient parler.

Pour aborder d'un point de vue critique la bibliothèque des voyageurs, il faut revenir sur la façon dont ils ont défini eux-mêmes leur activité littéraire. Le titre qu'un Coulon donne à son récit résume ses intentions : « Le fidèle conducteur pour le voyage en Espagne montrant exactement les raretez et choses remarquables qui se trouvent en chaque ville. » Les voyages sont faits pour rapporter des curiosités dont la crédibilité réside dans le fait qu'on les connaissait avant de partir. Les vers d'hommage à l'auteur de l'*Abrégé de l'histoire d'Espagne* dévoilent ce mécanisme :

> Mais ce qui rend icy tous mes sens enchantez,
> C'est de voir qu'en esprit tu cours dedans l'Espagne
> Pour nous en rapporter toutes les raretez[34].

Le paradoxe apparent tient à ce que la bizarrerie porte à condition d'être tenue pour vraie, ce qui ne se produit que lorsqu'elle est déjà attestée. Tout l'art du voyageur consiste à surprendre avec des matériaux déjà éventés. Puisque l'Espagne fascine, les auteurs ne sont pas avares en traits d'esprit et anecdotes pittoresques, en particulier les plus prisés : ceux que l'on connaissait déjà. Comme ces lectures intensives de textes indéfiniment redéchiffrés, le plaisir tient ici de la découverte du déjà-vu, c'est-à-dire la réactivation d'un savoir commun, dans le cadre formel de textes qui se présentent comme autant de bréviaires de la découverte. Leur lecture fonctionne simultanément comme une surprise et des retrouvailles.

Parmi les sauvages du Nouveau Monde, plusieurs des grands auteurs de la Renaissance cherchaient à produire l'unité fondamentale du phénomène humain. En revanche, le voyage au plus près, en chrétienté, offre l'occasion de mettre en valeur les disparités[35].

34. Mr. M., historiographe de France, *Abrégé de l'histoire d'Espagne, de Portugal et de Navarre*, Paris, Charles de Sercy, 1652, poème dédicatoire.

35. Voir à propos du *Journal de Voyage* de Montaigne les remarques de Claude Blum, « Montaigne, écrivain du voyage. Notes sur l'imaginaire du voyage à la Renaissance », *Colloque « Autour du Journal de Montaigne, 1580-1980 »*, Genève, Slatkine, 1982.

L'explicitation de la diversité au sein de la chrétienté fonctionne ainsi comme la remémoration perpétuelle du mythe de Babel[36]. Partant, il peut produire des effets littéraires et susciter des affects au moins aussi bouleversants que la description des peuples sauvages. L'épine dorsale des discours de voyages sur l'Espagne du XVIIe siècle a été, pour une part essentielle, vertébrée par la rhétorique de l'antipathie réciproque. La mission du voyageur consiste donc à vérifier sur place l'hypothèse de l'antinomie, qui n'est qu'une version atténuée de l'hostilité.

Les historiens se sont souvent contentés d'extraire des récits de voyages les passages où l'animosité ou l'ironie les plus féroces à l'égard de l'Espagne venaient confirmer le caractère inexorable de l'inimitié. Quelques exemples de lieux communs permettent de comprendre le type de savoirs que véhiculent de tels textes et de nuancer l'idée qu'il s'agit d'une littérature tout entière tournée vers la dénonciation de l'Espagne. L'un d'eux concerne le bâtiment du pont de Ségovie qui enjambe la rivière Manzanares à Madrid. L'impérieuse construction de pierre, commandée par Philippe II, surplombe un cours d'eau à faible débit. Cette disproportion fut moquée par les poètes espagnols du Siècle d'or eux-mêmes, notamment Luis de Góngora et Francisco de Quevedo[37]. Le motif littéraire s'est tellement répandu, parmi les hommes de lettres, qu'il apparaît dans des types de textes très éloignés des récits de voyages. Ainsi, les moqueries de Góngora sur le pont sont relevées et citées par le jésuite Bouhours. Tout à son projet de psychologie collective des langues, l'auteur mobilise le thème pour illustrer le caractère de la langue espagnole : « Pour moy je n'entends jamais ces mots & expressions de la langue Castillane, que je ne me souvienne du Mançanares. On diroit à entendre ce grand mot que la riviere de Madrid est le plus grand fleuve du monde : & cependant ce n'est qu'un petit ruisseau, qui est le plus souvent à sec ; & qui, si nous en croyons un Poëte castillan, ne merite pas d'avoir un

36. Jon Juaristi, *Vestigios de Babel*, Madrid, Siglo XXI, 1992.

37. *« Enano sois de una puente / que pudierais ser marido »* (Luis de Góngora, romance LXXVIII, in *Poesías completas*, Buenos Aires, Sopena, 1949) ; *« Manzanares, Manzanares, arroyo aprendiz de Río. Llorando está el Manzanares / al instante que lo digo / por los ojos de su puente »* (Francisco de Quevedo, *Obras completas en verso*, Madrid, 1952, p. 341 et 422).

pont[38]. » Dans le très bref article « Madrid » du dictionnaire de Baudrand, on trouve une mention du monument[39]. Pont majestueux pour petite rivière : les voyageurs s'emparent du motif. Du coup, les lignes consacrées au pont de Ségovie deviennent pratiquement obligatoires : il faut avoir remarqué la disproportion et attirer l'attention du lecteur sur ce qu'il convient d'en déduire. La séquence type est : « Quoique la petite rivière de Manzanares soit presque à sec en été, Philippe II ne laissa pas d'y faire bâtir un pont qui coûta plusieurs millions ; ce qui a donné sujet de dire qu'il faudrait vendre le pont pour acheter de l'eau pour la rivière[40]. »

On retrouve partout les trois éléments : 1) coût et dimensions de l'ouvrage ; 2) médiocrité du Manzanares ; 3) bons mots suscités par la différence entre les deux premiers. Madame d'Aulnoy trouve les formules les plus assassines : « Philippe II fit bâtir un Pont au dessus que l'on nomme Pont de Ségovie. Il est superbe, et pour le moins aussi beau que le Pont-Neuf, qui traverse la Seine à Paris. Quand les etrangers le voyent ils éclatent de rire. Ils trouvent ridicule d'avoir fait un tel Pont dans un lieu où il n'y a point d'eau[41]. » La comtesse, qui ne l'a peut-être jamais entendue, passe sous silence la critique autochtone de l'édifice. Elle ramène le cas madrilène à l'exemple parisien pour souligner, par contraste, l'aberration technique du pont de Ségovie. Celui-ci devient le symbole, inscrit dans la ville tout comme les palais, du goût espagnol pour la splendeur – non justifiée, dans ce cas, par le misérable ruisseau. Curieuse charge, venant d'écrivains de cour, coutumiers des arcs triomphaux, éphémères ou pérennes, de la pompe, des médailles de la France louisquatorzienne. Le faste de l'Espagne doit être ramené dans l'ordre de la comédie ou plutôt du décor. C'est le Matamore de *L'Illusion comique*. C'est ainsi qu'on retrouve fréquemment l'antinomie entre le pont de Ségovie (décor dérisoire) et le palais de l'Escurial (décor de la toute-puissance). La conscience du déclin espagnol passe, d'une certaine façon, par

38. Dominique Bouhours, *Entretiens d'Ariste et d'Eugène*, *op. cit.*, p. 41-42.
39. Baudrand, *Dictionnaire géographique universel*, *op. cit.*, p. 638.
40. Claude Jordan de Colombier, *Voyages historiques*, *op. cit.*, t. II, p. 161.
41. Madame d'Aulnoy, *Relation du voyage d'Espagne*, *op. cit.*, p. 379.

la réduction de cette antinomie : lorsque l'Escurial ne sera plus qu'un pont de Ségovie, alors l'Espagne aura cessé de compter.

On retrouve la remarque sur le pont de Ségovie chez Bonecase, chez Gourville et chez Monconys [42]. Elle ouvre presque les Mémoires de l'ambassade à Madrid du marquis de Villars : « Le ruisseau Mançanares, qui passe sous la ville, n'a presque point d'eau tout le long de l'année, cependant qu'on a bâti sur ce ruisseau deux ponts assez grands pour passer le Rhin & le Danube. » François de Tours y fait allusion, Bertaut également ; Martin lui consacre quelques lignes, ainsi que Silhouette [43]. Partout le trait est repris : c'est un des moments attendus de tout récit qui construit un dispositif de crédibilité. Il suscite le commentaire dans le texte ou porte implicitement les éléments pour une remarque du lecteur. Tout le passage tourne autour du thème du penchant immodéré des Castillans pour l'apparat. Cette « curiosité » doit faire sourire. Ce thème littéraire, d'abord espagnol, s'impose aux auteurs de récits de voyages.

Or, deux textes donnent de l'apparent scandale architectural une explication rationnelle. L'abbé de Vayrac explique que le pont permet de pallier l'« enfonceure de la vallée », d'autant plus que la fonte des neiges de la *sierra* peut provoquer, au sortir de l'hiver, des crues formidables. Dans son récit, Antoine de Brunel additionne, une fois encore, des remarques contradictoires. À la page 25 de l'édition de 1666, il précise : « Sur ce ruisseau, plûtost que sur cette rivière, Philippe II, fit bastir un grand & large pont mais qui n'est mouillé d'eau qu'en quelques arcades. Aussi crois-je, qu'il a esté plûtost fait pour passer plus commodément l'enfonceure de cette vallée, que pour servir de grand Pont à un petit ruisseau. » Mais, quelques pages plus loin, il note : « Le Pont ou la Chaussée sur laquelle on passe, est longue & large, & a cousté ie ne sçay combien de cens mille Ducats, & celui-là n'estoit point sot qui dit lors qu'on luy racontoit que Philippe II avoit fait une telle dépense

42. Balthasar de Monconys, *Journal des voyages de M. de Monconys en Espagne*, *op. cit.*, p. 75.

43. François de Tours, *Voyage en Espagne*, Louis Barrau-Dihigo (éd.), *Revue hispanique*, t. XIX, 1909, p. 67 ; François Bertaut, *Le Journal d'un voyage en Espagne*, *op. cit.*, p. 50 ; Étienne de Silhouette, *Voyage de France, d'Espagne, de Portugal et d'Italie*, *op. cit.*, p. 118.

pour une si chétive rivière, qu'il fallait vendre le Pont ou acheter de l'eau[44]. » L'hypothèse avancée à la page 25 s'est évanouie, il n'en reste que le terme de chaussée. Pour le reste, on retrouve les trois éléments attendus du *topos*. Doit-on la discordance des passages à la distraction du compilateur errant, ou bien à la volonté délibérée de pouvoir, malgré tout, « placer » le trait avec le mot d'esprit qui en est l'appendice obligé ?

Martin, après avoir sacrifié au rite de présentation du lieu commun sur le pont de Ségovie, insiste sur le fait que la rivière n'est pas navigable : « [...] cela fait dire aux méchans plaisans, que ce seroit un beau pont, s'il y avoit une rivière. Cependant quelque ingénieur s'est offert de la rendre navigable, ce qui rendrait les denrées à meilleur marché : mais les Espagnols ne sont pas gens à s'inquiéter & ont méprisé ses offres[45]. » Ici, plusieurs discours s'articulent. On évoque le thème de l'incurie et de la paresse espagnoles, en liaison avec les difficultés économiques du royaume. Par là, on élargit la portée du scandale Manzanares : la capitale du « plus grand terrien du monde » n'est irriguée que par un ruisseau ! Tout le registre de l'inquiétante sécheresse castillane – comme un condensé de puissance et une figure de la misère et de l'austérité – est reproduit ici. Grandeur extrême et extrême dénuement : les deux pôles coexistent et organisent l'imaginaire des auteurs de relations.

Une métaphore végétale, celle du cycle biologique de la courge, permet d'exprimer la même idée dans la *Monarchie de France* de Campanella : « De même que les courges et les blés émettent à l'extérieur toute leur substance, leur suc et leur esprit, sans faire de racines, et s'épuisent et vieillissent en se développant, et en s'étendant, de même l'Espagne a répandu hors d'elle-même toute sa puissance et son sang, et elle est restée sans habitants et sans valeur, avec seulement un clergé, des moines, des prêtres, des religieuses et des putains[46]. » Cette image botanique est également présente chez l'historien Turquet de Mayerne, qui l'emprunte sans doute à Brantôme : « Ceste hautesse espagnole, specieuse depuis peu de

44. Antoine de Brunel, *Voyage d'Espagne*, *op. cit.*, p. 25 et 39.
45. Martin, *Voyages faits en divers temps*, *op. cit.*, p. 3.
46. Tommaso Campanella, *Monarchie d'Espagne*, *op. cit.*, p. 463.

jours, est possible trop molle pour se soutenir d'elle mesme, ce que le temps decouvrira. Cette presomption arrogante ressemble à cele de la courge, creuë en peu de nuicts, qui s'estoit eslevee par dessus le Pin, lequel avoit passé tant de mauvais hyvers, & qui la vit secher au premier vent, iceluy demeurant encore ferme et robuste[47]. » Le registre mobilisé ici prête à sourire. On remarque cependant qu'il permet de rendre compte aussi bien de la majesté et de l'apparente puissance hispanique que des faiblesses révélées par les premiers grands échecs militaires et les crises démographiques du XVIIe siècle. Comme le signalent la plupart des rédacteurs de récits de voyages, souvent avec ravissement, il y a quelque chose de fascinant dans le spectacle de la grandeur placée au bord du gouffre.

Cet aspect singulier de la folie espagnole suscite, sous le ridicule, quelque chose comme de l'admiration pour l'irréalisme quichottesque. Les *rodomontades* de Brantôme sont traversées, de part en part, de cette ambivalence. Et l'on trouve chez La Fontaine, dans la fable *Le Rat et l'Éléphant*, une méditation sur l'hommage que mérite la déraison hispanique :

> Se croire un personnage est fort commun en France :
> On y fait l'homme d'importance,
> Et l'on n'est souvent qu'un bourgeois.
> C'est proprement le mal françois :
> La sotte vanité nous est particulière.
> Les Espagnols sont vains, mais d'une autre manière :
> Leur orgueil me semble, en un mot,
> Beaucoup plus fou, mais pas si sot[48].

Cette opinion importe assez au poète pour qu'il l'exprime dans une autre fable, dont la morale rappelle l'histoire du comte de Villamediana qui aurait provoqué l'incendie de son palais pour y trouver le prétexte d'emporter la reine d'Espagne dans ses bras :

47. Louis Turquet de Mayerne, *Histoire générale de l'Espagne*, Paris, 1635, p. 1365.

48. Jean de La Fontaine, *Fables*, VIII-15, in *Œuvres complètes*, Paris, Éd. du Seuil, coll. « L'Intégrale », 1965, p. 133.

J'aime assez cet emportement ;
Le conte m'en a plu toujours infiniment :
Il est bien d'un âme espagnole,
Et plus grande encore que folle[49].

Sur un registre assez proche, Jean-Pierre Camus, au milieu des années 1640, avait raconté l'histoire d'un seigneur grenadin qui, s'étant rendu à la cour de Madrid pour suivre un procès, décida de se déplacer à l'Escurial pour visiter le palais. Après avoir pénétré la première cour, dite des rois, le seigneur andalou rebrousse chemin, renonçant à pénétrer dans le bâtiment et à en connaître les merveilles architecturales et picturales, la bibliothèque sans pareille. Sa suite s'étonne de cette attitude, et le noble espagnol avoue qu'il craint de mourir s'il contemple ce paradis terrestre, et qu'il préfère croire aux trésors qu'il contient que de les voir. Le commentaire de Camus joue sur l'idée d'une folie qu'expliquent, si elles ne la justifient, les merveilles de l'Espagne : « À qui cognoistra l'humeur Espagnole, & l'extreme estime qu'ils font de leurs coquilles, ne trouvera rien d'impossible en l'extravagance de cette action. Pour moy mon ame ne trouve rien de difficile à croire de ce qui regarde la plaisante vanité de cette nation, qui est encore plus grande qu'on ne sçauroit dire. Apres tout, j'arrondis mon cercle & reviens à mon premier poinct, qui est, que selon mon jugement, l'Escurial est le plus beau Couvent de la terre[50]. » Comme son contemporain Baltasar Gracián, Camus manie l'art de la pointe qui, par un dernier retour – il s'agit des dernières lignes d'un chapitre –, explique la vanité hispanique par la supériorité.

Un *topos* tiré de la culture populaire et savante espagnole permet d'évoquer tel ou tel « caractère » de « l'Espagnol ». Plusieurs auteurs reprennent le thème du savetier et de ses défauts, qui connaissait une fortune certaine en Espagne. Comme souvent, madame d'Aulnoy recueille les meilleurs ragots et les grossit à souhait : « Enfin il est venu un Cordonnier, que j'ai connu tel, parce qu'elle l'a nommé Señor Zapatero. Il lui a demandé une livre de saumon. Vous n'hésitez point sur le marché, lui a-t-elle dit, parce

49. Jean de La Fontaine, *Fables*, IX-15, *ibid.*, p. 145.
50. Jean-Pierre Camus, *Divertissement historique*, *op. cit.*, p. 65.

que vous croyez qu'il est à bon prix, [...] le Cordonnier indigné du doute où elle estoit, lui a dit d'un ton colère : S'il avoit été bon marché, il ne m'en auroit fallu qu'une livre ; puisqu'il est cher j'en veux trois. [...] La beauté de la chose c'est que peut-estre cet homme si glorieux n'a rien au monde que ces trois écus-là. [...] Si c'est un Cordonnier et qu'il ait deux apprentis, il les mène tous deux avec lui, et donne à chacun un soulier à porter ; s'il en a trois il les mène tous trois, et ce n'est qu'avec peine qu'il se rabaisse à vous essayer la besogne, quand elle est livrée[51]. »

Le modèle est défini ; il convient d'ajouter que le savetier – métonymie des arts mécaniques – porte la rapière au côté et se fait donner du *Señor* : « Un cordonnier quand il aura quitté sa forme & son halesne & qu'il aura mis son épée à son costé à peine ostera le 1er son chapeau [...] », rapporte Brunel[52]. Ce motif, emprunté à la tradition castillane[53], se trouve au carrefour de deux registres : la fierté espagnole et le mépris du travail comme sa manifestation. L'abbé François de Tours signale que les artisans espagnols ne songent jamais à épargner le fruit de leur labeur : « Quand un savetier n'a point d'argent, il prend son Saint Crépin, c'est-à-dire ses outils, et va criant, demandant à travailler au savetier ; mais a-t-il gagné trente ou quarante sols, il reporte son Saint Crépin chez lui, prend son épée, car tout le monde en porte, et son manteau, et va se promener jusques à ce que son argent soit mangé[54]. » La prétention bouffonne du cordonnier à faire le gentilhomme ne peut que susciter la moquerie des lecteurs compatriotes de Molière. C'est un bon moyen pour disqualifier, par contrecoup, la caste des *hidalgos* : « En effet vous ne voyez pas le moindre gueux qui ne porte l'épée ; ils se figurent que c'est estre noble espagnol que d'estre espagnol, pourveu qu'on ne soit pas né d'un more ni d'un juif ni d'un hérétique[55]. » À l'échelle européenne, ces nobliaux guindés mais « basanez », fiers et affaiblis, austères mais misérables, *hidalgos* fascinants et risibles, ne seraient-ils pas tous des boutiquiers portant

51. Madame d'Aulnoy, *Relation du voyage d'Espagne*, *op. cit.*, p. 471-473.

52. Antoine de Brunel, *Voyage d'Espagne*, *op. cit.*, p. 31.

53. Alzieu, Lissorgues, Jammes, *Poesía erótica del Siglo de oro*, France-Ibérie recherche, Université de Toulouse-Le Mirail, 1975, p. 131 *sq.*

54. François de Tours, *Voyage en Espagne*, *op. cit.*, p. 12.

55. Muret, *Lettres écrites de Madrid en 1666-1667*, *op. cit.*, p. 29.

épée ? Le savetier deviendrait alors métonymique de toute la nation espagnole : « [...] & généralement tous les hommes d'Espagne, qui passent vingt ans, soit savetiers, soit cabaretiers, quoy qu'ils fassent ne quittent jamais leurs épées, & leurs poignards que en se couchant[56]. » Le port d'armes généralisé ne permet plus de distinguer la noblesse et ouvre la voie au soupçon sur la vénalité de l'*hidalguía* : « Et si la plupart du temps ilz sont dédaigneusement assis pres de leur boutique dès les deux ou trois heures de l'apres dinée, pour se promener avec l'espee au costé, que s'ilz arrivent d'avoir amassé deux ou trois cents reales les voilà nobles[57]. » Si les auteurs français jouent sur la douteuse noblesse des *hidalgos*, ils mobilisent des questions de qualifications sociales que connaît bien la société française du temps, mais ils y ajoutent un élément proprement espagnol. Car au sud des Pyrénées, l'enjeu de l'appartenance à la noblesse concerne en priorité la question de la pureté de sang, ce qu'aucun de nos auteurs n'ignore. Du coup, c'est le passé douteux d'une Espagne more et juive qui se trouve réactivé dans les considérations sur le statut *hidalgo*.

Plusieurs prétextes sont bons pour rappeler les origines mores des Espagnols : la tauromachie, par exemple. Tous les auteurs qui décrivent – le plus souvent avec dégoût – la course de taureaux lui attribuent une origine more. Jacques Carel de Sainte Garde consacre la moitié de ses *Mémoires curieux envoyés de Madrid* aux combats de taureaux[58]. Bonecase y voyait une passion impie[59], et Carel une activité barbare : « Mais au fonds, je croy qu'il n'en faut attribuer l'origine qu'aux vrais Barbares : et après tout, si le Génie des Espagnols tient un peu de la barbarie, ou s'ils ont beaucoup d'amour pour ce divertissement, cette inclination ny celle qu'ils ont à pratiquer les autres façons de faire des Mores, ne procède assurément que de l'habitude qu'ils en ont contracté avec eux pen-

56. François Bertaut, *Le Journal d'un voyage en Espagne*, *op. cit.*, p. 173.

57. Barthélemy Joly, *Voyage faict par M. Barthelemy Joly, conseiller et aumosnier du Roy en Espagne*, éd. Louis Barrau Dihigo, *Revue hispanique*, vol. XX, 1913, p. 162.

58. Jacques Carel de Sainte Garde, *Mémoires curieux envoyés de Madrid*, Paris, Léonard, 1670.

59. Robert Alcide de Bonecase, *Relation de Madrid ou Remarques sur les mœurs de ses habitants*, Cologne, 1665, p. 30.

dant près de neuf cens ans qu'ils ont vescu ensemble[60]. » Le mécanisme par lequel on fait honte à l'Espagne de son goût pour la *corrida* est limpide : il permet d'assigner la différence hispanique à la période (barbare et infidèle) au cours de laquelle le monde hispanique cessa d'appartenir à la chrétienté. Le motif fait mouche, si l'on en juge par le succès qu'il rencontre sous les plumes d'Antoine de Brunel, de Claude Jordan, de Balthasar de Monconys ou de la marquise de Villars[61].

Le détour par la course de taureaux a valeur d'indice. Mais c'est au travers du portrait physique et, par conséquent, humoral de l'Espagnol que les voyageurs et auteurs de descriptions pensent caractériser la distance qui les sépare de ce qu'ils observent. En fait, d'observation, il n'est guère question, car la recherche du caractère espagnol exclut la pluralité au sein de l'ensemble « les Espagnols ». Nos auteurs offrent le portrait de « l'Espagnol », figure peut-être complexe, mais unique. La diversité régionale n'embarrasse guère nos voyageurs. Dans cette mesure, nous n'avons aucune raison de rechercher dans le portrait de l'« homme espagnol » les marques d'authenticité, ou des traits d'observation « justes ». En revanche, on peut présenter cet artefact, sachant que l'observation paléo-ethnographique n'y a aucune part.

La mine des Espagnols est le miroir de leur âme : « Joignez à cela que les Espagnols sont presque tous basanez, les cheveux courts & noirs & la moustache en forme de croissant, aiant la marche aussi grave qu'une autruche[62]. » Courtaud et noiraud : l'essentiel est dit. Joignez à cela que dans l'imaginaire occidental le croissant évoque immédiatement l'islam ottoman, et l'intention polémique devient transparente. Barthélemy Joly, au début du siècle, avait mis l'accent sur les mêmes caractères : « Les Espa-

60. Jacques Carel de Sainte Garde, *Mémoires curieux envoyés de Madrid*, *op. cit.*, p. 46-47.

61. Antoine de Brunel, *Voyage d'Espagne*, *op. cit.*, p. 157 ; Claude Jordan de Colombier, *Voyages historiques*, *op. cit.*, t. II, p. 138 ; Balthasar de Monconys, *Journal des voyages de M. de Monconys en Espagne*, *op. cit.*, p. 82 ; Marquise de Villars, *Lettres de madame la marquise de Villars, ambassadrice en Espagne*, Amsterdam, 1759, p. 79.

62. Jacques Carel de Sainte Garde, *Mémoires curieux envoyés de Madrid*, *op. cit.*, p. 60.

gnolz sont naturellement petits de stature, d'une charnure brune et aspre de seicheresse, noirs de poil et la barbe fort courte [...][63]. » Jouvin, enfin, abonde dans le même sens : « [...] ils sont petits de corps, ils ont la plupart les cheveux noirs et le visage basané & une barbe retroussée qui menace le ciel & des cheveux courts [...][64]. » La pilosité espagnole paraît si singulière qu'il est recommandé au voyageur de se « faire faire le Poil à la Castillane dans Vitoria, afin de ne point paroistre Estranger aux Petits Enfans[65] ». Les portraits sont presque tous concordants. Chez madame d'Aulnoy, on en trouvera une version très littéraire et cocasse[66] ; les dictionnaires livrent une image plus synthétique et systématique. Il convient toutefois de signaler une exception à cet ensemble harmonieux. Le texte de Martin est très clairement dissonant : « Ils sont assez bien faits de leur personne, hauts & droits & moins contrefaits qu'ailleurs [...][67]. » Martin, apothicaire du Grand Condé, médecin d'Hérault de Gourville, a vécu à la cour de Madrid et a laissé une relation assez semblable aux autres. Il arrive, pourtant, qu'il s'en écarte sur tel ou tel point, par exemple sur le pont de Ségovie. Son texte, un manuscrit édité anonymement, trente ans après sa rédaction, en 1699, à Cologne, peut servir d'intéressant contrepoint à un corpus figé dans un certain conformisme. Noirauds et courtauds : les Espagnols sont ainsi renvoyés à l'image d'un mélange more et nègre. Le duc de Saint-Simon, pourtant grand admirateur du système politique de la monarchie castillane, pose la question avec vigueur : « Convenons de bonne foi qu'à cet égard l'Espagne se sent encore d'avoir été pendant plusieurs siècles sous la domination de Maures et du commerce de mélange qu'elle eut depuis avec eux presque jusqu'au règne des Rois Catholiques [...][68]. » La noblesse

63. Barthélemy Joly, *Voyage faict par M. Barthelemy Joly*, *op. cit.*, p. 152.

64. Albert Jouvin de Rochefort, *Le Voyageur de l'Europe*, Paris, D. Thierry, 1672, t. II, p. 76.

65. Du Val, *Description de l'alphabet d'Espagne et de Portugal avec quelques voyages dans les mesmes pays*, Paris, Charles de Sercy, 1659, p. 222.

66. Madame d'Aulnoy, *Relation du voyage d'Espagne*, *op. cit.*, lettres 8, 9, 10, 11.

67. Martin, *Voyages faits en divers temps*, *op. cit.*, p. 72.

68. Saint-Simon, *Mémoires*, année 1701, Paris, Gallimard, coll. « Bibliothèque de la Pléiade », 1953, p. 980.

espagnole, quelque sympathie qu'il éprouve pour elle, ne saurait l'emporter sur la française, sous le rapport de la race. L'Afrique commence un peu avec les Pyrénées, au XVIIe siècle.

« L'Espagnol » a le sang chaud. Cette remarque fondamentale commande le reste du portrait. Le flux et l'économie des humeurs dictent les passions de l'âme. La chaleur est l'explication des vices et des vertus castillans. L'ardeur humorale est aussi le centre de tous les fantasmes érotiques des rédacteurs. La vitalité sexuelle des Madrilènes semble en avoir offusqué plus d'un. Les Espagnols leur semblèrent « lubriques jusqu'à la fureur[69] ». Pour Antoine de Brunel et madame d'Aulnoy, les Espagnoles sont des duègnes racornies ou des femmes de mauvaise vie. Robert Alcide de Bonecase, toujours prêt à forcer le trait, ajoute : « Les vieilles tiennent à faveur d'estre appelées putas. [...] En somme les bordels ne sont pas des lieux publics, chacun le trouve chez soy, n'y eust-il que la mère ou sa fille[70]. » Étienne de Silhouette voit dans les appétits effrénés des Espagnols la cause de la dépression démographique dont souffre le pays : « Les Espagnols sont d'un tempérament extraordinairement chaud, en sorte qu'ils s'épuisent tellement avec leurs maîtresses, que la plupart se rendent incapables de remplir les devoirs du mariage, ou ils contractent beaucoup de maux si funestes que la plupart des enfans portent les tristes marques des désordres de leur père[71]. » Les enfants seront contrefaits et imiteront leurs furieux pères. Le modèle de difformité et de stérilité offert par le premier des Espagnols, le roi Charles II, fils d'un monarque notoirement dissipé, a de quoi alimenter le fantasme. L'insistance marquée par les rédacteurs pour décrire la sexualité espagnole n'est pas innocente. Elle concourt à tout un faisceau de remarques sur la contradiction entre la sévérité catholique officielle et le comportement réel des Espagnols.

La corporéité hispanique est également saisie à travers le costume – masculin essentiellement[72] – qui est abondamment décrit

69. François Bertaut, *Le Journal d'un voyage en Espagne*, *op. cit.*, p. 47.

70. Robert Alcide de Bonecase, *Relation de Madrid*, *op. cit.*, p. 15.

71. Étienne de Silhouette, *Voyage de France, d'Espagne, de Portugal et d'Italie*, *op. cit.*, p. 73.

72. Madame d'Aulnoy fait exception en évoquant les gardes-infants. Le costume des paysannes est décrit par Mathieu de Montreuil, *Lettre de Monsieur*

par plusieurs voyageurs. Plus encore que dans la figure du corps hispanique, on voit, à l'occasion des remarques sur le vêtement, se dessiner le profil de l'Espagnol. Bonecase, en verve, précise que, si les Espagnoles bourrent leurs habits de coton, c'est pour « servir de refuge aux *piojos* » (poux)[73]. Dans la même veine, Jordan remarque : « Toutes les Nations de l'Europe trouvent l'habillement Espagnol si grotesque qu'ils s'en servent pour représenter des farces sur les théâtres[74]. » Le costume, pour Jordan, est un autre moyen d'affirmer la différence espagnole. La remarque vient après l'énonciation de toute une série de *topoi* sur l'immensité de l'Empire, sur la paresse, sur le savetier et son épée au côté. Mais on attend en vain une description du costume espagnol du cru de l'auteur lui-même. L'information fournie par la phrase citée ci-dessus suffit amplement. Elle confirme ce que le lecteur pensait de ce costume, l'auteur et son public sont en parfaite connivence : le lecteur voit très bien de quel accoutrement il s'agit, lui qui a sans doute dans l'œil l'image du Matamore de théâtre. Le déguisement castillan est connu : c'est l'habit de gros drap noir et la fraise démodée. La description très précise que fait Joly en 1602 semblerait avoir servi de modèle à toutes les autres, jusqu'à celles de madame d'Aulnoy, à la fin du siècle.

Il est assez vraisemblable que les *hidalgos* les plus désargentés n'aient pas été en mesure de suivre les modes de cour, comme dans n'importe quel autre royaume d'Europe au XVIIe siècle. Mais il est évident (d'après l'iconographie picturale de la cour) que la mode vestimentaire française pénétra longtemps avant l'installation du Bourbon sur le trône – ne serait-ce qu'à l'occasion du mariage de Charles II avec Marie-Louise d'Orléans[75]. La fraise fait donc jaser en France, elle qui disparaît de la mode de cour vers 1620-1630[76].

---

l'abbé de M. contenant le voyage à la cour vers la frontière d'Espagne, Cologne, 1664, p. 106, et dans Muret, *Lettres écrites de Madrid en 1666-1667*, *op. cit.*, p. 13.

73. Robert Alcide de Bonecase, *Relation de Madrid*, *op. cit.*, p. 22.

74. Claude Jordan de Colombier, *Voyages historiques*, *op. cit.*, t. II, p. 58.

75. Yves Bottineau, « Aspects de la cour d'Espagne au XVIIe siècle », *Bulletin hispanique*, vol. LXXIV, 1972, p. 138-157.

76. François Boucher, *Histoire du costume*, Paris, Flammarion, 1965, p. 278-279.

Elle devient l'emblème de l'archaïsme et du goût pour l'apparat. Plusieurs rédacteurs reprennent un *topos* : l'Espagnol tient à sa fraise plus qu'à tout le reste de son habillement, s'il est démuni, il préférera vendre sa chemise que son accessoire cervical[77]. L'apparente gravité *castiza* révèle ainsi sa réelle futilité. Madame d'Aulnoy introduit une variante du même thème : « Les personnes de qualité ont cependant de fort beau linge, mais toutes les autres n'en ont presque point ; il est cher et rare ; avec cela les Espagnols ont la sotte gloire de le vouloir fin, et tel qui pourroit avoir six Chemises un peu grosses, aime mieux n'en acheter qu'une fort belle, et rester au lit pendant qu'on la blanchit, ou s'habiller quelquefois à crû, ce qui arrive assez souvent[78]. » Mais entre tous les auteurs qui moquent « l'Espagnol » sur sa fraise, un seul semble savoir de quoi il s'agit. Martin, en effet, explique : « Au lieu de rabat ils estiment une espèce de rotonde faite de carton, sur lequel est tirée une toile empesée et façonnée de plusieurs pinces, qu'ils appellent, la Golille [...][79]. » La *golilla* fut inventée en 1623 par un tailleur madrilène. Elle présente l'avantage de ne pas s'affaisser comme la fraise de dentelle et surtout de coûter infiniment moins cher. Dans un train de mesures antisomptuaires, le roi interdit le port de l'antique fraise et rendit obligatoire celui de la *golilla*. Martin est donc le seul à ne pas confondre les deux ornements. Dans la mesure où la *golilla* est un accessoire peu onéreux, le *topos* sur la chemise sacrifiée perd de son piquant – et peut-être de sa vraisemblance. Mais l'énergie de Philippe IV à imposer cette nouvelle économie somptuaire reçoit l'assentiment d'un historien tardif : « Les Espagnols mettoient une partie de leur gravité dans les collets à fraise qui les rendoient plus venerables. Cependant le Roi voulut en abolir la coûtume ; & passant d'une extremité à l'autre, leur donna un petit collet fort étroit, ce qui épargne à la Nation pour plusieurs millions de toile chaque année[80]. »

77. François de La Mothe Le Vayer, *Discours sur la contrariété des humeurs*, *op. cit.*, p. 51.

78. Madame d'Aulnoy, *Relation du voyage d'Espagne*, *op. cit.*, p. 335.

79. Martin, *Voyages faits en divers temps*, *op. cit.*, p. 75.

80. Morvan de Bellegarde, *Histoire generale de l'Espagne, depuis le commencement de la monarchie jusqu'à présent, tirée de Mariana & des Auteurs les plus célèbres*, Paris, Théodore Le Gras, 1723, t. VIII, p. 90.

La sévérité du costume espagnol renvoie, en positif, à l'image de la sobriété hispanique : « En effet, les espagnols ressembloient plustôt avec leurs longs manteaux et leurs courts cheveux à des gens de robe ou d'Église qu'à des cavaliers[81]. » En articulant la rigueur ascétique et la vaine gloire, les auteurs mettent le doigt sur une contradiction de l'esthétique et de l'économie du vêtement dans l'Espagne moderne. La galerie des portraits de Philippe IV par Velázquez fait alterner les costumes d'apparat, dont on sait qu'ils coûtaient des sommes considérables, et le noir habit de velours noir, par lequel le souverain donnait l'exemple. Les voyageurs cèdent cependant à l'inclination générale et nous présentent plutôt un personnage de comédie : « Ils passent une partie du jour à se promener dans les places, habillez le mieux qu'ils peuvent, tandis qu'ils meurent de faim à la maison[82]. » L'alternance des costumes illustre celle des humeurs et des statuts, entre splendeur et austérité : « Ils aiment naturellement la dépense qui éclate, & qui leur fait honneur ; du reste ils sont sobres et réservez, menant une vie très-frugale[83]. »

Le costume permet ainsi de faire la preuve de la légendaire gravité, trait qui est attribué aux Espagnols depuis le début du XVIe siècle, au moins, comme en témoigne l'œuvre de Castiglione[84]. Parmi les principaux accessoires, on compte les lunettes, elles aussi largement utilisées dans les farces. Bertaut remarque que les Madrilènes les portent en toute circonstance[85] ; Muret ironise sur ce « caractère extérieur des sçavans[86] ». Madame d'Aulnoy est plus diserte : « Je demeuray surprise de voir plusieurs Dames fort jeunes avec une grande paire de lunettes sur le nez, attachée aux oreilles ;

81. Pierre Duval, *Le Parallèle de la France et de l'Espagne*, Paris, 1660, p. 52.
82. Albert Jouvin de Rochefort, *Le Voyageur de l'Europe*, *op. cit.*, p. 77.
83. Morvan de Bellegarde, *Histoire generale de l'Espagne*, *op. cit.*, t. VIII, p. 362.
84. José Guidi, « *Vivacità* française et *gravità* espagnole : la casuistique du comportement, et son évolution, dans le *Livre du courtisan* », *in* Emmanuelle Baumgartner, Adelin Fiorato et Augustin Redondo (éd.), *Problèmes interculturels en Europe, XVe-XVIIe siècle*, Paris, Presses de la Sorbonne Nouvelle, 1998, p. 105-114.
85. François Bertaut, *Le Journal d'un voyage en Espagne*, *op. cit.*, p. 293.
86. Muret, *Lettres écrites de Madrid en 1666-1667*, *op. cit.*, p. 31.

et ce qui m'étonnoit encore davantage, c'est qu'elles ne faisoient rien où les lunettes leur fussent utiles ; elles causoient et ne les ôtoient point ; l'inquiétude m'en prit, et j'en demanday la raison à la marquise de la Rosa [...] et elle me dit que c'étoit pour la gravité, et qu'on ne les mettoient point par besoin, mais seulement pour s'attirer du respect[87]. » Ce ridicule s'inscrit dans le registre de la gravité affectée. Barthélemy Joly en avait même fait un trait central du caractère espagnol, lié de surcroît à la sécheresse des humeurs : « [...] la chaleur et seicheresse de leur complexion, qui cause leur noir extérieur, [...] la seicheresse grande des Espagnols [...] leur apporte tant d'incommodités comme la mauvaise vue, l'humeur cristallîn de la prunelle estant consumé et offusqué par cette adustion du cerueau, de sorte qu'on ne voit autre chose par les rues que des gens embéziclés de lunettes éternelles [...][88]. » On ne peut éviter de voir dans certains de ces textes les sources de la fameuse soixante-dix-huitième lettre persane de Montesquieu : « La gravité est le caractère brillant des deux nations [espagnole et portugaise] ; elle se manifeste principalement de deux manières : par les lunettes et par la moustache[89]. »

Il convient de faire mention de la démarche très cérémonieuse de « l'Espagnol ». Plusieurs voyageurs l'ont notée. Bonecase, dans sa charge, explique : « Il est malaisé de dire s'il avance ou s'il recule[90]. » Joly évoquait une démarche d'autruche. Tous ceux qui ont décrit la promenade des Madrilènes dans les allées du *Retiro* commentent la lenteur du pas castillan. Ces différents traits concourent à dessiner le « flegme & la patience naturelle des Espagnols[91] ». On voit grâce au portrait physique, et par la description de leurs humeurs, se dessiner les mœurs des Espagnols. De fait, humeurs et mœurs sont indissociablement liées. Le corps et l'apparence sont le miroir du « caractère », qui reste au cœur de la ques-

87. Madame d'Aulnoy, *Relation du voyage d'Espagne*, *op. cit.*, p. 345.

88. Barthélemy Joly, *Voyage faict par M. Barthelemy Joly*, *op. cit.*, p. 155.

89. Montesquieu, *Lettres persanes*, Paris, Garnier-Flammarion, 1964, lettre LXXVIII, p. 133.

90. Robert Alcide de Bonecase, *Relation de Madrid*, *op. cit.*, p. 10.

91. Barthélemy Joly, *Remarques pour servir de reponce à deux ecrits imprimez à Bruxelles contre les Droits de la Reine sur le Brabant*, Paris, Sébastien Mabre-Cramoisy, 1667, p. 2.

tion politique, dans la mesure où il donne la clef du « caractère » de l'Espagne. L'élément dominant de ces portraits demeure l'image de la sécheresse physique des corps et des âmes. Comment peut-on l'interpréter ?

Le voyage politique

Pour comprendre ce système de représentations, il faut insister sur le fait que nous avons affaire à des textes politiques. Les rédacteurs, pour ceux qui se sont déplacés, ont été voir l'animal dans sa tanière : « Il falloit aller brusler la moustache de l'Espagnol chez luy, selon le dire de Drakce Cacus ne pouvant être mieux défait que dans son antre[92]. » Ainsi, le récit de voyage est une machine de guerre. Le texte de Coulon est, de ce point de vue, le plus clair : « Mon cher lecteur, quoy que tu sois François de Nation, n'abhorre pas le voyage d'Espagne. Si ce pays est ennemy de la France, il en est voisin, si tu crains la discourtoisie de ses peuples, ils apprendront de toi ce que c'est que d'être humain, deux contraires opposez l'un à l'autre esclattent davantage ; il est quelque-fois bien nécessaire de cognoistre le génie, les mœurs, les adresses & les desseins de son adversaire, cela ne peut être inutile et peut beaucoup servir [...][93]. » Le texte de Coulon a été rédigé en 1654, alors que la guerre franco-espagnole n'est pas achevée. L'Espagne, en tant qu'ennemie, fascine les Français : malgré ses revers militaires, l'Espagne s'est trouvée ou se trouve partout, en Flandres, en Franche-Comté, en Roussillon, et, lorsqu'elle aura cédé sur ces terrains-là, il lui restera toujours les Indes, l'alliance autrichienne, l'Italie... Un récit de voyage, c'est le portrait du cœur de la Grande Puissance. Pour les auteurs qui ont entendu parler des redoutables *tercios*, la visite de l'Escurial, d'où tout partait, est un moment d'intense émotion. Le lieu physique de la toute-puissance a quelque chose de sacré, dans l'ordre politique. C'est le salon ovale de la

92. François de La Mothe Le Vayer, *Discours sur la contrariété des humeurs*, *op. cit.*, p. 44.

93. Louis Coulon, *Le Fidèle Conducteur pour le voyage en Espagne*, *op. cit.*, p. I, II.

Maison-Blanche ou le bureau du secrétaire général du PCUS. Regarder l'ennemi, c'est déjà l'avoir dompté : « Tous vos pas seront autant de conquestes [94]. »

Certains auteurs précisent qu'ils se sont intéressés aux mœurs des « habitans » pour mieux évaluer la puissance hispanique. Muret, attaché à l'ambassade de Georges d'Aubusson, précise : « [...] car ce qui dans ces lettres que nous présentons nous a paru digne d'intérêt, ce n'est pas le côté personnel qu'on y trouve marqué de temps à autres, mais l'observation intelligente et la description exacte des faits historiques et des traits de mœurs [...] [95]. » Or, les traits de mœurs dont parle Muret, c'est le portrait physiologique et psychologique de « l'Espagnol ». Jordan abonde dans le même sens : « Je me suis beaucoup plus étendu sur le gouvernement, sur les mœurs & sur les coûtumes d'Espagne, que je n'ai fait sur celles de France, parce qu'étant particulières à cette Nation, elles sont moins connuës chez ses voisins ; au lieu que les manières Françoises ne sont presqu'ignorées de personne & qu'on trouve peu de Cours en Europe, où elles ne soient à la mode [96]. » Le temps de la gloire louisquatorzienne est venu et se contemple au miroir du recul hispanique. On retrouve ici les éléments de la rhétorique de l'altérité : l'Espagne serait retranchée de toutes les autres nations, au fond de son cul-de-sac péninsulaire. Le passage indique ce que l'auteur entend par « mœurs » : il s'agit des mœurs courtisanes.

La cour et tout ce qui s'y rattache demeure le motif le plus présent dans les récits de voyages. Il est fréquent que la cité capitale de la Castille soit, en effet, le but du déplacement des voyageurs ; en outre, l'attraction symbolique qu'elle exerce informe le récit au-delà des descriptions qui lui sont consacrées. C'est ainsi que Vincent Voiture, client de Gaston d'Orléans, accompagne ses lettres d'Espagne d'un éloge du comte-duc d'Olivares [97]. Antoine de Brunel, quant à lui, propose un double parallèle : le duc de Luynes et Olivares, le cardinal de Richelieu et don Luis Haro,

94. Charles César Baudelot de Dairval, *De l'utilité des voyages*, *op. cit.*, p. 67.
95. Muret, *Lettres écrites de Madrid en 1666-1667*, *op. cit.*, préface.
96. Claude Jordan de Colombier, *Voyages historiques*, *op. cit.*, préface.
97. Vincent de Voiture, *Nouvelles œuvres de Monsieur de Voiture*, Paris, Augustin Courbé, 1658, p. 166-173.

successeur d'Olivares. Il peut ainsi louer Haro, artisan de la paix, par opposition à Olivares, foudre de guerre, favori déchu, comme Luynes[98].

Une véritable division de fonctions entre les différents types de relations se fait jour. Les voyages italien, suisse, français ou espagnol n'ont pas le même objet. L'Italie est la terre du Saint-Siège et des Arts ; l'Espagne, à la tête de l'empire le plus considérable de l'univers, au cœur d'une monarchie tentaculaire, est saisie dans un halo légendaire. Jouvin pose ainsi la question : « On voit dans l'Italie Rome, on y voit la cour du souverain Pontife ; on y voit de belles Églises, de grands Palais, de beaux jardins, ornez de toutes sortes de pièces de sculpture, de fontaines, de belles peintures & d'antiquitez. Cela est beau, il est vray, on n'y voit point Madrid, qu'on peut appeler la Capitale de toute la terre à meilleur titre que la Rome payenne, puisque c'est dans cette fameuse ville qu'on voit les raretez des Indes que les Romains n'ont jamais vues sous les Césars. [...] Et comme c'est à Madrid que les Rois d'Espagne tiennent leur Cour & leur Conseil, qu'on peut appeler le centre de l'Univers. [...] n'y a-t-il pas assez de quoi apprendre dans les mœurs et façon de vivre des Espagnols[99] ? » Ce passage, tiré d'un texte largement postérieur à la paix des Pyrénées (1672), indique à quel point le prestige impérial de la monarchie hispanique demeure vivant, en plein « siècle de Louis XIV ». Tous les voyageurs privilégient les descriptions d'édifices laïcs, liés au pouvoir monarchique (palais royaux et princiers, alcazars, prisons, remparts) au détriment de l'architecture religieuse. Aucun n'évoque la peinture du Greco ou de Velázquez, alors que plusieurs d'entre eux ont été reçus dans les palais royaux. L'abbé de Montreuil est le seul à avoir remarqué des tableaux, mais ils sont italiens : « Comme je m'estonnay de ce qu'il y avoit de si bons peintres en Espagne, il me dit que tout cela étoit de deux Italiens, le Carrache & Paul Véronèse[100]. » Le genre du voyage espagnol se définit également en creux : l'art pictural n'y a guère de place.

98. Antoine de Brunel, *Voyage d'Espagne*, *op. cit.*, p. 188.
99. Albert Jouvin de Rochefort, *Le Voyageur de l'Europe*, *op. cit.*, p. 77.
100. Mathieu de Montreuil, *Lettre de Monsieur l'abbé de M.*, *op. cit.*, p. 124.

Plusieurs auteurs montrent une connaissance approfondie des institutions : leur discours sur l'Inquisition espagnole paraît, en général, précis, informé et pertinent. Bertaut note : « Elle [l'Inquisition] ne s'étend pas seulement sur ceux qui en la religion choquent les sentiments de l'Église mais c'est une rude médecine pour ceux de qui le tempérament ne plaît pas à l'État[101]. » On trouve chez Barthélemy Joly, Antoine de Brunel, madame d'Aulnoy et d'autres de copieux développements sur le tribunal de la foi. La question religieuse fait l'objet des soins les plus attentifs des auteurs. Trois aspects sont abordés : la liturgie, le rapport entre moralité prêchée et éthique pratiquée, et enfin le rapport entre religion et politique. Sur le premier point, on trouve relativement peu de descriptions des processions – Brunel en fait l'occasion de rendez-vous galants ; quelques auteurs nous parlent des flagellants[102]. François de Tours, ecclésiastique de son état, raconte la messe du vendredi saint en ces termes : « Vint-il à parler du soufflet que le soldat lui donna, tous les assistants se mirent à se souffleter les joues, quelques-uns même frappoient assez fort, car je les voyois. Parla-t-il des railleries qu'on fit à Jésus-Christ, plusieurs se mirent à jouer des castagnettes. Parla-t-il comment les juifs l'attachèrent en croix, on donna plusieurs coups de maillet sur le bois. Parla-t-il enfin comment il expira, on tira trois coups de fusil. Voilà une plaisante façon de prêcher la passion[103]. » Il faut montrer les Espagnols soit comme des chrétiens prétridentins, soit comme des catholiques dont le débordement de ferveur frise les attitudes sacrilèges. La marquise de Villars oppose le goût immodéré des cérémonies et le recueillement de la prière[104]. Muret observe le comportement des fidèles à l'église : « [...] lesquelles dîsoient leurs pechez de la manière du monde la plus surprenante, c'est-à-dire en tenant continuellement un éventail entre les mains, dont elles se ventoient sans cesse, tantost en prenant la main du bon père et tantost faisant de grands éclats de rire, avec quoy elles ne laissoient pas d'avoir une

101. François Bertaut, *Le Journal d'un voyage en Espagne*, *op. cit.*, p. 69.
102. Antoine de Brunel, *Voyage d'Espagne*, *op. cit.*, p. 48.
103. François de Tours, *Voyage en Espagne*, *op. cit.*, p. 11.
104. Marquise de Villars, *Lettres de madame la marquise de Villars*, *op. cit.*, lettre XII, p. 107.

absolution fort gesticulatoire et de s'approcher au même temps de la sainte table [105]. » Ces observateurs paraissent répondre à la question posée par La Mothe Le Vayer sur la différence des religions entre deux pays « également catholiques » : la catholicité espagnole doit être tenue à distance, afin d'affirmer par contraste le triomphe de la gloire française.

Plusieurs récits de voyages abordent le thème du machiavélisme d'un catholicisme hispanique réputé antimachiavélien : « Il faut qu'elle [l'Espagne] regarde sa raison d'État travestie de son Catholicisme, comme un très mauvais masque, qui a cent fois trahy le secret & qui a été par tous reconnu, quelque déguisé qu'il fust [...] [106]. » Il s'agit pour une plume politique française de se dédouaner de la raison d'État qui, de l'alliance de François Ier et Soliman à celle de Richelieu et des princes protestants, laïcise et disqualifie sur le plan de l'orthodoxie religieuse la diplomatie française. On fera, par les mœurs, c'est-à-dire à la façon de La Mothe Le Vayer, la preuve de l'hypocrisie religieuse du peuple de Lépante et de sainte Thérèse. C'est pour cette raison que plus d'un auteur explique la ferveur religieuse par la crainte de l'Inquisition [107].

On retrouve dans le tableau des mœurs des traits que nous avons déjà identifiés. Pour La Mothe Le Vayer : « Les Espagnols sont mélancholiques, dissimulez, inhospitaliers, avares, superstitieux, importuns en civilitez, mais constans, posez, taciturnes, [...] endurans la faim, la soif et toutes les fatigues de la guerre [...] [108]. » Le glissement est net et bien mené. Coulon, *volens nolens*, trahit le caractère exactement politique des portraits espagnols : « L'humeur mélancholique qui domine en eux, les rend considérez en leurs desseins, graves en leurs actions & fermes en leurs entreprises, mais l'ambition qui prédomine les rend inquiets et ennemis de la paix dans le dessein d'une Monarchie Universelle [...] [109]. » À l'évidence, l'auteur est parti armé d'une théorie des tempéraments

105. Muret, *Lettres écrites de Madrid en 1666-1667*, *op. cit.*, p. 26.

106. Antoine de Brunel, *Voyage d'Espagne*, *op. cit.*, p. 335.

107. François Bertaut, *Le Journal d'un voyage en Espagne*, *op. cit.*, p. 287.

108. François de La Mothe Le Vayer, *Discours sur la contrariété des humeurs*, *op. cit.*, p. 20.

109. Louis Coulon, *Le Fidèle Conducteur pour le voyage en Espagne*, *op. cit.*, p. 3.

« opposez » et d'une symbolique de la monarchie universelle, qu'il s'agissait d'aller vérifier sur place. Antoine de Brunel confirme cette hypothèse, lorsqu'il parle de « [...] cette Nation que nous croyons si raffinée, que nous estimions si impérieuse, et que nous publions posséder le secret de la Monarchie Universelle et de mettre aux ceps tout le reste de la chrétienté [...] [110] ». Barthélemy Joly, dès les premières années du XVIIe siècle, avait brossé un portrait espagnol assez voisin de ceux de Coulon et de La Mothe Le Vayer : « Pour le reste ilz disent que leurs mœurs et humeurs engendrées par cette seicheresse, que l'on nomme atrabilaires les rendent mélancholiques, taciturnes, sages, prudens en conseil, graues, seueres religieux, coleriques, guerriers de conséquent, et patiens au travail [111]. » Nous trouvons plusieurs indices de la pérennité de cette figure dans les textes de la fin de la période, par exemple dans le dictionnaire géographique de Baudrant : « Les Espagnols passent pour fiers, sévères, graves, circonspects, secrets, malpropres, mais sobres dans leur manger, lents à délibérer mais fermes dans l'exécution de leurs résolutions, patiens dans leurs maux [112]. » Ces textes donnent l'impression d'avoir été tous composés sur le même modèle.

Le discours de La Mothe Le Vayer énumère les aspects essentiels de ce portrait typique. L'Espagnol agit « peu & lentement, se tait, se refuse [à dire ses amours], vit au passé, fier et sans bassesse ». En outre, pour compléter sa figure, on doit voir les hommes de Castille « graves en leurs actions, fermes, inquiets, mélancholiques, taciturnes, prudents, religieux, guerriers, impérieux, patiens, circonspects, lents à délibérer ». On sait, en outre, que « l'Espagnol » décrit est vêtu de noir, marche avec solennité et lenteur, manifeste une spectaculaire rétention des émotions. En réalité, le portrait espagnol qu'ont créé et diffusé publicistes et auteurs français de voyages en Espagne n'est rien d'autre que celui de l'Espagnol de cour en position de négocier. Ainsi le père René Rapin rapporte-t-il l'attitude du ministre espagnol Luis de Haro qui, lors des négociations de 1659, « affectoit de la lenteur pour le [Mazarin]

110. Antoine de Brunel, *Voyage d'Espagne*, *op. cit.*, p. 29.
111. Barthélemy Joly, *Voyage faict par M. Barthelemy Joly*, *op. cit.*, p. 156.
112. Baudrand, *Dictionnaire géographique universel*, *op. cit.*, p. 683.

lasser par la longueur de la négociation [113] ». La plupart des auteurs sont des diplomates ou des agents officieux du roi ou de telle faction de la cour (Condé, Orléans). Ces hommes de confiance ont décrit les Espagnols qu'ils ont rencontrés en mission, c'est-à-dire leurs homologues. Puisque l'hypothèse de la nature politique de ses textes paraît amplement vérifiée, on comprend pourquoi les auteurs s'attachent à la psychologie des négociateurs adverses, et pourquoi le public averti y voit le centre d'intérêt de leurs récits : « On estime cette Nation fort rogue et fort fière mais au fond elle ne l'est pas tant qu'elle le semble ; sa mine trompe sans doute & quand on la fréquente, on n'y trouve pas tant de gloire qu'on l'imagine. [...] Elle croit que c'est une grandeur d'âme que de parroître fanfaronne en ses gestes et ses paroles [114]. » S'agit-il d'une fine observation de voyageur curieux du monde, ou plutôt d'une remarque de diplomate instruit par ses contacts avec les représentants du roi d'Espagne ? La première hypothèse, plus classique parce que bonne à tout faire, demeure la plus pauvre.

Si les voyages sont politiques, il faut mesurer si, à travers eux, l'image de l'Espagne évolue à mesure que le rapport de forces militaro-diplomatique s'inverse au profit de la France. De 1600 à 1715, l'image de l'Espagne véhiculée par les récits de voyages a sans doute changé. Cependant, cette évolution semble moins radicale que ne le laisse imaginer une tradition textuelle qui, au cœur du XVIIIe siècle, ensevelit l'Espagne sous les sarcasmes. Les récits de voyages, pas plus que les chroniques historiques, n'enregistrent le déclin des forces espagnoles comme le font les productions encomiastiques de l'entourage de Louis XIV. On part de l'Espagne menaçante et pacifique du duc de Lerma pour aboutir à celle de Philippe V, alliée par un Pacte de famille avant l'heure, en passant par le ministère d'Olivares. Et pourtant le portrait espagnol n'évolue guère, le discours sur l'Inquisition et sur l'Église reste identique, les descriptions de Madrid se suivent, semblables entre elles. Si l'image de l'Espagne bouge peu, c'est que les auteurs n'ont pas enregistré les changements réels du rapport de forces politique. La

113. *Mémoires du père René Rapin*, éd. Léon Aubineau, Lyon et Paris, Librairie catholique Emmanuel Vitte, s.d., t. III, p. 57.
114. Antoine de Brunel, *Voyage d'Espagne*, *op. cit.*, p. 29.

conscience du déclin espagnol n'a sans doute pas aussi profondément pénétré les esprits qu'on pourrait le croire rétrospectivement.

Il n'est pas question ici d'entrer dans le débat, aussi complexe que trop souvent mal posé, sur la conscience de la décadence espagnole [115]. En revanche, il n'est pas difficile de montrer que « l'Espagnol » n'a jamais cessé d'inspirer, un tant soit peu, une certaine crainte aux rédacteurs des relations de voyages. Même lorsque le royaume de Charles II semble épuisé, le roi de Castille continue d'en imposer. Les voyageurs, tout comme l'objet de leur contemplation, vivent du passé. Nous abordons là une hypothèse qui touche autant, sinon plus, à la poétique qu'à l'histoire des idées politiques. Nous supposons, puisqu'il est question de types nationaux, qu'au cœur de l'image « Espagne » est logée une intuition fondamentale. Celle-ci devrait être, si nous savons l'identifier, une clef de lecture pour un vaste ensemble de textes français sur l'Espagne.

À plusieurs reprises, nous avons pu remarquer que la sécheresse (humorale ou climatique) déterminait, dans l'esprit des voyageurs, le(s) comportement(s) de « l'Espagnol ». L'image de la sécheresse s'incarne en « sobriété » dans le manger [116] et dans le boire [117], constance dans le malheur, dignité qui réconcilie la vanité avec l'austérité, rigidité monacale, exaltations en tout genre. L'Espagne est une terre asséchée, par incurie, mais dont toutes les vertus demeurent intactes, comme concentrées mais inopérantes. Souvent, les voyageurs associent paresse des individus (liée au mépris des arts mécaniques) et stérilité des terres (liée au climat) [118]. D'autre part, ils sont nombreux à proposer des explications de la faiblesse « actuelle » du royaume. On retrouve des accidents historiques

115. Voir l'article classique de John H. Elliott, « Self-Perception and Decline in Early Seventeenth-Century Spain », *Past & Present*, nº 74, 1977, p. 41-61.

116. Claude Jordan de Colombier, *Voyages historiques*, *op. cit.*, t. II, p. 70.

117. Mathieu de Montreuil, *Lettre de Monsieur l'abbé de M.*, *op. cit.*, p. 104 ; Albert Jouvin de Rochefort, *Le Voyageur de l'Europe*, *op. cit.*, p. 77.

118. Vincent de Voiture, *Nouvelles œuvres de Monsieur de Voiture*, *op. cit.*, p. 55 ; Albert Jouvin de Rochefort, *Le Voyageur de l'Europe*, *op. cit.*, p. 72 ; Claude Jordan de Colombier, *Voyages historiques*, *op. cit.*, t. II, p. 31 ; Robert Alcide de Bonecase, *Relation de Madrid*, *op. cit.*, p. 4 ; Gourville, *Mémoires*, Paris, 1724, p. 78 ; Balthasar de Monconys, *Journal des voyages de M. de Monconys en Espagne*, *op. cit.*, p. 6.

comme l'expulsion des Morisques, qui, d'après un *topos* très répandu, aurait privé la Péninsule de quelque neuf cent mille habitants, tandis que la fine fleur de la jeunesse espagnole court la fortune aux Indes. L'Espagne s'affaiblit toute seule, c'est ce qui fait sa force, car toutes ses potentialités ne sont pas perdues : ses vertus survivent aux revers.

Dans l'oraison funèbre qu'il consacre à Philippe IV, en 1666, François Ogier associe les échecs répétés sur le terrain militaire et la résistance d'une grande puissance spirituelle : « À dire vray, l'Estat de ce Prince est comparable à un fossé d'un excessive longueur, à qui plus on le creuse, plus on luy oste de terre ; & plus il devient profond & large, & par consequent plus dificille à franchir : Sa diminution fait sa grandeur et sa force, il croît de son dommage & peut servir de précipice à ceux qui voudroient tenter le dernier hazard de le surmonter[119]. » Cette image est appelée à perdurer, comme l'indique sa reprise vénéneuse par Voltaire dans un chapitre de l'*Essai sur les mœurs* : « Son favori le comte-duc Olivarès lui fit prendre le nom de Grand à son avènement : s'il l'avait été, il n'eût point eu de premier ministre. L'Europe et ses sujets lui refusèrent ce titre ; et quand il eut perdu depuis le Roussillon par la faiblesse de ses armes, le Portugal par sa négligence, la Catalogne par l'abus de son pouvoir, la voix publique lui donna pour devise un fossé avec ces mots : plus on lui ôte, plus il est grand[120]. » Le génie espagnol continue de fasciner courtisans, diplomates et prélats. L'austérité hispanique frappe les esprits au siècle du tridentinisme conquérant. Il faut attendre le XVIIIe siècle pour qu'on finisse par admettre que les macérations nationales ne fondent pas la puissance d'une monarchie. En outre, la France louisquatorzienne ne peut avoir qu'un rival en Europe : l'Empire. À la crainte séculaire de l'encerclement habsbourgeois, vient s'ajouter la négation, toute catholique, de l'Angleterre et des Pays-Bas. Ce dernier réflexe est transparent chez Saint-Simon. Avec l'Espagne, et sa glorieuse couronne mal en point, on reste entre monarques du même monde.

119. François Ogier, *Oraison funebre de Philippes IV Roy d'Espagne, &c, dédiée à la reine*, Paris, Pierre Le Petit, 1666, p. 33.

120. Voltaire, *Essay sur l'histoire générale et sur les mœurs et l'esprit des nations, depuis Charlemagne jusqu'à nos jours*, *op. cit.*, chap. 146, t. IV, p. 112.

L'Espagne, dans ces conditions, ne peut pas ne pas compter. C'est une des raisons pour lesquelles l'ampleur de la crise du XVIIe siècle espagnol est, dans l'ensemble, largement sous-évaluée par les auteurs de récits de voyages.

L'Espagne est une graine qu'on n'a plus arrosée depuis longtemps, comme un pays qui ne serait plus irrigué par les flots de l'argent du Potosí et perdrait la force vive de sa population. Ces thèmes développés par les écrivains français avaient, au préalable, été définis et formulés par deux générations d'« arbitristes » castillans. Le pays reste momentanément stérile, mais les échos de la puissance perdue résonnent. Les relations de voyages traduisent la conscience d'une crise plutôt que d'une décadence. Après tout, il se peut bien que la France de Louis XIV, malheureuse à la guerre à la fin du siècle, ait vu, dans l'exemple espagnol, le spectre de ses propres échecs.

C'est enfin le goût dramatique des apparences, en ce qu'elles peuvent être démenties, qui semble caractériser la façon d'être des Espagnols. Ce thème mesure la distance qui sépare le déclin de la puissance de son ombre portée, c'est-à-dire de la conscience qu'on en a. L'écart entre les expressions de ferveur religieuse et la légèreté postulée d'une spiritualité outrée, entre manifestation de la dignité et effondrement des moyens, entre projet impérial et échecs militaires, est présent dans tous les récits. Cette rhétorique est à double tranchant : elle permet de railler en admirant, de rendre hommage à une gloire donnée pour inactuelle. Elle ancre dans l'esprit des lecteurs l'idée que le jeu entre apparences et réalités est la clef de lecture la plus efficace pour comprendre la société espagnole. Ce regard est devenu un stéréotype extraordinairement tenace dans le monde des lettres. C'est ainsi qu'un auteur de la fin du XXe siècle peut encore écrire : « Si les Espagnols ne souffrent pas la moindre offense à l'égard de l'apparence et de l'étiquette, c'est parce qu'il n'est rien hors de l'apparence et de l'étiquette ; en sorte que toute contestation de l'apparence reviendrait pour eux à mettre à bas l'édifice de ce qui existe [121]. » Ces remarques sont

121. Clément Rosset, « L'Espagne des apparences », in *Le Choix des mots*, Paris, Éd. de Minuit, 1995, p. 155. Je remercie Élodie Richard de m'avoir signalé l'existence de ce texte.

inspirées par le célèbre intermède dramatique de Cervantès sur la tromperie du retable imaginaire [122]. Mais elles font écho, délibérément ou non, à des registres analytiques amplement mobilisés au XVIIe siècle par les écrivains français.

Le thème de la vanité et des apparences, ou de l'écart entre prétentions et force réelle, est encore le plus constant et constitue le plus commun dénominateur de toute la littérature de description de l'Espagne. S'il est une folie proprement espagnole, c'est dans cet écart qu'on la trouve et, comme le suggère La Fontaine, cette déraison n'est pas nécessairement antipathique. Mais il importe surtout de percevoir combien cette critique des apparences épargne les essences. Les voyageurs, avec une intensité diverse et des variations liées aux circonstances politiques mouvantes, sont venus voir la surpuissance en son centre même et arpenter la distance qui s'installe progressivement entre le projet hispanique et ses réalisations contemporaines. Mais alors que la parole protestante et l'argumentaire « politique », au temps des guerres de Religion, pouvaient dénier à ce projet toute légitimité et réfuter ses prétentions spirituelles, tel n'est plus le cas sous les règnes de Louis XIII et Louis XIV. L'ambition de la maison d'Autriche est contestée, mais pas la grandeur de l'œuvre accomplie par la catholicité espagnole.

Les récits de voyages, soumis à la tyrannie d'un lectorat avide d'anecdotes dûment répertoriées et attendues, ne se privent pas de souligner les ridicules d'une société espagnole dont les travers les plus saillants ont été décrits, et avec quelle férocité, par les grands auteurs espagnols eux-mêmes. Les types sociaux rapidement brossés non seulement doivent plus aux lectures des rédacteurs qu'à l'observation, mais davantage encore à la connaissance des écrivains du pays visité, dans le texte ou en traduction. Les longs développements sur la fierté misérable de l'*hidalguía* désargentée représentent un indice de la circulation des thèmes du roman, de la nouvelle et du théâtre espagnols dans la société des lettrés français. En outre, le nombre très élevé de textes de voyages – et de leurs rééditions – est un indicateur également puissant de l'intérêt sou-

122. Miguel de Cervantes, *El retablo de las maravillas*, in *Entremeses*, Madrid, Espasa, 1998.

tenu du public lecteur français pour le monde hispanique, jusqu'à la fin du siècle et au-delà. Dès lors, rien ne serait plus trompeur que de découper, une fois encore, dans l'épaisseur textuelle de ce corpus une collection de mots piquants et de descriptions cocasses, à l'appui d'une démonstration sur l'hostilité française à l'égard de l'Espagne visitée. Hormis deux ou trois ouvrages, extraordinairement drôles (madame d'Aulnoy) ou venimeux (Bonecase), la plupart des récits de voyages sont partagés entre dénonciation et admiration, sympathie et rejet. Le regard des lettrés sur l'Espagne n'est pas seulement ambivalent, il est singulièrement insistant.

5

Histoires et biographies royales

Le récit de voyage ne fut pas le seul recours littéraire disponible pour réfléchir sur l'état de l'Espagne du temps. Le portrait de personnages, historiques ou contemporains, espagnols ou liés à l'histoire de la monarchie hispanique, fournit des occasions également riches et diverses de se prononcer sur l'Espagne, son histoire, sa culture, sa politique. Ces biographies n'ont pas retenu autant l'attention de la critique que les récits de voyages, très en vogue. Pourtant, on peut repérer, à travers des modes d'exposition aussi diversifiés que ceux du corpus des voyages, une grande abondance de textes évoquant la vie et l'action de personnalités espagnoles de premier plan. Dans cet ensemble, il vaut la peine de s'arrêter d'abord sur celle qui a peut-être suscité le plus de fantasmes. Tout comme au XIXe siècle, la fin malheureuse de don Carlos enflamme l'imagination des écrivains du XVIIe siècle. Le traitement subi par le « mythe de don Carlos », selon l'heureuse expression d'Andrée Mansau, a valeur d'indice de la diversité des sensibilités à l'égard de l'Espagne dans la France de Louis XIII et Louis XIV.

Variations sur don Carlos

Bien avant qu'au XIXe siècle le thème de la mort mystérieuse de l'infant don Carlos se fût converti en une source de drames crépusculaires et œdipiens, la polémique et la littérature du XVIIe se sont emparées du motif. L'inhumanité de Philippe II paraît résumée dans cette affaire de meurtre et de jalousie. Le tour tragique que certains écrivains donnent à cette histoire offre l'occasion de mettre en scène l'opposition de l'Espagne et de la France, puisque l'un des reproches adressés par le roi à son fils est d'avoir trop aimé cette petite reine de France Isabelle, jeune fille Valois sacrifiée aux cheveux grisonnants du maître de l'Escurial. L'effacement dynastique des Valois au profit des Bourbons a un peu gommé la mémoire de ce premier mariage franco-espagnol. Dans la chronique historique et littéraire, les deux mariages majeurs, celui de Louis XIII avec Anne d'Autriche (1615) et celui de Louis XIV avec Marie-Thérèse (1659), sont encadrés par les mariages mineurs d'Isabelle de Valois avec Philippe II (1560) et de Marie-Louise d'Orléans avec Charles II (1679). Une certaine confusion, dont témoigne la dramaturgie romantique, a fini par mêler les malheurs d'Isabelle et l'ennui de Marie-Louise, jeunes filles de France, arrachées à leur patrie pour être plantées dans les glaces de la cour castillane.

Cependant, l'histoire de don Carlos dépasse de beaucoup la question dynastique franco-espagnole. À travers toute l'Europe, le destin pathétique du jeune prince suscite des commentaires, plus ou moins amènes. En France, le plus célèbre texte consacré à l'affaire demeure la nouvelle historique de l'abbé Vichard de Saint-Réal : le succès éditorial de ce court roman est attesté par divers témoins [1]. Saint-Réal reprenait des matériaux historiques et polémiques qui avaient circulé en France et en Europe depuis la fin du XVIe siècle. La version la plus violente et la plus hostile se trouve dans la célèbre *Apologie* de Guillaume d'Orange. Cette charge est un acte de lèse-majesté sans équivalent contre le roi Philippe II. Il traduit en discours la guerre inexpiable engagée par les provinces rebelles contre leur monarque. Autour de la mort de don Carlos, c'est la dignité et la piété de Philippe qu'il s'agit de réduire à néant : « [...] a esté adiousté à ces horribles faultes precedentes un cruel parricide, le pere meurdrissant inhumainement son enfant et son heritier, affin que par ce moien le Pape eut ouverture de dispense d'un si execrable inceste, abominable a Dieu et aus hommes. Si

1. Guiomar Hautcœur, « España en el *Dom Carlos, nouvelle historique* de Saint-Réal (1672) », *in* Mercé Boixareu et Robin Lefere (éd.), *La historia de España en la literatura francesa*, *op. cit.*, p. 259-272.

doncq nous disons que nous rejettons le gouvernement d'un tel Roi incestueus, parricide et meurdrier de sa femme, qui nous pourroit accuser justement ? combien y a il eu de Rois bannis de leurs Roiaulmes et chassez, qui n'avoient pas commis des crimes si horribles ? Car quant à Don Charles, n'estoit il pas nostre Seigneur futur et maistre presumtif ? Et si le pere pouvoit alleguer contre son fils cause idoine de mort, estoit ce point à nous qui y avions tant d'interest, plustot à le juger, qu'à trois ou quatre moines ou Inquisiteurs d'Espaigne[2] ? » Les éléments de la légende noire de don Carlos sont contenus dans ce texte elliptique. Il s'agit de présenter le Roi Catholique comme un autre Sardanapale, assassin, incestueux et lubrique, tout à fait à la manière des vitupérations antipapistes du temps. L'*Apologie* de Guillaume d'Orange aborde le thème de la mort violente de Carlos et d'Isabelle de France par le mariage postérieur de Philippe et de sa nièce l'archiduchesse Anne d'Autriche, union contraire aux prohibitions canoniques, mais couverte par une dispense pontificale. Derrière le Catholique, semble se profiler l'ombre d'Henri VIII. D'autre part, Guillaume d'Orange reconnaît l'infant Carlos comme seigneur des Pays-Bas, seul prince capable de concilier les aspirations des rebelles et la fidélité dynastique[3]. Cette assertion aventureuse alimente le fantasme d'une alternative possible à l'intransigeance catholique aux Pays-Bas, alternative dont l'héritier du trône aurait été le champion. Enfin, l'auteur fait mine de croire que le prince assassiné est passé par un jugement inquisitorial, dans l'intimité des querelles familiales de la dynastie régnante. Cette dimension de la charge montre combien les fantasmes de nature scabreuse sont profondément enracinés dans des représentations aussi anciennes que l'*Apologie*.

En France, l'affaire don Carlos devient une ressource inépuisable d'arguments et d'allusions, utilisables dans tout type de discours sur la monarchie espagnole. Le manque de scrupules dans la diffu-

2. *Apologie de Guillaume de Nassau prince d'Orange contre l'édit de proscription publié en 1580 par Philippe II, roi d'Espagne* [1581], éd. A. Lacroix, Bruxelles-Leipzig, Flatau, 1858, p. 73-74.

3. L'idée d'un destin flamand de don Carlos est d'abord issue de la littérature espagnole elle-même : Diego Jiménez Enciso, *El principe don Carlos, Parte veynte y ocho de comedias de varios autores*, Huesca, Pedro Bluson, 1634, p. 175 *sq.*

sion des informations concernant l'infant est souvent remarquable. Les confusions ne le sont pas moins. On a déjà remarqué l'importance de la triple conjoncture politique et textuelle qui fait coexister simultanément dans l'espace polémique français les revendications antonistes, du nom du prétendant déchu au trône de Portugal, réfugié auprès d'Élisabeth d'Angleterre, des États généraux des Provinces-Unies et d'Henri IV, les croyances sébastianistes, dont des cercles mystico-politiques portugais attendent le retour providentiel pour arracher la couronne portugaise de la tête du Roi Catholique, et enfin les écrits du secrétaire d'État déchu de Philippe II, Antonio Pérez. La prégnance de ces différents ensembles de textes de combat contre la royauté de Philippe II, dans la France de la fin du XVIe siècle et du premier XVIIe siècle, explique sans doute l'étonnante confusion qu'un occasionnel de 1596 produit entre l'apparition d'un imposteur se faisant passer pour Sébastien de Portugal et l'histoire pathétique de don Carlos [4]. L'histoire du pâtissier de Madrigal est bien connue [5]. Une fille naturelle de don Juan d'Autriche demeurant dans un couvent de la ville castillane de Madrigal s'était éprise d'un artisan boulanger. Cet amant se serait laissé convaincre par des ecclésiastiques de se faire passer pour le roi Sébastien, revenu dans la Péninsule, après des pénitences et des tribulations qui rachetaient son échec marocain de 1578. Il s'agit, avec l'imposture postérieure du farceur vénitien, du plus célèbre des « faux Sébastien ». Or, l'occasionnel publié à Paris suggère que le pâtissier de Madrigal, emprisonné par les magistrats castillans, ne serait autre qu'un don Carlos vieilli et mûri. Philippe II aurait demandé à ses deux favoris, le Portugais Gomez de Silva et le comte de Chinchón, d'aller égorger son fils au fond d'une solitude. Mais le secrétaire portugais, jugeant qu'un tel geste contre le sang royal ne pouvait être accompli, arrache à Carlos une promesse : « [les] Seigneurs conclurent, qu'ils ne feroient point mourir iceluy Prince, par les moyens qu'il leur promettroit soubs sa foy, de changer son nom, de mener vie privee, & se tenir caché & incognu,

4. *Le Patissier de Madrigal en Espaigne. Estimé estre Dom Carles, fils du Roy Philippe*, Paris, Jean Le Blanc, 1596.

5. Yves-Marie Bercé, *Le Roi caché. Sauveurs et imposteurs : mythes politiques populaires dans l'Europe moderne*, Paris, Fayard, 1990.

autant de temps que le Roy son pere vivroit [...][6]. » La confusion du drame de don Carlos et des impostures sébastianistes, par sa maladresse même, est significative de l'usage plus ou moins désinvolte que les écrivains français des XVIe et XVIIe siècles font de certains épisodes de l'histoire politique espagnole récente. Un demi-siècle plus tard, lorsqu'il s'agira de dénoncer la façon dont Philippe IV fit arrêter en 1643 le jeune frère de Jean IV de Portugal, un rapprochement est opéré entre le souvenir de Sébastien, la situation de dom Duarte et des empoisonnements dont auraient été les victimes don Carlos et don Juan d'Autriche[7].

Dans son *Histoire universelle*, Agrippa d'Aubigné retient les éléments les plus noirs du récit, sans atteindre pourtant la violence de l'*Apologie* : « Le roi d'Espagne en prend quelque soupçon que son fils se vouloit venger de lui, pour lui avoir osté la roine Élizabeth, qui estoit voüée pour lui, si bien que l'affaire fut communiquée à l'inquisition. À cela adjoustées quelques contenances de pitié que Charles avoit monstrées au second acte dont nous avons parlé. Il fut résolu de le prendre prisonnier ; et, par l'artifice de celui qui avoit fait les pistolets la porte de sa chambre crochetée, le roi fit entrer devant lui ceux qu'il sentoit ennemis de son fils. Ils le trouvèrent dormant si profondément qu'il fust esveillé à peine. Adonc voyant son père et les autres, il s'escria qu'il estoit mort. [...] Enfin il fut condamné par l'inquisition à estre empoisonné ; ce qui fut fait en juillet, et sa mort celée jusques en novembre. Peu de jours après, Élisabeth, roine d'Espagne, passa par la mesme mort, tout par l'authorité de l'inquisition, de laquelle encor le roi d'Espagne fit publier une déclaration contre tous les sectaires des Pays-Bas et contre les catholiques, qui avoyent osé demander pour eux un plus doux traitement[8]. » Le second acte auquel d'Aubigné fait allusion est l'*auto de fe* de Valladolid de 1559, au cours duquel le fils du roi se serait ému, manifestant de la compassion pour les victimes du bûcher. L'horreur de l'Inquisition se trouvait donc au principe et dans la fin tragique de la vie de l'infant. À l'évocation de sa

6. *Le Patissier de Madrigal en Espaigne*, *op. cit.*, p. 12-13.
7. *Manifeste pour dom Édouard Infant de Portugal*, *op. cit.*, p. 53.
8. Agrippa d'Aubigné, *Histoire universelle*, 6 vol., éd. baron Alphonse de Ruble, Paris, Renouard, 1889, t. II, p. 206 *sq.*

mise à mort, il ne manque que la ciguë pour établir, là encore, un parallèle antique. Comme dans l'*Apologie* de Guillaume d'Orange, suivant Agrippa, la mort d'Isabelle est voulue par le roi et son Inquisition. Les derniers mots du paragraphe sur la « déclaration contre les sectaires » des Pays-Bas suggèrent que le roi est le jouet du Saint-Office, ce qui renforce l'image d'un monarque papiste, pantin agi par la puissance malfaisante de la Babylone romaine. On voit bien comment, avant le milieu du XVIIe siècle, le thème historiographique et pamphlétaire de don Carlos permet de cristalliser les éléments essentiels du discours anti-espagnol.

Brantôme qui ne se signalait pas par une hispanophobie militante, ne manque pas d'évoquer, dans le portrait qu'il consacre à la reine Isabelle, quelques lignes qui appuient la thèse de l'assassinat de la jeune reine : « On dict qu'un jésuite, fort homme de bien, ung jour en son sermon parlant d'elle, et louant ses rares vertus, charitez et bontez, luy eschapa de dire que ç'avoit esté faict fort meschamment de l'avoir faicte mourir et si innocentement ; dont il fut banny au plus profond des Indes d'Hespaigne[9]. » Le portrait inspiré de la reine d'Espagne par Brantôme est l'une des sources directes du roman de Saint-Réal. Pour comprendre comment l'histoire de l'infant de Castille devient une histoire française, il faut intégrer le personnage de la fiancée promise devenue belle-mère et représentante de la famille de France au cœur de la cour habsbourgeoise. Sans le contrepoint apporté par Isabelle, la sombre histoire de la mort de don Carlos aurait, tout au plus, servi à ajouter un travers à la liste des griefs adressés dans le feu des polémiques au roi d'Espagne. En fait, le thème littéraire, en intégrant la princesse Valois dans l'économie du récit, fonde la pertinence française de l'anecdote espagnole.

Des historiographes tels Jacques Auguste de Thou et, plus tard, Mézeray se montrent, en général, avares en notes sur les pays étrangers. Ils consacrent pourtant, l'un et l'autre, des pages célèbres à la destinée de Carlos. Mais aucun des deux n'atteint la vigueur polémique de l'auteur de l'*Apologie*. Les éléments les plus romanesques sont présents chez de Thou : « Philippe s'étoit encore mis

9. Pierre de Bourdeille, seigneur de Brantôme, *Œuvres complètes*, éd. Ludovic Lalane, *op. cit.*, t. VII, p. 9.

en tête que son fils avoit conspiré sa perte, & il croyoit en avoir plusieurs indices ; entre'autres de ce qu'il portoit continuellement dans ses culottes, qui suivant l'usage de la nation, étoient très-amples, deux pistolets faits avec beaucoup d'art. [...] Comme ce prince vouloit être seul dans sa chambre la nuit, sans aucun domestique ; il se fit faire aussi par Foix une machine, avec laquelle, par le moyen de quelques poulies, il pouvoit étant couché dans son lit ouvrir & fermer sa porte. » Ces détails, qui peuvent prêter à sourire, font de l'historien chroniqueur une source directe des romanciers et dramaturges postérieurs. D'après de Thou, c'est ce Louis de Foix, « habile ingénieur » au service de la cour d'Espagne, qui aurait informé le monarque des bizarreries suspectes de son fils. Mais l'élément essentiel, ce sont les affinités qui unissent l'infant à la princesse de France qui lui avait été promise, avant que Philippe II, devenu veuf, ne l'épousât : « On entendit aussi très-souvent ce jeune Prince, lorsqu'il sortoit de la chambre de la Reine Élisabeth, avec qui il avoit de longs & fréquens entretiens, se plaindre & marquer sa colere & son indignation, de ce que son pere la lui avoit enlevée [...]. » Cette notation fait pencher l'austère chronique dans les fureurs dignes du cycle des tragédies d'Œdipe.

De Thou affecte de croire, lui aussi, que Philippe II avait confié le jugement de cette situation à des inquisiteurs : « Comme par superstition, ou par une piété affectée, ce Prince également impérieux & défiant ne faisoit rien de conséquence sans consulter le tribunal de l'inquisition, qu'on appelle communément le Saint-Office, il lui communiqua cette affaire, & prit la resolution de prevenir son fils & de s'assurer de sa personne [...] [10]. » Pour le reste, l'auteur s'écarte sensiblement de l'*Apologie* de Guillaume d'Orange. L'historien français demeure conscient de ce que don Carlos, loin d'être le champion des libertés flamandes, était avant tout un jeune prince dont la santé mentale s'avérait fragile. Il se fait l'écho de tentatives de suicide du jeune homme, après son confinement dans ses appartements. Sa mise à mort aurait été décidée pour sauver l'honneur du lignage royal et pour éviter à l'infant la damnation éternelle. De Thou rejette, enfin, de façon catégo-

10. Jacques Auguste de Thou, *Histoire universelle*, traduite sur l'édition latine de Londres, tome cinquième, Londres, 1735, livre XLIII, p. 433 *sq*.

rique, l'idée selon laquelle Isabelle de Valois aurait été empoisonnée sur ordre de son mari jaloux : « Quelques-uns soupçonnèrent Philippe de l'avoir fait empoisonner, parce qu'il lui avoit fait un crime de la trop grande familiarité qu'elle avoit avec don Carlos. Il est néanmoins facile de se convaincre du contraire, par la grande & sincère douleur que sa mort causa, tant à la Cour que dans toute l'Espagne ; le Roi la pleura comme une femme qu'il aimoit très-tendrement, comme si le lien qui rëünissoit les deux Rois avoit été entierement rompu. »

Mézeray consacre une longue digression à l'affaire et justifie cet excursus inattendu pour les lecteurs de son *Histoire de France* : « L'aventure de ce prince étant tout-à-fait extraordinaire et tragique, et les esprits de ce temps-là s'étant merveilleusement peinés à en rechercher les circonstances et les causes, mérite bien d'être sommairement racontée, quoi qu'elle ne soit pas essentiellement notre sujet. Quelques auteurs pensant justifier l'étrange sévérité du père disent que ce Charles étoit d'un naturel bizarre, féroce, et souvent transporté hors du sens par des fumées noires : en quoi il tenoit un peu de Jeanne sa bisaïeulle ; qu'il se montroit arrogant et incompatible avec les favoris qui avoient les premières charges en la cour [...]. » D'emblée, Mézeray fait crédit au maître de l'Escurial de ce que son fils était atteint de frénésie. Alors que tant d'auteurs postérieurs insistent sur le lien privilégié qui unit Charles Quint à son petit-fils don Carlos, Mézeray accroche l'infant dément à l'hérédité de son arrière-grand-mère, Jeanne la Folle.

Pour autant, l'historien reprend la légende d'un procès inquisitorial intenté, au palais, contre l'héritier de la couronne : « Son père l'ayant déféré à l'Inquisition, du conseil de laquelle il avoit accoutumé de couvrir toutes ses inhumanités, les chefs de ce saint office, qui haïssoient le prince, pource qu'il en avoit menacé quelques uns, entre autres un certain moine confesseur de son père, conclurent que, ne pouvant le laisser au monde sans un manifeste danger de l'État et de la religion, il devoit l'en ôter au plus tôt ; et cela fut exécuté six mois après sa détention, soit qu'il lui fît couper la tête, ou les veines, soit qu'il le fît étrangler par quatre Maures. » Par un glissement mauresque, Mézeray plonge l'Escurial dans l'univers vicié des chroniques impériales de Suétone. Faisant sien un lieu commun, répandu dès la fin du XVIe siècle, Mézeray, lui aussi, hisse le drame familial au niveau de la tragédie antique. Philippe, sacrifiant son enfant comme un nouvel Agamemnon et vengeant son sang comme une autre Clytemnestre, atteint une dimension tragique. À son fils qui l'implore, genoux en terre, d'épargner sa vie : « Souvenez-vous, Monsieur, que je suis de votre sang », le maître de l'Escurial répond : « Quand j'ai de mauvais sang, je baille mon bras au chirurgien pour le tirer[11]. »

Mais c'est avec le roman de Saint-Réal que ce lieu commun devient le cœur même d'un ouvrage qui a vocation à circuler le plus largement. Cette nouvelle historique fournit un modèle formel, abondamment imité, et remet au goût du jour une vision assez scabreuse de l'Espagne de Philippe II, dont madame d'Aulnoy fait une de ses sources d'inspiration[12]. Le récit de l'histoire de l'infant fournit, par contraste, l'occasion d'exalter la mémoire de l'empereur, par opposition à son fils. L'abbé de Saint-Réal, de façon fantaisiste, situe le début de l'action de son roman au monastère de Yuste, « cette solitude que Charles Quint avait rendue si fameuse par sa retraite[13] ». Dans l'ordre dynastique, l'auteur établit un lien direct du grand-père au malheureux prince. La révérence dans laquelle est tenu Charles Quint mérite d'être soulignée, car elle s'inscrit dans une tendance assez générale qui remonte au XVIe siècle et dont nous verrons d'autres exemples chez les historiographes de Louis XIV : « Il faut savoir que ce grand personnage, qui, entre autres qualités héroïques, possédait souverainement celle de se connaître en hommes, avait conçu des espérances extraordinaires de son petit-fils. Quand il se retira en Espagne, il le voulut avoir auprès de lui, et c'est en cette excellente école de sagesse et de magnanimité que Dom Carlos s'était confirmé dans son amour

11. Mézeray, *Histoire de France*, *op. cit.*, t. X, p. 467 *sq.* Même version dans *Abrégé nouveau de l'histoire générale d'Espagne*, Paris, Charles Osmont, 1689, t. II, p. 652.

12. Andrée Mansau, *Saint-Réal et l'humanisme cosmopolite*, *op. cit.*, p. 308-309.

13. Saint-Réal, *Dom Carlos*, in *Dom Carlos et autres nouvelles françaises du XVIIe siècle*, éd. Roger Guichemerre, Paris, Gallimard, coll. « Folio-Classique », 1995, p. 203.

naturel pour la gloire et la vertu héroïque[14]. » Dans le roman, Carlos est supposé avoir calligraphié un cahier ironique sur les voyages autour de Madrid de son père, présenté comme le plus sédentaire des monarques de son temps. L'opposition de Philippe et de son père est aisément établie au profit du second : les chevauchées allemandes, italiennes et espagnoles de Charles ternissent la mémoire du roi prudent. Ce thème est alors à la page, puisqu'en 1676, Louis XIV, après les campagnes de la guerre de Dévolution et celles de Hollande, fait encore, comme son trisaïeul Charles Quint, figure de roi-chevalier[15]. La fière allure de l'empereur annoncerait-elle celle de son lointain descendant Louis ?

Dans l'ordre dynastique, encore, Saint-Réal construit la continuité des Bourbons par rapport aux Valois à travers le personnage d'Isabelle. En effet, Philippe II est campé en adversaire inexorable d'Henri de Navarre, premier des rois Bourbons. Dans la continuité de la politique de Fernand le Catholique pour le contrôle de la Navarre, Philippe exècre Henri dès son enfance : « Les Espagnols voyaient que les prétentions de cette maison sur la haute Navarre tombaient entre les mains de cet enfant, nourri dans une haine héréditaire contre eux, aigri par la différence de religions, et soutenu du parti huguenot[16]. » Le Habsbourg aurait donc conçu le projet de l'enlèvement d'Henri enfant et c'est la reine Isabelle qui se serait opposée à l'entreprise, établissant, par son geste solidaire avec l'enfant de Jeanne d'Albret, une sorte de pont entre les Valois et les Bourbons[17]. Plus encore, c'est l'identité de vues de don Carlos et de la reine Isabelle sur le projet de rapt d'Henri de Navarre qui fait naître chez Philippe le soupçon que le fils et la jeune belle-mère seraient liés d'un commerce dont les douceurs lui échappent.

Saint-Réal sait bien accorder à Isabelle le rôle d'une reine française d'Espagne, prête à défendre les intérêts de sa première patrie dans la rivalité séculaire qui l'oppose aux Espagnes. Elle fait ainsi éclater sa joie lorsque la France emporte sur l'Espagne une querelle

14. *Ibid.*, p. 213.
15. Joël Cornette, *Le Roi de guerre. Essai sur la souveraineté dans la France du Grand Siècle*, Paris, Payot, 1993.
16. Saint-Réal, *Dom Carlos*, *op. cit.*, p. 219.
17. *Ibid.*, p. 228.

de préséance à Rome : « Sa dame d'honneur voulut lui représenter qu'elle devait prendre plus de part au déplaisir que son mari ressentait dans cette rencontre ; mais la reine lui répondit que, comme elle ne trouvait point étrange la douleur du roi, il ne devait pas trouver étrange sa joie et que, pour elle, elle était bien aise que tout le monde sût que la maison dont elle était sortie était encore meilleure que celle où elle était entrée [18]. » Ici, l'allusion à l'« audience des excuses d'Espagne » du 24 mars 1662, conclusion de la querelle de préséance qui avait mis aux prises les ambassadeurs de France et d'Espagne à la cour de Londres, ne saurait être plus transparente [19]. Cet événement connut, on le sait, une publicité considérable orchestrée par la cour et son souvenir fut inscrit dans le programme pictural de Versailles et dans les *Mémoires* adressés au Dauphin. Il n'est pas jusqu'au projet idéologique du bâtiment de l'Escurial qui ne semble à la reine une insulte à sa qualité de fille de France. Lorsque Philippe invite Isabelle à visiter le chantier du palais qui commémore la victoire espagnole à la bataille de Saint-Quentin (1557), la reine soupire à l'évocation de cette défaite « qui avait été à l'origine des malheurs de sa vie [20] ».

Le personnage de don Carlos est imaginé, suivant l'allusion de l'*Apologie* de Guillaume d'Orange et les commentaires des chroniqueurs postérieurs, en champion de la pacification négociée avec les rebelles des Pays-Bas. C'est parce que Philippe, lui ayant préféré le duc d'Albe, refuse à son fils le commandement des troupes de Hollande qu'il songe à prendre la tête des révoltés. L'infant s'écarte de la politique de catholicisme intransigeant qui est la marque de son père. Dans l'imagination de Saint-Réal, le prince se convertit non seulement en protecteur des huguenots hollandais, mais en défenseur des Morisques de Grenade soumis à la terrible guerre des Alpujarras (1568-1570), et même en diplomate soucieux de prendre langue avec la Sublime-Porte. Par une recréation étonnante, l'auteur fait donc du fils l'adversaire de revers que la monar-

18. *Ibid.*, p. 229.

19. Gaston Zeller, *Les Temps modernes, II. De Louis XIV à 1789* [Pierre Renouvin (éd.), *Histoire des relations internationales*, t. III], Paris, Hachette, 1955, p. 17.

20. Saint-Réal, *Dom Carlos*, *op. cit.*, p. 230.

chie du père s'efforce de ruiner depuis le début du XVIe siècle. Il est à noter que l'alliance hérétique qu'anime don Carlos, venant d'un infant d'Espagne catholique, paraît justifier les politiques d'entente de Richelieu et Mazarin en direction des puissances non catholiques. Cette question occupe encore tous les esprits.

Tout bon catholique qu'il est, Carlos médit de l'Inquisition en diverses occasions. Philippe II abdique de sa puissance, domestique et politique, de juger son fils au profit des inquisiteurs qui l'accusent d'avoir laissé passer en Espagne des catéchismes calvinistes venus du Nord. Rien n'indique pourtant dans le roman de Saint-Réal que l'infant eût été lui-même tenté par l'hérésie. Entre le père et le fils, ce qui se joue, ce sont deux façons distinctes d'être catholiques en politique, comme dirait François de La Mothe Le Vayer. On voit là que le roman est publié alors que la stratégie de la maison de France n'a pas encore pris le tour intransigeant de la seconde partie du règne. Cependant, il convient de remarquer que, dans l'ensemble des personnages mis en scène par le romancier, seuls Philippe et ses inquisiteurs sont présentés sous un jour nettement défavorable.

D'une part, le Philippe II de Saint-Réal n'est pas tant un despote grandiloquent assoiffé de puissance et de gloire qu'un roi mesquin manipulé, moqué, cocu et, par-dessus tout, indécis, version péjorative de sa célèbre prudence. Tout le sépare, en somme, de l'ambition et surtout de la gloire louisquatorziennes. À côté d'un Français maître de lui comme de l'univers, débarrassé du tutorat ministériel, l'Hispanique lui apparaît soumis au gouvernement de ces prêtres dévoyés que sont les hommes du Saint-Office. C'est même contre le roi que se noue l'intrigue des inquisiteurs : « Le roi [...] donna aveuglément dans le piège qu'on lui tendait[21]. » Philippe II ne montre sa force que face à son fils saisi par les gardes du corps dans le havre de sa chambre. Et, face à ses supplications, le monarque prononce la réponse que Mézeray n'avait pas manqué de relever : « quand il avait de mauvais sang, il donnait son bras au chirurgien pour en tirer[22] ». Si, pour l'essentiel, l'ignominie du roi dérive de sa soumission à l'Inquisition, son corps souffrant au

21. *Ibid.*, p. 247.
22. *Ibid.*, p. 259.

stade de l'agonie porte les marques de l'opprobre. La description de Saint-Réal est effrayante : « Enfin Philippe II lui-même, après avoir vieilli parmi les douleurs de tant de désastres, fut frappé d'un ulcère, qui engendra une quantité effroyable de poux, dont il fut dévoré tout vivant et étouffé, quand ils ne trouvèrent plus de quoi se nourrir sur son corps[23]. » On ne s'étonnera pas que ce finale ait inspiré, longtemps après, Paul Verlaine :

> Avides, empressés, fourmillants et jaloux
> De pomper tout le sang malsain du mourant fauve
> En bataillons serrés vont et viennent les poux.
> [...]
> Et puis plus rien ; et puis, sortant par mille trous,
> Ainsi que des serpents frileux de leur repaire,
> Sur le corps froid les vers se mêlèrent aux poux[24].

Ce morceau de bravoure qu'est la chronique de l'agonie de Philippe dérive de témoignages espagnols contemporains des derniers temps du roi. Il peut servir à charge, comme image de l'infamie de la personne royale dont la fin ressemble à celle d'une charogne dévorée par les vers. Mais cette longue souffrance peut aussi renvoyer à l'épreuve de la Passion et, au-delà, à la sainte dégradation de Job. Sur le plan littéraire, on a affaire à un modèle de vanité[25]. C'est sans doute le sens que prend la description hallucinante de la déchéance corporelle et des douleurs indicibles du roi prudent dans l'oraison funèbre que lui consacre, en 1599, Jean Boucher[26]. L'exaltation de son héros passe par une longue et fascinante évocation de ses maux et du pourrissement de son enveloppe corporelle.

23. *Ibid.*, p. 264.

24. Paul Verlaine, « La mort de Philippe II », in *Poèmes saturniens*, *op. cit.*, p. 85-90.

25. Sur ce thème, voir les analyses consacrées aux descriptions de la mort d'Anne d'Autriche dans Jean-Pierre Dedieu et Bartolomé Bennassar, « Réflexions à propos de la mort d'Anne d'Autriche : le thème des vanités et fins dernières dans l'Espagne du XVIIe siècle », *in* Charles Mazouer (éd.), *L'Âge d'or de l'influence espagnole*, *op. cit.*, p. 101-112.

26. Jean Boucher, *Oraison funèbre sur le trespas de tres haut, très grand, et très puissant monarque Dom Philippe second roy d'Espaigne*, *op. cit.*

L'agonie de Philippe II est ainsi devenue un thème dont la signification paraît ambivalente, dès ses premières manifestations.

Le *Dom Carlos* de Saint-Réal présente un double intérêt dans l'histoire culturelle franco-espagnole. Par son choix monographique, il confère une visibilité littéraire nouvelle à ce qui n'était, en France, qu'une anecdote inscrite dans le fil du récit ou de l'invective anti-espagnols, et il fixe le motif jusqu'au XIXe siècle. En outre, adoptant une forme littéraire très en vogue, la nouvelle historique brève, l'auteur assure un authentique succès de librairie à son ouvrage et diffuse l'histoire fantaisiste de l'infant tragique sans doute au-delà des cercles touchés par les volumes érudits – ou latins dans le cas de De Thou – des chroniqueurs et des historiographes [27]. Le duc de Saint-Simon a composé un récit de ses impressions d'Espagne, où il exerça les fonctions d'ambassadeur en 1721. Lors de la visite qu'il effectua au panthéon de l'Escurial, il se disputa avec un moine à propos des causes de la mort de l'infant Carlos. Le mémorialiste avait à l'esprit la légende qui, de l'*Apologie* à Brantôme, Turquet de Mayerne et Saint-Réal, avait fini par acquérir les couleurs de la vérité historique. Le visiteur se divertit à piquer son hôte : « [...] je lui dis que le roi, peu après être arrivé en Espagne, avoit eu la curiosité de faire ouvrir la cercueil de Don Carlos et que je savois [...] qu'on y avoit trouvé sa tête entre ses jambes, que Philippe, son père, lui avoit fait couper dans la prison devant lui. Hé bien – s'écria le moine tout en furie – apparemment qu'il l'avoit bien mérité ; car Philippe II en eut la permission du Pape ! – Et là à crier toute sa force merveilles de la piété et de la justice de Philippe II et de la puissance sans bornes du Pape et à l'hérésie contre quiconque doutoit qu'il ne pût pas ordonner, décider et dispenser de tout. Tel est le fanatisme des pays d'Inquisition, où la science est un crime, l'ignorance et la stupidité la première vertu [28]. » Ce conflit des facultés, entre répétition d'un bobard et dévotion dynastique, donne la mesure de la force des mythes politiques dans l'Europe de l'Ancien Régime.

27. Amelia Sanz, « La nouvelle historique entre deux siècles : fondements d'une narrativité », *XVIIe Siècle*, no 198, 1998, p. 151-165.

28. Saint-Simon, *Mémoires*, éd. Sainte-Beuve, Paris, Hachette, 1873-1886, t. XII, p. 100 *sq.*

Quelques mois à peine après la publication du *Dom Carlos*, un opuscule anonyme, édité par un libraire parisien avec privilège royal, s'en prend avec une ironie féroce à la nouvelle, les *Sentimens d'un homme d'esprit sur la nouvelle intitulée Don Carlos*[29]. Il s'agit d'un texte extrêmement ironique sur les invraisemblances de Saint-Réal et le mauvais goût qui consiste à faire comme s'il était historien. L'anonyme s'en réfère à Mézeray qui, dans son abrégé chronologique (p. 1051), présente don Carlos comme « un esprit égaré, intraitable, & fort dangereux[30] ». D'une part, Saint-Réal a amalgamé et télescopé des épisodes et des personnages historiques pour donner plus d'intensité aux intrigues qu'il invente. D'autre part, l'héroïsation dont le jeune névropathe bénéficie relève plus de l'imagination d'un La Calprenède que de l'examen d'un historiographe.

La vivacité de la réponse de l'auteur de l'opuscule est à la hauteur du succès de librairie de la nouvelle dont il s'agit, précisément, de dénoncer l'abusive recette littéraire : « Renoncez pour jamais à écrire, Madame, il n'y a que l'Autheur de Dom Carlos, qui merite d'occuper les imprimeurs ; il a les graces de la nouveauté ; il sçait si finement mesler la Fable à l'Histoire, qu'a peine peut-on les séparer. Quand je lis la Nouvelle qu'il vient de donner au Public, & que son stile sec m'a persüadé que c'est une relation veritable, je cours à l'Histoire, & je demeure surpris de trouver fabuleux, tout ce que j'avois jugé historique[31]. » Le style de Saint-Réal est dénoncé comme un vicieux producteur d'effets de réalité, une indexation de l'écriture romanesque sur celle des historiographes. Le succès de la nouvelle n'en est que plus choquant pour son critique, s'il ne constitue pas, en fait, le principal scandale. Cette charge contre Saint-Réal, éditée un an après la publication du *Dom Carlos*, atteste que l'historiographie disponible est une ressource qui permet de démentir les aspects les plus outranciers de la narration.

Malheureusement, son polémiste adverse ne relève pas avec précision les contrevérités qui l'ont heurté, si ce n'est une désinvolture

29. *Sentimens d'un homme d'esprit sur la nouvelle intitulée Don Carlos*, Paris, Guillaume de Luyne, 1673.
30. *Ibid.*, p. 39.
31. *Ibid.*, p. 1-2.

générale à l'égard des ancêtres Habsbourg du roi de France, à une époque qui, déjà, les révère : « Que dirons-nous de la Relation qu'il fait faire au Roy Philippes dans le Monastere des Hyeronimites ? Elle contient des paroles dites à l'Empereur son Pere, par lesquelles un simple Religieux luy reproche qu'il a troublé le repos de toute la Terre. Il n'y a Solitaire si peu sçavant dans les maximes du monde, qui sçachant qu'il parloit à son Roy, n'eust hesite sur la maniere de s'exprimer. Le Hyeronimite méprise ses foibles considerations, & poussé d'une hardiesse, veritablement Monastique, il apprend à son Souverain que l'Empereur, dont il tient la vie, pouvoit estre nommé le Perturbateur du repos de l'Europe. Il n'y a personne qui ne convienne, que cela fut dit à Charles-Quint, de la maniere qu'on le rapporte. Mais il estoit dans une retraite, & alors dans un exercice qui l'exposoit à ces humiliations. Autre chose est, de traiter comme un Religieux un Empereur qui luy mesme s'estoit confondu avec les Moynes : autre chose est, de raporter ces delicates parolles à un Prince fier, de difficile accez, & qui n'estoit pas moins absolu que vindicatif. Aussi l'Auteur de Dom Carlos, a trouvé ce trait de franchise si original, qu'il a negligé de l'appuyer sur aucune citation. Il en donne des moindres choses, & n'a pas jugé devoir en donner d'une liberté si delicate. Mais, pourquoy nous en auroit-il donné ? Il avoit desja si bien étably que Philippe II étoit jaloux de la gloire de son Pere, qu'on luy faisoit sa Cour en noircissant sa memoire[32]. » On remarque ici que le défaut d'érudition invalide une anecdote jugée attentatoire à la dignité de Charles Quint et à celle de Philippe II.

Si, comme le prétend son critique, l'abbé de Saint-Réal prétendait user du genre de la nouvelle héroïco-sentimentale pour se hisser sur le degré des historiographes crédibles, l'objectif n'a pas été atteint. La stratégie d'écriture de Saint-Réal est plutôt inverse : fonder le crédit de l'intrigue sur une vraisemblance de nature historique. Il serait tout à fait hasardeux d'imaginer que son succès littéraire lui ait garanti, le moins du monde, un monopole de l'interprétation historiographique de l'affaire don Carlos. La vivacité de la réponse de son adversaire le montre assez. Les remarques, largement postérieures, du polygraphe Amelot de La Houssaie, célèbre

32. *Ibid.*, p. 44-47.

comme introducteur et traducteur de Baltasar Gracián, prouvent clairement que la populaire version de l'abbé n'a pas fondé une *doxa* unanimement partagée.

Dans ses *Mémoires historiques*, Amelot consacre un volumineux article, le plus important du recueil, à la maison d'Autriche, qui comprend un résumé de l'histoire d'Espagne[33]. Lecteur attentif des prosateurs et des polémistes de son temps, il considère l'affaire don Carlos comme un marqueur significatif du regard porté sur la monarchie hispanique depuis le royaume de France. Sa critique n'est pas moins vive que celle du contempteur de Saint-Réal : « Quant à la mort de Don Carlos, Écrivains François en ont parlé, à mon avis, avec plus de haine que de vérité, *odio magis quam ex fide*. J'avouërai tant qu'on voudra que Filippe II étoit cruel, mais je ne puis croire qu'il le fut assez, pour faire étrangler son fils-unique, comme l'ont dit quelques Historiens mal informez. [...] Saint-Évremond dit dans un de ses Discours, que l'Espagnol qui étrangloit Don Carlos, lui crioit : *calla, calla, Señor, todo que se haze es por su bien :* i. e. Taisez-vous, taisez-vous, Monseigneur, tout ce que l'on fait est pour vôtre bien[34]. » Le passage de Saint-Évremond ajoute la légèreté à la fantaisie. En bon connaisseur de la littérature espagnole, Amelot de La Houssaie préfère s'adresser aux historiographes castillans pour construire son article. Il manifeste une connaissance précise de la succession des favoris royaux depuis les secrétaires d'État de Philippe II jusqu'aux *validos* postérieurs, tirée des chroniqueurs espagnols eux-mêmes. Tout comme Jean Rou et René Rapin avec Mariana, Amelot déclare son admiration et sa foi dans la véracité de l'histoire de Cabrera de Córdoba qu'il désigne comme le « Commynes espagnol ».

À propos de la mort d'Isabelle, Amelot cite Mézeray et ajoute ce commentaire : « Pour moi, je doute fort de ces informations, qui ne furent suivies d'aucune démonstration de ressentiment : & je ne fais pas grand fond sur ce que déposent les domestiques, qui reviennent d'un pays étranger, dont leur Nation est ennemie de longue main, comme l'étoient alors les François et les Espa-

33. Amelot de La Houssaie, *Mémoires historiques, politiques, critiques et littéraires*, *op. cit.*

34. *Ibid.*, p. 203.

gnols[35]. » Il est, en cela, suivi par Morvan de Bellegarde qui entreprend, dans les premières années du XVIIIe siècle, une adaptation et une continuation de l'histoire d'Espagne de Mariana, à laquelle il associe d'autres sources secondaires. Son *Histoire générale de l'Espagne* en neuf volumes adopte une posture si contraire à la tradition textuelle qui avait forgé puis alimenté le mythe de don Carlos qu'il ne lui consacre qu'une place très limitée dans le récit du règne de Philippe II, lâchant avec dédain : « On parla diversement de cette mort en Espagne et dans les Royaumes étrangers[36]. » Quant à la mise en forme de son récit, elle repose tout entière sur la conviction que le malheureux infant présentait un tableau clinique qui ne laissait espérer aucune issue heureuse : « Il y avoit déja long-tems que la conduite du jeune Prince Don Carlos chagrinoit le Roy son pere qui ne pouvoit venir à bout de dompter ce mechant naturel, quelques précautions qu'il prît pour y réüssir[37]. »

On voit donc que le thème de l'infant don Carlos, qui pouvait cristalliser un champ de représentations effroyables sur la personnalité de Philippe II, ne s'est pas développé, au cours du XVIIe siècle, sans variations. Le fait que les versions hautes en couleur ou scabreuses ne se recoupent jamais parfaitement ouvre la voie à une critique érudite qui sépare l'ivraie du mythe négatif du bon grain de l'histoire. La publication et le succès tardifs de la nouvelle de Saint-Réal ne démentent pas le processus séculaire de décantation de l'anecdote. La répétition, à la fin du XVIIe siècle, de versions plus conformes à la vraisemblable et pathétique histoire d'un prince déséquilibré doit être soulignée comme un contrepoint à ce thème classique de la légende noire. Les versions les plus dures du motif surgissent dans le feu des guerres de Religion et, bien plus tard, à l'âge des Lumières. Mais, au Grand Siècle, le public lecteur disposait d'une gamme étendue de variations sur le mythe qui ne se laissait pas enfermer dans son pôle le plus obscur.

35. *Ibid.*, p. 273.

36. Abbé Morvan de Bellegarde, *Histoire generale de l'Espagne*, *op. cit.*, t. VII, p. 379.

37. *Ibid.*, t. VII, p. 369.

L'Espagne vue à travers ses rois

Les vies rêvées ou cauchemardées de don Carlos fournissent d'excellentes occasions de dessiner le paysage des relations culturelles et politiques entre France et Espagne pendant un long XVIIe siècle. Cette période se caractérise par une production textuelle considérable, par la diversité des titres et la multiplication des éditions. L'éclatement est tel qu'on ose à peine cerner un genre biographique, car cette cote est aussi mal taillée que celle des « récits de voyages », tant les types de textes sont divers, tant il est difficile d'accepter un modèle dont s'approcheraient ou s'écarteraient les récits littéraires de vies. Simples notices ou articles dans des ouvrages de structure analytique, approches monographiques érudites ou romancées, exercice rhétorique de parallèles à la manière de Plutarque, panégyriques de vivants et oraisons funèbres : l'énumération de ces catégories n'épuise pas la variété des modes d'écriture de la vie des personnages historiques, tels que les pratiquent les écrivains du XVIIe siècle. Leur caractère probatoire, du point de vue d'une histoire des transferts culturels, tient à leur abondance et, pour certains, à leur très probable grande diffusion. Il tient aussi au fait que la plupart de ces textes émanent de milieux lettrés accrédités par les cours royales successives et participent aux différents dispositifs de production de l'idéologie monarchique française. Offrir une première approche de ces textes suppose qu'on adopte un ordre de lecture. Plutôt que d'essayer de forger une typologie formelle de sous-genres englobés dans un ensemble biographique, nous privilégions un classement thématique simple : les rois espagnols, les reines de France nées espagnoles, les ministres, le plus souvent saisis dans des essais de vies parallèles.

Des Rois Catholiques à Charles II, tous les monarques hispaniques ont fait l'objet de portraits, de biographies complètes, de parallèles ou d'articles. Le traitement divers qui leur est réservé est un indicateur de la complexité du regard français porté sur la politique espagnole. Dans la mesure où il est impossible d'identifier un genre biographique fixé, voire un corpus *a minima* cohérent, notre examen suivra l'ordre de succession des rois racontés et non celui, chronologique, de la rédaction des textes.

Alors que le modèle versaillais est pleinement installé, en 1688, l'historiographe du roi Antoine Varillas publie une passionnante biographie de Ferdinand II d'Aragon, Roi Catholique[38]. Le dessein de l'auteur relève clairement de l'interrogation politique : « le dessein que j'avois de rechercher la Politique d'Espagne presque dans la source » est le moteur de l'œuvre[39]. Varillas, à la suite de Machiavel, voit en Ferdinand le maître des méthodes de gouvernement. Le portrait du roi d'Aragon est ambigu : sans doute est-il fourbe, mais il mérite « le titre de Premier Politique de son siècle », car il est bon ménager de son État et sait manier le secret qui permet d'éviter les guerres civiles[40]. Ferdinand, en plus de cette vivacité politique, incarne comme aucun autre roi le projet de monarchie universelle que Varillas évoque dans plusieurs de ses ouvrages : « Ce fut au commencement de l'année 1501 que Ferdinand d'Arragon, surnommé le Catholique, donna les premiers signes du dessein qu'il avoit conçû de la Monarchie universelle, & commença la fameuse querelle qui a causé tant de révolutions dans toute l'Europe[41]. »

Si le récit des événements du règne, tiré des chroniqueurs espagnols eux-mêmes, fabrique un contexte en forme de réel historique, en revanche la représentation du personnage joue, par un double jeu de miroirs, sur la confusion avec Philippe II et Louis XIV : « Son génie naturellement ami du silence, lui fournissoit un instrument merveilleusement propre à préparer cette disgrace, & la sérieusité qu'il affectoit particulierement dans les audiances qu'il donnoit aux étrangers, les obligeoit d'air avec plus de retenuë qu'il n'auroit été necessaire pour découvrir ses veritables sentimens, & lui donnoit une liberté particuliére de ne s'expliquer que très-rarement sans donner lieu de soupçonner qu'il y eust du Mistére, ou du dessein dans cette ambiguité[42]. » La « sérieusité » a quelque

38. *La Politique de Ferdinand le catholique roy d'Espagne*, par Monsieur Varillas, Amsterdam, Pierre Brunel, 3 livres en un tome, 1688. Sur le travail d'historiographe de Varillas, on se reportera à l'étude de Steve Uomini, *Cultures historiques dans la France du* XVII*e siècle*, *op. cit.*

39. *La Politique de Ferdinand le catholique*, *op. cit.*, livre II, p. 171.

40. *Ibid.*, livre II, p. 194.

41. *Ibid.*, livre I, p. 2.

42. *Ibid.*, livre II, p. 192.

parenté avec la « gravité », que nous avons tant de fois rencontrée ; le goût du silence et le secret comme mode de gouvernement renvoient à l'obsession de la maîtrise corporelle et faciale des sentiments et à l'installation, autour des *arcana imperii*, d'une religion royale, comme religion à mystères. Les contemporains du Roi-Soleil ne pouvaient s'y tromper : Varillas désignait en Ferdinand l'ancêtre du roi prudent mais aussi et surtout celui du maître de Versailles.

Le dernier paragraphe de l'ouvrage, composé comme la leçon d'une fable, ramasse le propos et en souligne la pertinence politique : « Il vit un grand nombre de peuples & de mœurs differentes, sous un mesme gouvernement, et sçut tourner contre les infidelles les armes de ceux qui les avoient levées contre lui. Il poursuivit, avec une perseverance obstinée, la guerre de Grenade, & se rendit maistre de Royaume par des voyes qui n'ont point encore été tout à fait reconnuës. Ensuite il partagea celui de Naples avec les François, & leur enléva aprés leur portion. Il rendit inutiles tous les efforts qu'ils firent pour la recouvrer, il leur suscita tant et de si formidables adversaires, qu'ils lui laisserent prendre la Navarre, lors mesme qu'ils étoient en estat de l'en empêcher. Il gagna des batailles dans l'Afrique, il y subjuga des Royaumes, y retint des ports pour la seureté du commerce, & les remplit de Colonies Juïsves, dont il étoit sur le point de purger l'Espagne. Il pourvût pour ses Successeurs à la necessité d'argent, dont il avoit toûjours été travaillé, en leur procurant toutes les richesses du nouveau monde, & leur laissa tous les alignements propres à fonder la Monarchie universelle. Enfin il surpassa tous les Princes de son siecle en la science du Cabinet, & c'est à lui qu'on doit attribuer le premier & le souverain usage de la Politique moderne[43]. » Les deux premiers éléments, réduction de l'infidélité musulmane et de l'hérésie crypto-musulmane et conquêtes territoriales contre les ambitions des rois de France, trouvent leurs exacts parallèles, sous le règne de Louis XIV, dans l'éradication des réformés et dans le grignotage territorial (Roussillon, Pays-Bas, Franche-Comté) au détriment de l'Espagne. La contradiction suggérée entre la croisade africaine et la tolérance à l'égard des communautés juives dans les

43. *Ibid.*, livre III, p. 240.

présides chrétiens[44] atténue celle qui, plus vive, se manifeste sous Louis XIV entre les bombardements d'Alger et le maintien de contacts diplomatiques avec les Ottomans et les Perses. Mais c'est encore la dernière phrase, en forme de pointe, qui suscite un certain étonnement. Par cet hommage rendu au prince du *Prince* de Machiavel ou ce rappel de la mémoire de Philippe II, Varillas invite à puiser dans l'histoire espagnole moderne des leçons politiques pour la France triomphante. On ne se trouve plus ici dans le domaine de l'apologétique spirituelle ou de la dévotion rendue aux grands mystiques et aux savants théologiens du *Siglo de Oro*. C'est bien de la politique espagnole, celle d'une Espagne toujours croisée, que la France doit tirer des leçons. On verra plus loin quel traitement est réservé à Isabelle de Castille, car son portrait est, le plus souvent, associé à celui des reines de France.

Charles Quint, dans son affrontement historique et épique avec François Ier et Henri II, incarne, en négatif, l'encerclement inacceptable du royaume et, en positif, la formule de l'agrégation territoriale par l'héritage et l'alliance, c'est-à-dire par des liens d'amour plutôt que de fer. Avec le contrôle du Milanais, l'étau se refermait sur la France, en passant par la Franche-Comté, les terres d'Empire et les Flandres. Au-delà, l'immensité de la monarchie hispanique incarnée par Charles, avant que Philippe II ne lui ajoute le Portugal et son empire (1580), constitue une source inépuisable d'émerveillement et de crainte. Dans un propos, sans grande originalité, en défense de la transsubstantiation, le père François Garasse reprenait et développait une image efficace sur l'ubiquité de Charles Quint dans les différentes parties de son empire : « Je trouve que Lamber Daneau ministre de Bearn a esté un peu plus courtois et mieux appris en faict de comparaisons et de preuves, car [...] il monstre que Jesus-Christ n'est pas au sacrement de l'autel, par l'exemple de l'empereur Charles Cinquiesme : car disoit-il, comme Charles V est roy des Espagnes, des Indes, de Naples, de Sicile, duc de Milan, du Pays-Bas, de la Franche-Conté, et si pourtant il ne demeure pas en tous ces lieux à la fois, ains seulement à Madrit. Ainsi justement Nostre Seigneur qui est roy de l'eglise militante et triomphante,

44. Jean-Frédéric Schaub, *Les Juifs du roi d'Espagne. Oran, 1509-1669*, Paris, Hachette, 1999.

des enfers, des royaumes de la terre, des provinces, des villes, des eglises, etc. Ne peut pas demeurer tout à la fois en tous les endroits qui luy appartiennent, mais il se retranche en paradis, qui est comme Madrit ou Valiadolit, et de là il gouverne tout le reste de ses estats. Je m'estonne que ce ministre ait esté si favorable aux espagnols, et que sans crainte de l'inquisition il ait peu passer les monts, et se fourrer jusques dans Madrit, pour en tirer une preuve si plaisante[45]. » Le pasteur contesté par le jésuite a mal choisi son exemple. Ici encore, on devine l'ombre de Philippe II en surimpression sur la silhouette de son père. Car l'empereur s'est justement signalé par sa présence réelle et nomade sur les territoires ; il ne s'est pas retiré à Madrid, instituée capitale par son fils (1561). Reste l'image puissante de l'ubiquité du roi hispanique comparée à celle du Christ auprès des chrétiens communiants.

Charles Quint, en dépit de l'amertume dynastique laissée par la captivité de François Ier au lendemain de la bataille de Pavie (1525), ne laisse pas d'être un personnage extraordinairement prestigieux dans la France du XVIIe siècle. Sa stature croît après la naissance de Louis Dieudonné en 1638 dont on n'oublie jamais qu'il est l'aïeul. Cette parenté de l'empereur Charles et de Louis XIV est un lieu commun de tout discours sur les aspirations de la France à la couronne impériale. Dans la galerie des grands hommes des Temps modernes, Brantôme lui accorde un place de choix, la première. Caracolant en tête de son premier livre des grands capitaines étrangers, Charles de Gand est d'abord évoqué comme un héros : « Il faut retourner encor à ce brave Empereur, lequel certes il faut advouer avoir esté un très grand capitaine[46]. » Pour Brantôme, l'âpreté des combats qui ont opposé l'empereur à François Ier et Henri II grandit les antagonistes de façon symétrique. L'évocation du roi Valois, en contrepoint du portrait du Habsbourg, est marquée par une équivalence qui interdit la préférence : « ce grand roy François, valeureux comme luy, ambitieux comme luy, envieux et

45. François Garasse, *Doctrine curieuse des beaux esprits de ce temps, ou prétendus tels, contenant plusieurs maximes pernicieuses à la religion, à l'Estat et aux bonnes mœurs*, Paris, Chappelet, 1623, p. 528-529.

46. Pierre de Bourdeille, seigneur de Brantôme, *Œuvres complètes*, éd. Ludovic Lalane, *op. cit.*, t. I, p. 88.

jaloux comme luy[47] ». Dans un registre proprement impérial, Charles a eu plus de mérite que César dans sa conquête de la Gaule, et dans son combat contre la Saxe plus de succès que Charlemagne[48]. Jean de Bourdeille, frère aîné de Brantôme, fait partie de ces gentilshommes français qui ont placé leur épée au service de l'empereur vieillissant dans sa lutte contre les Ottomans. Cette expérience atteste la vitalité du mythe de croisade et la capacité de l'empereur à l'incarner, y compris dans les rangs d'une noblesse française pourtant formée dans la lutte contre le roi de Castille[49]. La possible connivence de Charles avec la gentilhommerie française passe aussi par l'usage préférentiel de la langue française : « Entre toutes les langues, il entendoit la françoise tenir plus de la majesté que toute autre. Quel bon juge et suffisant pour la mieux honorer[50] ! » Le principal intérêt du portrait dressé par l'auteur des *Rodomontades* demeure la dimension universaliste qu'il restitue au personnage, en net surplomb par rapport aux querelles franco-espagnoles : « Charles-le-Quint, le plus brave et magnanime empereur que allaita oncques mamelles de mère [...] aiant eu le loisir de vacquer serieusement au service de Dieu deux années durant devant que mourir, fraia chemin à tous les plus sublimes esprits de la terre et leur monstra que, pour gaigner le ciel, il faut fouler aux pieds les grandeurs de ce siècle, fermer la porte au nez du monde. [...] Vivra certes et ne flestrira jamais la memoire de ce grand empereur chrestian qui, de plus, a comblé d'or et d'argent et pierres precieuses toute l'Europe[51]. » Le retrait volontaire de l'empereur au monastère hiéronymite de Yuste en Estrémadure a, en effet, exercé la fonction d'un *exemplum* sans pareil dans la production de discours sur le gouvernement des hommes. On en trouve la trace, par exemple, jusque dans le portrait apologétique de Louis XIII agonisant : « Si tost que je verray mon Dauphin à cheval & en âge de Maiorité, je le mettray en ma place pour me retirer à

47. *Ibid.*, p. 106.

48. *Ibid.*, p. 90-91.

49. Alphonse Dupront, *Le Mythe de croisade*, t. I, Paris, Gallimard, 1997, p. 366 *sq*.

50. Pierre de Bourdeille, seigneur de Brantôme, *Œuvres complètes*, éd. Ludovic Lalane, *op. cit.*, t. I, p. 101 et 98.

51. *Ibid.*, p. 122.

Versailles avec quatre de vos Peres, où je m'entretiendray avec eux des choses divines, ne penseroy plus du tout qu'aux affaires de mon ame & de mon salut [...] [52]. »

Dans la seconde moitié du XVIIe siècle, la cour de France, désireuse d'occuper le centre de gravité de la politique européenne, comme en témoigne tout le programme architectural et iconique de Versailles, tourne ses regards vers celle de l'empereur Charles Quint. Il n'est pas inutile de rappeler que les *Vies des hommes illustres et grands capitaines étrangers* de Brantôme, demeurées manuscrites, font l'objet d'une première édition en 1665 [53]. Quitte à enjoliver à l'excès la mémoire de cette cour exceptionnelle – et pourtant nomade –, Saint-Réal, qu'on a vu moins tendre avec la royauté hispanique, expose les raisons de l'admiration qu'elle a suscitée : « [...] il faut se réprésenter la magnificence, & la Majesté sans égale de la Cour de cet Empereur à Bruxelles ; c'est à dire, dans le lieu de tous ses États, où elle étoit plus belle, plus libre, & plus nombreuse ; qui étoit comme le centre de sa puissance, & où les Allemans, les Italiens, & les Espagnols se trouvoient tous, en égale considération, & sans aucune préeminence. Dans cette Cour, si qualifiée, & remplie de Courtisans d'un rang, dont il ne s'en trouve, depuis le tems, qu'à Rome, on contoit des Rois parmi ce nombre [...] [54]. »

Les historiographes Pellisson et Varillas s'associent pour chanter les victoires militaires de Louis XIV, en faisant précéder ces louanges d'une « comparaison de François I avec Charles Quint [55] ». Ce faisant, ils posent une équation sur laquelle repose une part importante de l'idéologie royale française de la seconde moitié du XVIIe siècle. En substance, le roi de France réunirait les qualités de François et de Charles, dans une Europe dans laquelle

52. P. Antoine, *L'Idée d'une Belle Mort ou d'une mort Chrestienne dans le récit de la fin heureuse de Louis XIII surnommé le Juste*, Paris, Imprimerie royale, 1656, p. 17.

53. Pierre de Bourdeille, abbé de Brantôme, *Mémoires*, 8 vol., Leyde, Sambix jeune, 1665-1666.

54. Saint-Réal, *De l'usage de l'histoire* [1671], éd. René Demoris et Christian Meurillon, Villeneuve-d'Ascq, Université de Lille III, 1980, p. 74-75.

55. *Campagne de Louis XIV*, par P. Pellisson, *avec la Comparaison de François I avec Charles Quint*, par M. ***, Paris, Mesnier, 1730.

l'empereur, pris dans Vienne assiégée, et le petit roi Charles II sont impuissants à atteindre sa grandeur. On ne doit pas s'étonner, dès lors, de la générosité relative du regard porté sur Charles Quint.

Dans le portrait qu'il offre de l'empereur, Varillas n'est donc pas avare en éloges. Il précise, par exemple, comme Charles était demeuré accessible à l'audience de ses sujets, et combien ses palais demeuraient ouverts aux gens de toute condition. Cependant, rien n'est épargné sur la rivalité inexorable des deux princes de la Renaissance. Mais leur compétition est comprise par Varillas dans des coordonnées qui sont celles du catholicisme intransigeant. Il s'emploie alors à montrer qu'en dépit des apparences, c'est du côté espagnol et non du français qu'il faut chercher les racines de la tolérance à l'égard de la Réforme : « Il est difficile de nier de bonne foy que Charles n'eût connivé durant vingt-sept ans à l'accroissement de l'héresie de Luther, & qu'il ne se mît en devoir de la détruire, que lors qu'elle parla de lui ôter l'Empire, soit qu'il fût avantageux de laisser diviser l'Allemagne, pour la conquerir ensuite avec plus de facilité, ou qu'il crut avoir besoin des forces Protestantes pour se maintenir dans l'Italie. François au contraire fit passer par le feu, presque tous les Héretiques dont il eut connoissance ; & c'est la véritable cause qui porta depuis les Historiens Calvinistes à se déchaîner contre sa mémoire[56]. » Par contraste, François Ier apparaît donc comme le rempart de la chrétienté contre les progrès de la Réforme, le roi qui sut avec le plus d'énergie répondre à l'hérésie en dressant des bûchers : « La dévotion de François parut dans le profond respect qu'il eût toûjours pour les Mysteres de la Religion, & dans les supplices dont il punit les hérétique[57]. » Ainsi, par un tour qui ne manque pas de saveur, Charles est présenté comme un roi machiavélien, au sens accordé à l'œuvre du Florentin par la tradition de la raison d'État chrétienne, à travers la lecture qu'il aurait faite et la diffusion qu'il aurait assuré aux *Mémoires* de Commynes : « Charles fit traduire l'Histoire de Philippes de Comines en toutes les Langues qu'il sçavoit, afin d'imiter mieux le Duc de Bourgogne & le Roy Loüis XI. Parce qu'ils étoient souvent dispensez d'exécuter leurs promes-

56. *Ibid.*, p. 113-114.
57. *Ibid.*, p. 169-170.

ses[58]. » L'observation fait mouche, même si l'on peut observer qu'un prince authentiquement manipulateur aurait d'abord gardé pour lui la source de sa méthode de gouvernement plutôt que de la livrer aux traducteurs et aux libraires. Mais, alors que Louis XIV réunit les vertus de François et de Charles, l'empereur additionne l'absence de scrupules de deux grands fauves, son ancêtre Charles le Téméraire et Louis XI, roi de France. En somme, le souvenir de Charles Quint que construisent et transmettent les écrivains français du XVIIe siècle, sans être exempt de critiques, est celui d'un des très grands princes de l'histoire moderne. Aucun de ses successeurs ne bénéficie d'une image aussi positive. C'est même dans l'écart par rapport au modèle idéalisé de l'empereur qu'ils sont jugés.

À la fin du XVIIe siècle, dans un ouvrage présenté comme un manuel de conversation mondaine, l'abbé Morvan de Bellegarde rédige une série d'articles, à la manière d'un dictionnaire philosophique, dont un chapitre consacré aux « intérêts des princes de l'Europe » qui offre l'occasion de disserter sur l'Espagne[59]. En fait, l'intégralité de ce chapitre historique est consacré à la seule monarchie hispanique, ce qui n'est pas surprenant venant de l'auteur d'une histoire d'Espagne tirée de Mariana. Le passage de Charles Quint à Philippe II est présenté comme celui des armes aux lettres, de la guerre au cabinet, de l'héroïsme à la politique : « Charles Quint, qui gouverna ce roïaume avec tant de gloire, aspiroit à la Monarchie universelle, & se flattoit de réussir dans ce dessein par la force des armes. Philippe Second qui lui succeda, moins propre à la guerre que son Pere, crut qu'il parviendroit a son but par les détours d'une politique rafinée ; il choisit cette voïe plus conforme à son genie, & cacha cependant son dessein sous une profonde dissimulation [...] son genie gouverne encore l'Espagne d'aujourd'hui, & [...] les maximes qu'il établit, sont l'ame de leur politique [...][60]. » On retrouve chez Bellegarde l'idée que la politique espagnole, loin de mettre en œuvre l'intransigeance religieuse qu'elle affiche, rejoint celle des ministres et des rois français,

58. *Ibid.*, p. 205.

59. Abbé Morvan de Bellegarde, *Modeles de conversations pour les personnes polies*, *op. cit.*

60. *Ibid.*, p. 312-313.

contraints à la fois de transiger et de faire de l'unité religieuse le ciment du corps politique : « [...] ils font entreprendre toutes choses aux Peuples par des motifs de conscience ; mais si je ne me trompe, ils font servir la Religion à leurs desseins ; on en a vû des exemples durant nos Guerres Civiles, où ils assistoient sous-main les Protestans, & les sollicitoient à perseverer dans leur rebellion[61]. » La critique ne porte plus, en 1697, sur un Philippe II allié et patron de la Ligue mais sur un prince mettant à profit la guerre civile chez ses rivaux. Tout comme Charles Quint se voyait reprocher d'avoir favorisé le luthéranisme dans les terres allemandes, son fils est présenté comme l'allié des huguenots en lutte contre les Valois. Et pourtant cette accusation ne suffit pas à noircir la mémoire de Philippe II.

Au bout du compte, les entreprises politiques du roi prudent suscitent plus d'admiration que celles de l'empereur son père : « Si ce Prince fit voir sa grandeur d'ame à former de belles entreprises ; il marqua aussi beaucoup de fermeté, en se mettant au-dessus des événemens. Ce Prince a eu la gloire de mettre en mouvement toute l'Europe pendant quarante-deux ans, sans sortir de son cabinet ; & toujours tellement maître de lui-même, qu'on ne voïoit en lui aucun changement, ni dans la prospérité, ni dans l'adversité. On n'a gueres vû de plus grand Politique ; quelques uns on crû qu'il avoit encore encheri sur Charles-Quint, son Pere, quoi-qu'il fût tres-versé en cette science[62]. » C'est donc le déploiement d'une puissance inégalée en son temps et l'énergie sans relâche d'un gouvernement personnel qu'on ne peut éviter d'admirer. Suivant l'expression d'un biographe d'Isabelle Claire Eugénie, fille de Philippe II, son père fut un « Archimede qui remuoit l'Univers sans sortir de son Cabinet[63] ». Comment ne pas voir dans ce monarque, capable de mettre en branle l'Europe pendant plus de quatre décennies, un prédécesseur de Louis XIV dont le règne personnel a commencé depuis près de quarante ans ?

61. *Ibid.*, p. 314.
62. *Ibid.*, p. 382.
63. Jacques Bruslé de Montpleinchamp, *L'Histoire de l'archiduc Albert, gouverneur général et puis prince souverain de la Belgique*, Cologne, Héritiers de Corneille Egmont, 1693, p. 312.

Contemporain de Morvan de Bellegarde, Amelot de La Houssaie livre un portrait de Philippe II en forme de palimpseste. Il cite un texte du chancelier de Cheverny, de la fin du XVIe siècle, accompagné des commentaires de son cru, de la fin du XVIIe siècle : « Il prévoyoit la fin des choses avec une prudence admirable, sans être jamais ébloui par la prospérité, ni abattu par l'infortune. En matiére d'État il n'épargnoit personne qui eût failli, ni Grands, ni petits. [Temoin don Carlos son fils-unique ; don Juan, son frère naturel ; Juan Escobedo, secretaire de don Juan ; don Antonio de Padilla, Président du Conseil des Ordres ; don Juan de la Nuza, Justicia du Royaume d'Aragon ; & beaucoup d'autres encore.] Il se fesoit extremement respecter par les Grands, au lieu qu'il saluoit les moindres paysans qu'il rencontroit. On ne parloit à lui qu'à genoux, & il disoit pour excuse, qu'étant petit de corps, chacun eût paru plus élevé que lui. Il se laissoit voir peu souvent, soit au peuple, soit aux grands, à cause de l'humeur hautaine des Espagnols. Il ne parloit qu'à demi mot, et vouloit qu'on devinât le reste. Quelques uns ont cru, que sur la fin de ses jours il avoit eû le dessein, à l'imitation de Charlequint, de renoncer ses États à son fils [Je ne puis croire, que lui qui disoit par moquerie, que le jour auquel son père avoit abdiqué, étoit le premier de son repentir, ait jamais eû la pensée de faire une folie, dont son fils n'auroit pas manqué de se moquer à son tour. Lui, dis-je, qui connoissoit l'incapacité de son fils, & le besoin que la Monarchie avoit d'un plus habile prince] & de demander un Chapeau de Cardinal, pour parvenir, s'il pouvoit, au Pontificat, afin d'être le maître spirituel de la chrétienté, comme il l'avoit été du temporel d'Espagne [Je ne crois point non plus qu'il ait jamais eu dessein de devenir Cardinal, encore moins de se faire Prêtre, comme il auroit fallu faire, pour devenir Pape] [64]. » On ne saurait être surpris que le traducteur de Gracián en France accorde une telle importance au contrôle des émotions comme marque suprême d'autorité [65]. Lecteur de Mariana, Amelot démontre sa bonne connaissance de l'histoire

64. Amelot de La Houssaie, *Mémoires historiques, politiques, critiques et littéraires*, *op. cit.*, p. 293-295.

65. Mercedes Blanco, *Les Rhétoriques de la pointe. Baltasar Gracián et le conceptisme en Europe*, Paris, Champion, 1992.

politique du règne, ce qui lui permet d'écarter, comme un bobard, le fantasme du vieux roi de Castille aspirant au siège de saint Pierre. Plus généralement, la méthode consiste à corriger un texte rédigé par un acteur des guerres franco-espagnoles, en s'appuyant sur des sources historiographiques espagnoles.

Le thème de l'immobilité de Philippe II se décline selon deux modalités : il satisfait une sensibilité néo-stoïque qui place la maîtrise des émotions et de leurs traductions corporelles au cœur du « processus de civilisation », il illustre le thème de l'efficacité du gouvernement par le cabinet, l'ordre écrit, conversion de l'omniprésence chevaleresque en omniscience dans l'art de gouverner. Cet aspect du personnage ne pouvait que séduire, de plus en plus, à mesure que ces impératifs étaient acceptés et intériorisés par la société de cour louisquatorzienne. En témoigne cette question mise au concours par l'Académie française en 1681 : « Qu'on voit toujours le roi tranquille, quoique dans un mouvement continuel », qui pourrait, tout aussi bien, servir de fil conducteur à un portrait du roi prudent[66].

Un an avant la signature du traité des Pyrénées, dans une dénonciation des ambitions de la maison d'Autriche, Antoine Varillas insistait, lui aussi, sur la question de l'immobilité du roi prudent : « Depuis que Philippes II eut étably le siege de la Monarchie dont il estoit si épris, dans l'Espagne, & qu'il laissa pour principe de necessité indispensable à tous ses descendans, de n'en sortir jamais, quelque utilité presente qui le leur conseillast, & quelque favorable que peust estre la conjoncture qui les sollicitast de s'éloigner pour quelque temps de l'Escurial, le Conseil de Madrid n'a point eu de plus forte application, que celle d'inventer de nouveaux moyens capables de suppléer la presence du Prince en des lieux qui sembloient l'exiger presque continuelle, & de prévenir les desordres que son absence causeroit infailliblement[67]. » On sait que la sédentarité de Philippe II et de ses successeurs, Philippe III et Phi-

66. N. R. Johnson, « Louis XIV and the Age of the Enlightenment : the Myth of the Sun King from 1715 to 1789 », *in* Haydn Mason, *Studies on Voltaire and the Eighteenth Century*, Oxford, The Voltaire Foundation at the Taylor Institution, 1978, p. 48.

67. Sr de Bonair [Antoine Varillas], *Politique de la Maison d'Autriche*, Paris, Antoine de Sommaville, 1658, p. 38.

lippe IV, relève, dans ses présentations les plus caricaturales, du mythe. Reste que la mise en scène calculée du retrait à Madrid et à l'Escurial, comme élément de la propagande royale des rois de Castille et d'Aragon, frappe les esprits au-delà des frontières. En relevant cette dimension du personnage, Varillas ne fait, en somme, que relayer un élément central du dispositif de représentation de sa majesté, tel que l'a voulu Philippe II lui-même.

La sédentarité ne suffit pas à cristalliser l'opposition entre un empereur chevaleresque et un châtelain de l'Escurial tissant sa toile arachnéenne du fond d'un obscur bureau. Le portrait de Philippe II qu'avait composé Brantôme, au début du siècle, était déjà porteur d'une interprétation nuancée et complexe de ce roi qui pourtant était apparu aux « politiques » de sa génération comme le plus redoutable des adversaires. N'hésitant pas à aborder les aspects les plus douloureux des relations hispano-françaises de la fin du XVIe siècle, l'auteur des *Rodomontades espagnoles*, on l'a vu, expliquait et justifiait que le roi prudent ait pensionné certains membres de la gentilhommerie française, au nadir de l'autorité royale des Valois. Tout empreint de culture chevaleresque, sans doute Brantôme était-il plus porté à chérir le souvenir de Charles Quint. Cependant, son Philippe II, on le verra au chapitre 6, frémit encore des entreprises africaines et méditerranéennes du roi d'Espagne contre le monde musulman. Sans doute le roi ne chevauche-t-il plus après son arrivée définitive en Castille, sans doute ne se rend-il plus ni à Tunis ni à Alger, mais il demeure le maître de la croisade de reconquête jamais interrompue, ce qui suffit à en faire l'un des « capitaines » admirables de son temps. Et, s'il engage toutes les forces de sa monarchie dans la répression de la rébellion hollandaise au nom de l'orthodoxie catholique, il ne saurait être confondu avec le sanguinaire duc d'Albe[68].

Exacts complémentaires de l'immobilité, le silence et l'impératif du secret organisent l'image du roi prudent : « Une maison qui s'est accoustumée a couvrir d'un éternel silence les moindres vérités qui luy pourroient imprimer quelque tache, depuis l'exemple de Philippes II Mourant, qui s'estant fait apporter les cassettes, dans

68. Mr. M., historiographe de France, *Abrégé de l'histoire d'Espagne, de Portugal et de Navarre*, *op. cit.*, p. 237-238.

lesquelles estoient renfermés les papiers qui contenoient le secret des affaires passées, durant son règne, & qu'il n'avoit point encore communiquées à personne, les mit entre les mains de Christophe de Moura, principal secrétaire d'Espagne, avec ordre exprez de jetter dans le feu tous les Memoires qui lui sembleroient dangereux, & qui pour des raisons d'Estat ou de conscience ne devoient pas estre exposés à la conoissance, ny se conserver dans le souvenir des hommes [...] [69]. » C'était là bien connaître les usages et l'économie du document que Philippe II avait soigneusement élaborés tout au long de son règne [70]. Le roi, en effet, s'était montré très soucieux de faire surveiller la circulation des textes, en particulier manuscrits, relevant du gouvernement de ses couronnes, et très précis dans la rédaction d'un règlement pour la conservation et l'usage des archives recueillies dans la forteresse de Simancas [71].

Les jugements portés, en France, sur celui qui avait menacé de tuer dans l'œuf la branche royale des Bourbons demeurent si ambivalents que même le déclenchement de la guerre générale en 1635 ne parvient pas à réduire la complexité du regard rétrospectif porté sur Philippe II. Jean de Silhon, qui devint homme de plume de Richelieu, compose en 1631 un ouvrage sur le « ministre d'État » qui traite longuement de l'histoire du règne du roi prudent et qui fut réédité après l'entrée en guerre de la France. Le stoïcisme de Philippe, la maîtrise de ses émotions et de ses passions suscitent une admiration ouverte : « Mais destournons un peu la veüe, & nous trouverons que cette prosperité eu des Éclipses frequens & longs, & que les ombres du tableau ont surmionté les couleurs vives. Nous rencontrerons la mort de quatre femmes qu'il avoit tendrement aimees : les caprices de son premier fils qui lui firent tant de peine, & le contraignirent de despoüiller ses sentiments de pere, pour faire la charge du Roy & la fonction de Iuge : les jalou-

69. Sr de Bonair [Antoine Varillas], *Politique de la Maison d'Autriche*, *op. cit.*, p. 70-71.

70. Sur ce point, voir les analyses de Fernando Bouza, *Imagen y propaganda. Capítulos de historia cultural del reinado de Felipe II*, *op. cit.*, et *Comunicación, conocimiento y memoria en la España de los siglos XVI y XVII*, *op. cit.*

71. José Luis Rodríguez de Diego (éd.), *Instrucción para el gobierno del Archivo de Simancas (año 1588)* [1989], Madrid, Ministerio de Cultura, Centro de Publicaciones, 1998.

sies que lui donnerent la bonne fortune, & la grande vertu de D. Iuan d'Austria : la deffaite de ses flottes par les tempestes & par les ennemis ; la rebellion des Païs-bas qui a deserté l'Espagne & rendu les Indes pauvres. Et parmi tout cela, & au milieu de cette vicissitude & cette confusion d'accidens, ne s'egarer point et garder sa constance : il faut avoüer, qu'il appartient à telles gens par toute sorte de droits de gouverner les peuples, d'estre superieurs en terre, & arbitres souverains du destin des hommes [72]. »

L'analyse de l'attitude du roi d'Espagne face aux conflits religieux en France ne reprend pas l'idée qu'il aurait appuyé, en sous-main, les huguenots pour affaiblir les Valois. Au contraire, Silhon suggère que Philippe II aurait conseillé à Catherine de Médicis d'observer une totale fermeté à l'égard des réformés. Encore son choix est-il intéressé, car le roi prudent veut éviter les risques de contagion de l'hérésie sur ses terres : « Au commencement de nos discordes civiles pour le fait de la religion, & lorsque la nouvelle Secte separoit de l'obeïssance du Roy, ceux quelle avoit soustraits de celle de l'Église ; Philippe II fit avertir Catherine de Medicis par Manrique son Ambassadeur, qu'elle se gardast bien de flatter le mal, ni de venir en aucune composition avec lui : que les remedes lenitifs estoient mortels, & qu'il falloit poursuivre avec le fer & avec le feu, la rebellion & l'heresie. Ie ne doute point que le conseil de Philippe n'eust pour fin l'honneur de Dieu, qui estoit offensé par cette nouvelle doctrine, & ne s'excitast par l'interest qui lui estoit commun avec tous les autres Princes, de ne souffrir pas la desobeïssance mesmes dans les estats d'autruy. Mais en l'election des moiens qu'il proposoit pour s'opposer au mal & pour le combattre ; il est certain qu'il ne consideroit pas tant l'effect qu'ils produiroient en France, que le bien qu'en recevroient les Pays-bas, où la contagion estoit desja passée. Il nous vouloit faire avaler la Medecine, pour purger ses sujets [...] [73]. » Dans ce passage, l'intention cachée prêtée à Philippe II s'écarte sensiblement du modèle antimachiavélien forgé pour dénoncer sa duplicité. Le roi prudent recommande à Catherine de Médicis la manière forte

72. Jean de Silhon, *Le Ministre d'Estat avec le véritable usage de la politique moderne* [1631], Paris, Du Bray, 1642, p. 142-143.
73. *Ibid.*, p. 176-177.

contre les huguenots, et ne se situe pas dans la perspective d'une prise de direction des destins de la France ravagée par les guerres de Religion. Le monarque hispanique est supposé rechercher un front commun catholique hispano-français, actif aux Pays-Bas et en France. Cette modélisation paraît anticiper la justification idéologique de la guerre de Hollande, sous le règne de Louis XIV, qui, elle aussi, associe la lutte contre les huguenots de l'intérieur et conte les protestants des Provinces-Unies.

Aux antipodes d'un Philippe II instrumentalisant l'argument religieux, Jean de Silhon propose une formule hiérarchique dans laquelle le choix politique demeure soumis à l'impératif spirituel : « Remarquons icy par occasion, que ce prince, qu'on a appelé le Salomon de son siecle, a empesché autant qu'il a peu que les Flamens ne prissent la religion pour pretexte du soulevement qu'ils meditoient & de l'inquietude qu'ils avoient de remuer. [...] pour eviter donc cela, il leur accorde toutes leurs demandes bien quelles fussent injustes : il oste les garnisons Espagnolles, dont ils se disoient opprimez : Il consent que les gouverneurs des places fortes fussent du païs, & nommez par les Estats : il renvoie à la franche Conté le Cardinal Granvelle, dont la personne leur estoit odieuse, & la consduite insuportable. Bref, il reserve pour l'amour d'eux les fonctions de la souveraineté, & aime mieux receboir en quelque façon la loi de ses sujets Catholiques, qu'estre contraint de la donner à des heretiques rebelles[74]. » L'argument de l'écrivain du cardinal rejoint, comme en miroir, celui de Campanella, devenu l'adversaire de l'Espagne et espérant placer sa plume au service de Louis le Juste : « Les Hollandais, comme ils étaient tyrannisés par Philippe II fils de Charles, embrassèrent l'hérésie, pour se renforcer contre les Espagnols par la division des âmes. Et ils ne reviendront jamais à leur foi catholique tant que durera leur crainte de la maison d'Autriche[75]. » Ici, l'argument reste purement négatif, tandis que Silhon, en reconnaissant à Philippe les vertus d'un roi de justice, privilégie son interprétation positive.

Ces quelques appréciations sur le bâtisseur de l'Escurial sont donc extraites du *Ministre d'Estat*, réédité avec l'aveu du cardinal

74. *Ibid.*, p. 199-200.
75. Tommaso Campanella, *Monarchie d'Espagne*, *op. cit.*, p. 431.

de Richelieu, après l'entrée en guerre de la France contre l'Espagne. L'ouvrage a pour objet la démonstration de tout ce que Richelieu a fait pour l'Église catholique, répondant ainsi aux pamphlets « puants » de ses adversaires. Il s'agit donc de montrer, contre ceux qui mobilisent l'arsenal rhétorique de la posture dévote, que le cardinal est « un principal Ministre de l'Estat, un Prince de l'Église, un grand Theologien, & un excellent Politique tout ensemble[76] ». Il n'est donc pas question d'abandonner aux représentants d'un « parti espagnol » le monopole de la revendication catholique qui passe aussi par la reconnaissance de la dette historique de la catholicité à l'égard des rois d'Espagne. L'ouvrage présente ainsi un modèle parfait de l'ambivalence française vis-à-vis de la monarchie hispanique. Les illustrations choisies par Silhon à l'appui de sa démonstration sont tirées soit de l'histoire des royautés bibliques et antiques, soit de l'histoire des Temps modernes et, dans ce cas, les exemples espagnols occupent une place écrasante : Ferdinand, Charles et Philippe se taillent la part du lion. Le domaine hispanique, ainsi placé en position dominante, est présenté, selon les passages, sous un jour très sombre ou bien très avantageux.

L'ambivalence traverse le jugement porté par Silhon sur la guerre hispano-hollandaise, lorsqu'il avance qu'il s'agit d'une rébellion providentielle, voulue par le Créateur pour freiner l'expansion hispanique. Il passe ainsi du registre de l'intransigeance catholique assumée et partagée sans façons avec l'Espagne, à un possibilisme qui rend acceptable, par provision, l'alliance avec les princes protestants et le roi de Suède : « Peut-estre aussi qu'il y avoit une fatalité en l'avenement de ceste nouvelle puissance, & que Dieu a permis qu'elle s'elevast, pour l'opposer à l'ambition de l'Espagne, & arrester avec si peu de chose ce torrent qui menaçoit d'innonder tous ses voisins[77]. »

Le récit de la mort de Philippe II offre également l'occasion d'un rapprochement du Habsbourg avec Saint Louis[78]. À l'agonie, le vieux monarque fait remettre, par son confesseur, un papier au

76. Jean de Silhon, *Le Ministre d'Estat*, *op. cit.*, p. 224.
77. *Ibid.*, p. 201.
78. René de Ceriziers, *Éloge d'Anne d'Autriche*, *op. cit.*, p. 21.

prince infant Philippe, appelé à lui succéder : « Je trouve bon de mettre tout au long cette dernière volonté pour faire honneur au S. Fils de la Reine Blanche & au Roi Catholique, rien n'empechant qu'un meme ruisseau ne vienne de deux sources. À l'imitation de S. Louis Filipe II recommanda à son fils d'aimer Dieu de toutes les forces de son ame parceque sans cela nul homme ne doit prétendre au ciel [...] il banissoit de ses conversations tout ce qui pouvoit blesser le respect dû à Dieu [...] Il lui conseilloit d'avoir le cœur tendre & sensible pour tous ceux qui souffriroient, & de les soulager de toutes les manieres qu'il pourroit [...]. » L'évocation du prince parfait qui disparaît se termine par ces mots : « Voilà le Testament de Louis IX & de Filipe II[79]. » Le ruisseau espagnol capte donc la source d'un roi de France saint, fils d'une princesse de Castille il est vrai. L'identité parfaite affichée entre les dernières volontés de Louis IX et celle de Philippe II place ce dernier très haut au firmament des rois de ce monde.

L'examen de ces présentations de Philippe II montre que l'image d'un roi incarnant l'intransigeance catholique dans ses aspects les plus violents et comme celui qui menaça de subvertir la succession dynastique française, au profit de sa fille et au mépris de la loi salique, s'estompe dès les premières années du XVIIe siècle. L'assomption de plus en plus exclusive d'une posture catholique intolérante par l'institution royale française ôtait toute pertinence à ces arguments. Au total, il s'en dégage l'image d'un monarque qui, ayant été un redoutable adversaire de la France, n'en demeure pas moins un des princes les plus puissants et impressionnants des Temps modernes. Les charges pamphlétaires hostiles à Philippe II, à son Inquisition, à la persécution des ministres déchus, à son duc d'Albe dans les Flandres, on le voit, n'occupent pas seules le terrain de la production textuelle sur le roi prudent. Le bilan de son règne, l'analyse de son gouvernement par cabinet, la maîtrise de soi travaillée comme un exercice spirituel, sa capacité à incarner, sans contestation crédible, l'avant-garde de la catholicité militante font de sa mémoire celle d'un personnage qui suscite une admiration révérente.

79. Jacques Bruslé de Montpleinchamp, *L'Histoire de l'archiduc Albert*, *op. cit.*, p. 122.

L'historiographie espagnole elle-même entérine la coupure entre l'âge des grands Habsbourg (Charles Quint et Philippe II) et des Habsbourg « mineurs » (Philippe III, Philippe IV, Charles II). Si les écrivains français enregistrent la pause pacifique décidée par Philippe III, les échecs subis par Philippe IV, la faiblesse et la stérilité de Charles II, ils ne construisent pas une vision dichotomique aussi tranchée. Dans les années qui suivirent les mariages espagnols de 1615, après une première vague de littérature d'exaltation du beau-père de Louis XIII, à l'heure du bilan du règne de Philippe III, on observe un travail de publication de textes sur la sagesse politique du roi d'Espagne [80]. Son œuvre peut être résumée, chez ces auteurs, en trois directions : mariages, trêve de Douze Ans (avec les Provinces-Unies, de 1609 à 1621), expulsion des Morisques (1609-1611). Ce dispositif mêlant alliance avec la maison de France, modération des ambitions européennes et fidélité à l'idéal de croisade, par un biais qui paraît bien domestique mais qui ne laissa pas de susciter l'admiration, construit l'image de « prince des plus religieux qui ait régné dans l'Espagne [81] ». Sans doute l'auteur de l'oraison funèbre du père de la reine de France prononcé à la cour peine-t-il à donner à son texte le souffle tragique ou épique qui sied à l'évocation des grands monarques. François Lecharron, aumônier d'Anne d'Autriche, souligne pourtant les vertus de ce « grand-père des Français », devenu l'intercesseur de la reine de France dans l'autre monde [82]. Malgré ses efforts, son éloge se ressent d'un défaut d'inspiration qui suscite, bien involontairement, le sourire : « Il ne s'est jamais veu une si grave Majesté, ny une gravité si fort majestueuse, l'innocence, la force, la prudence, la vigilance, sont ses pierres les plus precieuses, dont est enrichy & orné son Diadesme [83]. » Pour sa part, le maréchal de Bassompierre, ambassadeur du roi de France, accompagnait du regard le

80. Simon Royas, *Les Advis du tres-puissant prince Philippe III roy d'Espagne*, Paris, Anthoine Binart, 1621.

81. M. Lopes, *Oraison funèbre pour la feu Reyne Mère Anne d'Autriche*, Bordeaux, G. de La Court, 1666.

82. François Lecharron, *Discours funebre sur le sujet des obseques de tres-haut & tres puissant Philippe III Roy d'Espagne*, Paris, Antoine de Vitray, 1621, p. 6.

83. *Ibid.*, p. 28-29.

convoi mortuaire de Philippe III avec un profond sentiment de respect : « On tira du palais le corps du feu roy por le mener a l'Escurial au tombeau de ses peres. Je fus le voir passer sur la Puente Segoviana avec quasy tous les grands de Madrid et les dames. Ce fut un assés chetif convoy a mon avis pour un sy grand roy[84]. » Par rapport à la pompe cérémonielle française, la modestie espagnole n'est-elle pas précisément la marque d'une vraie supériorité spirituelle et politique ? Elle signale l'installation de l'institution royale dans une légitimité qui n'a guère besoin d'être mise en scène.

Avec le règne de Philippe IV, deux fois plus long que celui de son père, marqué par l'entrée en guerre de la France, les révoltes de Catalogne et de Naples, les pertes du Portugal et du Roussillon, le rapport de forces et la conception des rapports franco-espagnols changent. Alors que des écrits espagnols commentent les étapes de l'affaiblissement de la monarchie hispanique, sur le territoire même de la péninsule Ibérique, les auteurs français tendent à souligner avec moins de force les revers subis par l'Espagne, car la victoire française apparaît d'autant plus impressionnante que l'adversaire demeure puissant. L'oraison funèbre de Philippe IV, prononcée devant sa fille Marie-Thérèse en 1666 par le prédicateur François Ogier, fixe le portrait de ce roi au terme de son règne, en plein envol du Soleil. L'auteur souhaite « bâtir un Mausolée digne d'un Roy Catholique & du pere d'une Reine de France » (épître dédicatoire à la reine), montrant que la gloire de celui qu'on appela, un temps, le « Roi-Planète » rejaillit sur la maison de France. À l'instar d'autres auteurs, Ogier enracine la lignée des Habsbourg d'Espagne dans des terres devenues, pour partie, françaises : « Il doit à la maison de Bourgogne l'honneur du sang de France[85]. » Philippe est issu de trois races royales qui toutes concourent à faire de lui un monarque d'exception. De l'Autriche, il a reçu la piété qui signale tous les Habsbourg ; de la Bourgogne, la magnanimité, la valeur guerrière et la magnificence ; de l'Espagne, la prudence

84. Maréchal de Bassompierre, *Journal de ma vie*, *op. cit.*, t. II, p. 256.

85. François Ogier, *Oraison funebre de Philippes IV Roy d'Espagne*, *op. cit.*, p. 4 et 48.

dans l'action et la persévérance dans les conseils[86]. Comme Garasse et son contradicteur le faisaient à propos de Charles Quint, Ogier souligne la multiplicité des personnes royales en une seule personne physique qui reste, en effet, la marque du système institutionnel hispanique et sa force politique : « Je voy bien que j'ay à parler de plusieurs Monarques, en la seule personne de Philippe quatriéme[87]. »

Le genre de l'oraison funèbre est, dans ce cadre, contraint et la familiarité installée entre maisons de France et d'Espagne devient un passage obligatoire. Cependant, entre éloges convenus, on trouve la trace de raisonnements politiques, sans doute éprouvés ailleurs. François Ogier appelle à un dépassement de l'opposition du calcul et de la foi, dont le défunt offre l'exemple : « Il y a de faux Politiques qui croyent que la prudence, qui est la principale vertu qui fait regner heureusement les Souverains, & la piété Chrestienne sont incompatibles ; & qu'il est impossible d'accorder les maximes de l'Estat avec celles de l'Évangile. [...] Mais, chose étrange ! Messieurs, ces prudens mesme du siecle, qui disent que ces regles sont si contraires à l'art de regner ; ceux qui avancent que la piété & la religion ne s'ajustent pas avec la politique, sont obligez de dire que le Prince en doit avoir l'exterieur & l'apparence, pour reussir dans ses affaires[88]. » Mobilisant les termes les plus rebattus de la « raison d'État chrétienne », l'auteur avance que la culture de la prudence politique n'engendre pas nécessairement un usage cynique de la référence religieuse. Ce faisant, il active un registre présent chez Juste Lipse et chez la plupart des auteurs de traités politiques espagnols de la première moitié du XVIIe siècle[89]. On ne peut, en outre, s'empêcher d'interpréter cet avertissement comme un rappel, positif, de la mémoire de Philippe II.

86. La même présentation se trouve dans dom Antoine Gallois, *Oraison funebre de Tres-Auguste Princesse Marie-Therese Reine de France*, Paris, Guillaume de Luyne, 1683, p. 12-13.

87. François Ogier, *Oraison funebre de Philippes IV Roy d'Espagne*, *op. cit.*, p. 2.

88. *Ibid.*, p. 6-7.

89. Gerhard Oestreich, *Neo-Stoicism and the Early Modern State*, Cambridge, Cambridge University Press, 1983.

Dans une logique lignagère, qui n'a pas à être explicitée tant elle est d'évidence, le portrait d'un roi comme Philippe IV procède de façon cumulative, rassemblant sur sa tête une part essentielle de l'histoire de la dynastie. De Ferdinand, le Roi Catholique, et de Cisneros, Philippe IV est l'héritier comme gardien de l'œuvre majeure, « la Bible de Complute »[90]. L'éloge offre l'occasion de rappeler l'extraordinaire montage d'alliances qui a fondé la puissance impériale de Charles Quint : « Il n'y a [...] que l'Estat de l'Espagne qui ne soit pas une invasion de la force, mais une conqueste de l'amour [...][91]. » Mais c'est encore avec le règne de Philippe II que le télescopage est le plus apparent. Son petit-fils partage avec le roi prudent la capacité morale de réagir avec une grande « constance chrétienne » aux défaites et aux pertes de son empire. L'admiration pour le palais de l'Escurial sert à exalter Philippe IV, avec la même efficacité que dans les éloges de Philippe II : « [...] ce miracle du monde, [...] ce superbe & somptueux bâtiment de l'Escurial, qui remplissant d'admiration les yeux des spectateurs, les lasse & les fatigue par la variété, l'éclat & la richesse de tant de merveilles qu'il leur presente. Ce magnifique Monastere ou plûtot ce Palais superbe, qui a consumé tant de millions, fut consacré à Dieu[92]. » On devine la métaphore négative : l'engloutissement des millions des Amériques dans l'entreprise de reconquête catholique de la Hollande laisse un champ de ruines ici-bas et un royaume au ciel. La portée spirituelle de l'œuvre hispanique, dont le culte de l'Immaculée Conception constitue le fleuron, survit à tous les revers historiques : « On verra un jour les ruines de ce fameux Escurial dont je vous ay parlé : mais le culte de la glorieuse Vierge amplifié & augmenté dans la celebration de la feste de sa Conception immaculée, durera jusques à la fin des siecles[93]. » Puis, revenant sur un thème qui a fait l'objet de nombreuses discussions, à propos de l'obstination de Philippe II en Hollande, Ogier conclut que l'abandon des prétentions hispaniques

90. François Ogier, *Oraison funebre de Philippes IV Roy d'Espagne*, *op. cit.*, p. 54.

91. *Ibid.*, p. 19.

92. *Ibid.*, p. 12.

93. *Ibid.*, p. 15.

sur les Provinces-Unies est une décision louable : « Ce Monarque a mieux aimé retrancher du corps de ses Estats, les membres infectez d'une telle peste, que de regner sur des sujets rebelles au Royaume de Iesus-Christ[94]. »

L'importance des pertes territoriales de la monarchie en Europe durant le règne de Philippe IV est atténuée par le maintien de l'empire américain et asiatique. Cette conquête conserve sa dimension épique : de cette Espagne bourguignonne héritière de la Toison d'or, Christophe Colomb a été le Jason, dont la quête livre encore tous ses fruits. Ogier n'accepte donc pas que l'on fasse grief aux rois espagnols d'être allés en Amérique pour dépouiller le Pérou[95]. Car l'or et l'argent d'outre-mer ont financé la victoire de Lépante et – par un étrange anachronisme – la prise de Grenade elle-même. Cet argent, bien dépensé, a-t-il été arraché des entrailles des Amériques au prix d'innombrables cruautés ?

Les récits de Las Casas n'occupent pas, loin s'en faut, tout l'espace des représentations sur la présence espagnole aux Indes occidentales : « Qui eût voulu épouser, pour ainsi dire, ces Nations barbares, cette Floride bazannée, cette Mexique brûlée des rayons du soleil, cette Amérique sauvage & peuplée de Cannibales, de Ciclopes et d'Antropofages[96] ? » L'auteur se trouve alors en retrait par rapport à la hardiesse de Gomberville, encore capable en 1637 de contester la supériorité proclamée des *conquistadores* sur les populations soumises à leur joug : « La première fois que je quittai mon pays, je fus émerveillé de l'opinion que les Espagnols avoient faussement donnée des habitants du nouveau Monde. Car c'est ainsi qu'ils appellent une terre qui est aussi ancienne que la leur ; ils nous ont fait passer pour des Barbares, pour des Sauvages, pour des Monstres dépouillés de toute connaissance et de toute humanité[97]. » En retrait également par rapport à Guez de Balzac, auteur de cette formule si percutante : « [...] il ne vient pas une pistole en

94. *Ibid.*, p. 25.
95. *Ibid.*, p. 51.
96. *Ibid.*, p. 50.
97. Gomberville, *Polexandre*, éd. de 1637, t. I, p. 210, cité par Madeleine Bertaud, « Les Espagnols selon Gomberville : le *Polexandre* de 1637 », *in* Charles Mazouer (éd.), *L'Âge d'or de l'influence espagnole*, *op. cit.*, p. 329-338.

l'Europe qui ne couste la vie d'un indien, et qui ne soit le crime d'un catholique[98]. » François Ogier, lui, assume pour le roi d'Espagne le sort réservé aux populations autochtones et ne retient que l'œuvre pastorale des Espagnols en Amérique.

Ainsi, ce n'est pas uniquement dans le domaine spirituel que la monarchie hispanique tient son rang. La puissance espagnole demeure malgré les calamités subies, tout au long du règne de Philippe IV. Le prix exorbitant payé par le royaume de France pour rétablir la balance face à l'Espagne en constitue le signe le plus évident. C'est pourquoi la satisfaction arborée par Mazarin après avoir arraché à don Luis de Haro le traité de 1659 ne peut masquer le fait que cette paix était aussi indispensable à la France qu'à l'Espagne[99].

La mort d'Anne d'Autriche, intervenue quelques mois à peine (1666) après celle de son frère Philippe IV (1665), offrit, elle aussi, l'occasion de rappeler de façon fort avantageuse la mémoire de ce roi contre lequel s'étaient battus avec tant d'efficacité Richelieu puis Mazarin : « [...] toute l'Europe (je puis dire l'Univers) s'est revestu de dueil, pleurant amerement la perte de deux Colomnes inebranlables de la Foy Catholique ; l'une en Espagne, l'autre en France [...]. Car la gloire des Reines d'Espagne, & l'honneur des Filles de France Élizabeth de Bourbon, vostre tres-chere & honorée Mere (d'heureuse memoire) estant allée au Ciel prendre son repos, Philippe le Grand, vostre très-aimé & digne Pere, joignit ses soins de Pere à l'amour de Mere pour continuer heureusement l'education de vostre Personne dans la pratique des plus hautes & plus sublimes vertus du Christianisme. [...] J'advouë que la separation d'avec un Pere si aymable, & l'esloignement de vostre païs natal vous furent extrémement difficiles ; mais l'inclination naturelle que vous aviez à la partie maternelle, l'esclat des belles & admirables qualités de vostre digne Cousin, & l'esperance des tendresses que vous aviez de votre chere Tante, qui ne respiroit que pour vous,

98. Jean-Louis Guez de Balzac, *Le Prince. Lettre à Monseigneur le cardinal de Richelieu*, *op. cit.*, p. 97.

99. François Ogier, *Oraison funebre de Philippes IV Roy d'Espagne*, *op. cit.*, p. 69.

comme vous pour elle, ont franchi les obstacles [...] [100]. » L'orateur réunit en une lignée unique les deux tiges que tressent les maisons royales d'Espagne et de France. En un subtil rappel des effets symboliques des mariages de 1615, Charles Magnien signale aux auditeurs et lecteurs que Philippe III, en même temps que Louis XIII, a favorisé en Espagne le culte de Saint Louis [101].

L'oraison funèbre d'Anne, en dépit des épisodes d'humiliation symbolique des représentants du roi d'Espagne par lesquels commence le règne personnel de Louis, établit une rigoureuse symétrie des deux monarchies – les deux colonnes de la catholicité –, sans dénivelé. Décrivant l'œuvre fatale de la mort, Magnien lance : « Il n'y a qu'environ six mois que tu as terrassé un grand Roy, qui faisoit trembler les corps, & pouvoit faire sauter les testes jusques dans le plus profond des Indes ; & depuis peu, tu as passé les Monts Pyrénées pour venir renverser sa Sœur [...] [102]. » La branche espagnole des Habsbourg est ici admirée pour la puissance encore active de l'Empire, mais surtout pour les manifestations de dévotion qu'elle offre aux regards du monde. C'est pourquoi il retient la figure sacrificielle d'un Philippe IV, redoutable mais aussi malheureux en ce monde, autant qu'il est assuré d'être bienheureux dans l'autre : « Je puis dire aussi en passant, que Philippe IV son Frere, grand Monarque des Espagnes, faisoit les mesmes humiliations, preferant la qualité d'esclave du Fils de Dieu, à celle de Roy & d'Empereur de tout le monde [103]. »

Si l'évocation du vieux roi Philippe IV, au soir de sa vie, n'inspire pas moins le respect que le plaisir de la victoire remportée sur le plus grand de tous les rivaux, le regard porté sur Charles II ne se réduit pas, lui non plus, au ricanement facile que suscite l'image de ce rejeton disgracié. Les Français pouvaient-ils considérer la minorité de cet enfant-roi de quatre ans, la régence de sa mère Marianne d'Autriche déchirée entre son favori le père Nithard et le fougueux bâtard royal, don Juan José de Austria, sans penser à

100. R.P. Charles Magnien, *Panegyrique et oraison funebre d'Anne Maurice d'Autriche, Infante d'Espagne, Reine de France, & Mere du Roy*, Paris, Guillaume Sassier, 1666, p. 4-5.
101. *Ibid.*, p. 18.
102. *Ibid.*, p. 12.
103. *Ibid.*, p. 32.

la régence d'Anne d'Autriche et à la Fronde ? En outre, lorsque l'occasion se présente de conclure une alliance matrimoniale entre la maison de France et Charles II (1679), les discours officiels français ne peuvent que rehausser la qualité du parti imposé à Marie-Louise d'Orléans. La majesté d'un roi d'Espagne l'emporte sur la réalité physique et psychologique de ce monarque malheureux. On en trouve une expression savoureuse dans un traité consacré aux droits de Marie-Thérèse sur les terres du Brabant : « Estant assis sur le giron de la Marquise de Los-Velez sa Gouvernante, sous un dais, couvert d'un petit bonnet noir, avec sa robbe de damas & son petit collet blanc rabattu, il receut les baise-mains de tous avec une majesté si grande, qu'un Prince d'un âge accomply n'en auroit pas fait davantage. Et comme on luy nommoit chaque personne, il avançoit sa main à mesure qu'ils s'agenoüilloient, & la retiroy aussi tost. Ce qu'il fit toute cette journée-là, devant & aprés midy. Et quand le Marquis de Velada s'approcha, il luy dit : Comment, Sire, Faut-il qu'un Roy prenne encore le lait ? Il luy répondit avec un merveilleuse grace : Il me manque encore une dent, qui ne me sera pas si-tost venuë, que je ne tetteray plus [104]. » Voici donc un Charles II bien plus précoce que son aïeul Charles Quint, dont Varillas rapporte, avec émerveillement, la présence aux affaires dès l'âge de quatorze ans [105]. Entre scène domestique et représentation de la majesté, ce portrait de l'enfant-roi traduit, encore une fois, l'ambivalence du regard porté sur une Espagne pourtant bien mal en point.

À ces évocations des rois de la monarchie hispanique, on pourrait ajouter quelques portraits de grands princes espagnols. La victoire de Lépante place le bâtard de Charles Quint, don Juan d'Autriche, au firmament des gloires historiques. Ainsi, à la manière de Saint-Réal, l'historiographe du duché de Lorraine, Jacques Bruslé de Montpleinchamp, compose sur lui une nouvelle historique ; elle décrit son aura par une formule ne pouvant laisser

104. *Considérations sur le contract de mariage de la Reine pour monstrer quel est le droit de Sa Majesté sur le duché de Brabant, & sur les Comtez de Henaut, Namur, &c.*, *op. cit.*, p. 108-109.

105. Antoine Varillas, *La Pratique de l'éducation de Charles-Quint*, Paris, Claude Barbin, 1689, p. 77.

indifférente une cour royale qui avait fait l'expérience de l'efficacité symbolique du mythe solaire : « Don Jean, pareil au Soleil qui demeurait dans son globe, envoie ses agreables influences à la terre, sans sortir d'Italie [106]. » Le caractère solaire, ou du moins exceptionnel, du personnage est enregistré dans la mémoire et la culture européennes, comme en témoigne, par exemple, la considération que lui accorde Voltaire : « Don Juan d'Autriche acquit tout d'un coup la plus grande réputation, dont jamais capitaine ait joüi. Chaque nation moderne ne compte que ses héros, et néglige ceux des autres peuples. Don Juan comme vengeur de la chrêtienté était le héros de toutes les nations ; on le comparait à Charles-Quint son pére, à qui d'ailleurs il ressemblait plus que Philippe [107]. » Qui donc, au XVIIIe siècle, dans une Europe de plus en plus fragmentée par les congrès diplomatiques, pouvait encore se vanter d'être reconnu comme « héros de toutes les nations » ?

En 1693, Bruslé de Montpleinchamp récidive dans un livre consacré à la vie des archiducs d'Autriche, gouverneurs des Pays-Bas, Albert et Isabelle. Le portrait d'Albert en prince chrétien idéal mobilise, lui aussi, le registre apollinien : « À l'imitation du Soleil, il parut aussi grand & aussi vertueux en son jeune qu'en son grand age [108]. » La vie de l'archiduc se présente comme une série d'*exempla* offerts en leçon au lecteur français de la fin du XVIIe siècle. Son identité solaire n'est rien à côté de sa dévotion et d'une fidélité ultramontaine proposée en modèle politique : « Il avoit un admirable respect pour le Souverain Pontife & pour tout ce qui regardoit le Saint Siege. Il detestoit les differens qui regnoient entre les puissances Ecclesiastiques & Seculieres, & comme on lui reprochoit ce trop grand panchant pour le Sacerdoce, il repondoit avec Filipe Auguste Roi de France, les paroles que Saint Louis estimoit tant dans son aieul. Les voici : J'avoue que je suis porté pour le Sacerdoce, mais quand je considere les faveurs que Dieu m'a faites par l'entremise de ceux qui servent ses autels, quand je considere les

106. *L'Histoire de don Jean d'Autriche fils de l'Empereur CharleQuint*, Amsterdam, Pierre Lebrun, 1693, p. 145.

107. Voltaire, *Essay sur l'histoire générale et sur les mœurs et l'esprit des nations, depuis Charlemagne jusqu'à nos jours*, *op. cit.*, chap. 131, t. III, p. 280.

108. Jacques Bruslé de Montpleinchamp, *L'Histoire de l'archiduc Albert*, *op. cit.*, p. 361.

prieres qu'ils adressent incessamment au ciel pour mon bien & pour celui de mon roiaume, j'aime mieux souffrir celà pour Dieu que d'exciter un scandale entre moi & l'Église, j'aime mieux m'atirer la bienveillance de ceux dont les prieres m'ont été avantageuses que de les irriter contre moi[109]. » On ne saurait imaginer une incitation plus claire à tenir la politique religieuse dans les bornes d'un strict ultramontanisme.

La puissance hispanique, en dépit des revers subis, demeure plus et mieux que l'ombre d'elle-même, à la fin de son parcours habsbourgeois. Une fois la crainte et l'invective émoussées, reste un sentiment de respect qui habite encore, par exemple, un authentique contempteur des mœurs espagnoles tel Montesquieu : « La Monarchie d'Espagne dans les guerres de Philippe III contre la France, malheureuse pendant vingt-cinq Campagnes, ne perdit qu'une petite portion d'un coin de terre qu'on attaquoit. Le plus petit Peuple qu'il y eut pour lors en Europe soutint contre elle une guerre de cinquante ans ; & nous avons vu de nos jours un Monarque, accablé des plus cruelles playes qu'on puisse recevoir, Hochsted, Turin, Ramilli, Barcelone, Oudenarde, Lile, soûtenir la prospérité continuelle de ses ennemis sans avoir rien perdu de sa grandeur[110]. »

Reines de France, nées espagnoles

Les reines de France issues de la maison des Habsbourg d'Espagne, Anne d'Autriche et Marie-Thérèse, méritent une mention à part. Les oraisons funèbres en l'honneur d'Anne et de Marie-Thérèse constituent une source importante pour comprendre comment ont été forgées les représentations les plus éclairantes sur le concours des deux maisons royales dans une même eschatologie. En revanche, Marie de Médicis, elle aussi reine de France et fille de la branche autrichienne des Habsbourg, en raison des circonstances de la fin de sa vie, n'a pas suscité en France une littérature comparable. L'oraison que le père Senault prononce en présence

109. *Ibid.*, p. 358.
110. Montesquieu, *Réflexions sur la Monarchie Universelle en Europe* [1727], Bordeaux, Gounouilhou, 1891, VI.

du roi et des membres de la maison de la reine évoque la façon dont la défunte a conduit la minorité de Louis. Cette mère travaille à faire cesser la guerre franco-espagnole, parce que ce conflit apparaît contraire au progrès de l'Église véritable : « Elle sçavoit que les ennemis de la Religion profitoient d'une guerre qui affoiblissoit l'Église parce qu'elle la divisoit [111]. » Anne est donc représentée comme l'artisan de la paix, alors que de Mazarin il n'est pipé mot : « Elle triompha de Louïs & de Philippes, & leur fit tomber les armes des mains [112]. » L'orateur place dans la bouche de la reine le projet « universel » qui l'habite : « Je donnay toutes mes pensées à la paix universelle, je travaillay à reconcilier les deux plus grands Rois du monde [113]. » Sans doute la dimension dynastique de l'identité d'Anne est-elle pour quelque chose dans le rôle historique qui lui est ainsi attribué : « Elle avoit sucé cette devotion dans le laict, & l'avoit tirée de ses illustres Ayeux, les saints Louïs & les Rodolphes [114]. » Ici, comme dans tous les textes publiés sur la vie d'Anne, il n'est pas question de gommer ni même d'atténuer la filiation habsbourgeoise de cette reine de France.

Sur l'épouse de Louis XIII, on connaît les pages admiratives de madame de Motteville. La première phrase de son portrait de la reine mère expose un motif éminemment politique : « La reine, par sa naissance, n'a rien qui l'égale : ses aïeux ont tous été de grands monarques ; et, parmi eux, nous en voyons qui ont aspiré à la monarchie universelle [...] [115]. » En outre, madame de Motteville place l'accent sur la piété intransigeante d'Anne, et la seule princesse à laquelle elle soit comparée est Isabelle Claire Eugénie, la fille que son père Philippe II avait imaginée dans le rôle de reine catholique de France [116].

111. R.P. Jean François Senault, *Oraison funebre d'Anne Infante d'Espagne, Reine de France, et Mere du Roy*, Paris, Pierre Le Petit, 1666, p. 45.

112. *Ibid.*, p. 52.

113. *Ibid.*, p. 77.

114. *Ibid.*, p. 68.

115. *Portrait d'Anne d'Autriche par madame de Motteville* [1658], *in* coll. *Mémoires relatifs à l'Histoire de France*, éd. M. Petitot, t. XXXVI, Paris, Foucault, 1824, p. 319-329.

116. *Ibid.*, p. 323. Voir également l'éloge d'Isabelle Claire Eugénie dans Hilarion Coste, *La vie de Saincte Élisabeth Royne de Portugal*, Paris, Charles Hulpeau, 1628, p. 135-136.

La reine de France, outre le mariage qui en fait une part de la « personne royale », est une héritière directe de Charles Quint l'universel et de Philippe II, tête visible du parti catholique [117]. En revanche, il est remarquable que l'auteur éprouve le besoin de distinguer la reine d'une autre reine de France née hors du royaume : « Jamais les défauts de Catherine de Médicis ne seront les siens [118]. » La revendication positive d'un lien dynastique avec la famille d'Espagne et le rejet de l'héritage des Valois, pris ensemble, constituent un indicateur intéressant du caractère encore instable et ouvert de l'identification entre royaume et famille royale. En outre, le propos de madame de Motteville n'est nullement isolé.

Tout comme Richelieu avant eux, Anne d'Autriche et Mazarin comptèrent sur des écrivains à la commande. Dans ce contexte, l'ouvrage de Jean Desmarets de Saint-Sorlin sur le « jeu de cartes des reines de France », à partir d'un dispositif textuel original, présente des analogies avec le texte précédent [119]. Cet ouvrage est accompagné d'un ensemble de gravures, en forme de cartes à jouer, où, de quatre en quatre, les reines de l'histoire sainte, de la mythologie et de l'histoire ancienne et moderne sont classées en fonction de leurs vertus. Le classement est ainsi agencé :

Saincte :
Clotilde, Reyne de France
Baudour, Reyne de France
Blanche de Castille, Reyne de France
Anne d'Autriche, Reyne de France
Pieuse :
Ste Helene, Mère de Constantin le grand

117. Sur la participation de la reine à l'indivise « personne royale », voir Fanny Cosandey, *La Reine de France. Symbole et pouvoir*, Paris, Gallimard, 2000, p. 259-275.

118. *Portrait d'Anne d'Autriche par madame de Motteville*, *op. cit.*, p. 325.

119. Sur Desmarets de Saint-Sorlin, le renouvellement de la critique a été intense depuis une décennie : Hugh Gaston Hall, *Richelieu's Desmarets and the Century of Louis XIV*, Oxford, Clarendon Press, 1990 ; Christian Jouhaud, *Les Pouvoirs de la littérature*, *op. cit.*, p. 269-292 ; Marc Fumaroli, « Les abeilles et les araignées », *in* Anne-Marie Lecoq (éd.), *La Querelle des Anciens et des Modernes*, Paris, Gallimard, coll. « Folio-Classique », 2001, p. 105-129.

Anne d'Austriche, fille de Maximilian d'Austriche et femme de l'Empereur Mathias
Élisabeth d'Arragon, femme de Denys Roy du Portugal
Berthe, femme d'Alphonse le chaste, Roy d'Espagne

Sage :
Reyne de Saba
Isabelle de Castille
Mammée, mère de l'Empereur Alexandre
Plotine, femme de l'Empereur Trajan

Habile :
Élisabeth, Reyne d'Angleterre
Catherine de Medicis, femme de Henri 2, Roy de France
Agrippine, femme de Claude l'Empereur
Liuie, femme de l'Empereur Auguste

Malheureuse :
Marie Stuart, Reyne de France et d'Escosse
Hecube, femme de Priam Roy de Troye
Mariame, femme d'Herode Roy de Judée
Octauie, fille de Claude et femme de Neron

Anne d'Autriche, veuve de Louis XIII, est décrite comme reine de France et sainte, au même titre que l'épouse de Clovis, l'amie de saint Éloi et la mère castillane de Saint Louis, en position de refondatrice du lien de la couronne de France et de la catholicité. Le rapprochement d'Anne d'Autriche et de Blanche de Castille était facile à construire et à faire comprendre. Deux régentes espagnoles qui avaient conduit le royaume pour la plus grande gloire de Louis le Saint et de Louis le Grand, à cinq siècles de distance. Le baron d'Auteuil compose une apologie de Blanche de Castille pendant la première année de la régence d'Anne d'Autriche [120]. L'épître qui ouvre le volume est adressée à la reine régente. Le modèle de la mère de Louis IX est choisi parce qu'il fait écho à la filiation espagnole d'Anne : « Quand elle [Votre Majesté] considerera la vie de cette celebre Princesse, elle n'y méconnoistra point non plus le sang le plus pur des Devanciers de la Reyne Isabelle, de la quelle est sorty l'Empereur CHARLES Quint vostre

120. Baron d'Auteuil, *Blanche Infante de Castille, Mere de St Louis, Reyne et Regente de France*, Paris, Antoine de Sommaville et Augustin Courbé, 1644.

Bisayeul. » En marge du texte, la généalogie qui unit Isabelle de Castille à Anne d'Autriche est rappelée au lecteur oublieux. L'hommage rendu à l'Espagne, en pleine guerre ouverte, appelle alors une formule de justification : « [...] un François peut bien encore avec moins de scrupule avoüer les obligations dont nous sommes redevables à l'Espagne, de ce qu'elle a produit pour nostre bon-heur des Princesses si admirables. » Un panégyrique de Saint Louis prononcé par l'abbé Anselme devant la compagnie de l'Académie française en 1681 formule ainsi le motif : « Mais pendant que le jeune Prince estoit hors d'estat de resister luy-mesme à ses ennemis, sa sainte Mere en avoit repoussé tous les efforts avec une prudence & une fermeté bien extraordinaires à son sexe [121]. » Le rapprochement des deux Louis exsude à toutes les pages de ce morceau de prose encomiastique et, par voie de conséquence, celui de Blanche et d'Anne y trouve sa confirmation. L'appel au souvenir de Blanche de Castille, tenue pour le modèle « des bonnes Mères et des bonnes Régentes », devient un lieu commun, très sollicité dans la série des apologies funèbres d'Anne en 1666-1667 [122]. Elle est aussi associée à la mémoire d'Isabelle de Castille dans l'ascendance royale de la reine de France : « Anne d'Autriche, pareille aux Isabelle et aux Blanche, a su faire du roi le Fils aîné de l'Église, s'opposant à l'hérésie et procurant de toute manière le bien de la religion [123]. »

Dans le jeu de cartes de Desmarets de Saint-Sorlin, la catégorie des reines pieuses, en plus de la sainte mère de Constantin, est occupée par trois reines attachées soit à la maison d'Autriche, soit aux royaumes d'Aragon, de Castille et de Portugal. Le procédé choisi par l'auteur permet de placer les reines pieuses austro-hispaniques au miroir des reines de France. En outre Isabelle de Castille, reine de si hauts faits, est classée dans la catégorie des reines sages.

121. Abbé Anselme, *Panégyrique de S. Louis Roy de France*, Paris, Pierre Le Petit, 1681, p. 16.

122. François Ogier, *Oraison funebre de Louis XIII Roy de France et de Navarre*, Paris, Jean Camusat, 1643, épître à la reine, et M. Lopes, *Oraison funèbre pour la feu Reyne Mère Anne d'Autriche*, *op. cit.*

123. Mgr Le Boucqs, « Éloge funèbre d'Anne d'Autriche », *in* Augustin-Jean Hurel, *Les Orateurs sacrés à la cour de Louis XIV* [1872], réimpr., Genève, Slatkine, 1971, t. II, p. 304-305.

Cette reine était « bonne et devoste », selon le mot de Brantôme [124] ; ou encore « Princesse grandement vertueuse, & regrettée generalement de tous ses peuples », selon l'auteur d'une biographie de Cisneros, contemporain de Richelieu [125] ; « Princesse des plus illustres de son siecle, qui avoit adjousté à sa naissance Royalle, les acquisitions des grandes vertus, dont elle portoit aussi dignement les couronnes, que legitimement le diademe de l'Espagne, Princesse sçavante, pieuse, genereuse au delà les qualités de son sexe [126] », sous la plume d'un biographe du confesseur d'Isabelle. Hilarion Coste, auteur d'une apologie d'Isabelle imprimée en 1661, donne la liste des auteurs français qui ont composé, avant lui, l'éloge de la Reine Catholique [127]. Plus tard, Esprit Fléchier compose une oraison funèbre abrégée d'Isabelle dans son histoire de Cisneros : « Jamais Reine ne fut plus aimée, ni plus regretée en Espagne. Elle eut une piété solide et sincère, une conscience tendre, un zèle ardent pour la Religion. Ce fut par ses conseils & par ses ordres, que les Heretiques furent châtiez, les Maures vaincus & convertis, & les Juifs chassez du Royaume. La justice et les bonnes mœurs se retablirent par le choix qu'elle fit de bons Juges & de bons Évêques. Les Lettres commencerent à fleurir sous son Regne [128]. » La Reine Catholique est associée à des femmes saisies par l'institution impériale et dont les horizons excèdent ceux de la politique ordinaire. La sagesse qui lui est attribuée par Desmarets ne relève pas du registre de la prudence politique mais d'une vision et d'une visée supérieure, comme l'explique Hilarion Coste : « Je puis luy donner

124. Pierre de Bourdeille, seigneur de Brantôme, *Œuvres complètes*, éd. Ludovic Lalane, *op. cit.*, t. I, p. 115.

125. *Histoire du cardinal Ximenès ou se voyent les marques les plus illustres des fideles Ministres d'Estat*, Paris, Joseph Bouïllerot, 1631, p. 9-10.

126. Michel Baudier, *Histoire de l'administration du cardinal Ximenes, Grand Ministre d'Estat en Espagne, où se voyent les effets d'une prudente & courageuse conduite, avec une excellente probité*, Paris, Sébastien Cramoisy, 1635, p. 32.

127. Hilarion Coste, *La Parfaite Heroïne ou l'histoire de la vie et de la mort d'Élizabeth ou Isabelle de Castille*, *op. cit.*, p. 191 *sq.* Les auteurs cités : François de Beaucaire, évêque de Metz ; Henri de Sponde, évêque de Pamiers ; Jacques Auguste de Thou ; Brantôme ; Louis Turquet de Mayerne ; Pierre Mathieu ; Scévole de Sainte-Marthe.

128. Esprit Fléchier, *Histoire du cardinal Ximenes*, Paris, Jean Anisson, 1693, t. I, p. 218.

encore des loüanges plus Chrestiennes, c'est qu'elle avoit une sagesse du Ciel, & non pas une sagesse corrompuë, ou une prudence reprouvée que Dieu menace de parution [129]. » On a peut-être trop oublié la fascination suscitée par l'œuvre d'Isabelle et Ferdinand dans une Europe confrontée aux déchirements religieux.

Les oraisons funèbres prononcées en hommage à Marie-Thérèse d'Autriche ont également fourni d'excellentes occasions d'évoquer la mémoire d'Isabelle dans des textes dont la diffusion était importante : « La Reine s'estoit fait elle-mesme une loy de lire tous jours l'Écriture sainte, à l'exemple d'Isabelle de Castille que son siècle a regardée comme un prodige, & qu'elle considéroit comme son modèle [130]. » Une autre oraison, dite devant les membres de l'Académie française en 1683, montre la profondeur de cette admiration. Ainsi l'auteur, le père La Chambre, explique-t-il les vertus de la reine défunte par la double ascendance de Maximilien et d'Isabelle, présentée par ces mots : « [...] cette grande, genereuse, & devote Princesse, que les Écrivains Espagnols élevent au dessus de toutes les Héroïnes des siécles passez. Elle eut tant de foy, elle fut tellement penetrée de la crainte du Seigneur, que par un pur motif de zele & de devotion, elle obligea Ferdinand d'Arragon son époux de chasser tous les Maures du Royaume de Grenade ; ce qui luy valut & à ses successeurs le glorieux surnom de Catholiques. Elle ouvrit la porte dans le Nouveau Monde à la Foy Catholique, en y envoyant sous la conduite de Christophe Colomb des Missionnaires zélez pour y planter l'Évangile au Mexique & au Perou. Non contente de tous ces admirables progrés, elle fit imprimer ces belles Bibles de Complute. [...] Elle donna jusqu'à quatre mille écus d'or de quelques manuscrits Arabes pour en perfectionner l'Édition, par les mains du Cardinal Ximenès son premier Ministre, le Cardinal de Richelieu d'Espagne, Fondateur d'une Academie celebre, comme celui-cy [131]. »

129. Hilarion Coste, *La Parfaite Heroïne*, *op. cit.*, p. 200.

130. Monsieur Héron, *Oraison de Tres-Haute, Tres-Puissante, Tres-Excellente Princesse Marie Thérèse Infante d'Espagne, Reine de France et de Navarre*, Paris, Charles Angot, 1684, p. 17.

131. Abbé de La Chambre, *Oraison funebre de Marie Thérese d'Austriche, Infante d'Espagne, Reine de France et de Navarre*, Paris, Gabriel Martin, 1684, p. 16-17.

Comme chez madame de Motteville, on ne peut manquer de remarquer l'opposition établie entre deux reines mères de France, la « sainte » Anne d'Autriche et Catherine de Médicis, l'« habile », classée dans la même catégorie qu'Élisabeth, la reine protestante d'Angleterre, Agrippine et Livie. L'intention péjorative ne fait ici aucun doute et l'habileté ne saurait être considérée, dans une éthique antimachiavélienne dominante, comme une qualité digne de la fonction royale. Le rappel du martyre de Marie Stuart, reine de France, donne tout son sens à l'association d'Élisabeth et de Catherine de Médicis sous l'étendard de l'habileté. L'éloge de la reine mère passe ainsi par la répudiation de certaines reines de France, comme le confirme un des éloges funèbres prononcés en sa mémoire : « Rougissez icy Brunehauds, Catherines & Maries de Medicis, & tant de Reynes remuantes d'avoir embrasé la France par les feux de vostre colere, & qui avez si souvent enveloppé dans ceux de vostre vengeance les innocens & les coupables [132]. » Ainsi, le culte monarchique ménage un espace à la répudiation de reines de France, dont la grand-mère paternelle de Louis XIV. Au total, dans le jeu de cartes comme dans les éloges, sont mises en valeur les reines catholiques et, parmi elles, celles qu'un lien unit à l'Espagne l'emportent sur toutes les autres. La filiation hispano-autrichienne d'Anne offre toutes les garanties d'une grandeur véritablement royale : « Et sans chercher des exemples si loin [Debora, Amazone], si nous rendons justice à Blanche de Castille Reyne et Regente de France, à Isabelle Reyne de Castille, femme de Ferdinand, à Marguerite d'Autriche Duchesse de Parme, fille de Charles V, à Isabelle sa niepce, fille de Philippe II Archiduchesse des Païs-Bas ; nous serons contraint d'advoüer, qu'il s'est trouvé des femmes miraculeuses, qui ont allié en leur personne la valeur des Conquerants, & la sagesse des Politiques avec toutes les perfections de leur sexe. Les noms surtout des Blanches & des Isabelles, qui donnent si haut dans l'Histoire, sont des preuves invincibles, & d'authorité souveraine, qui justifient, que les Princesses d'Espagne sont tres sçavantes dans l'art de Regner, & qu'il n'y a point de Couronne si pesante, qu'elles ne puissent dignement soûtenir.

132. Irénée du Parcq, *Oraison funèbre de la Reyne Mère Anne d'Autriche*, Denis Thierry, 1666.

Ah France ! tu as veu renaistre ces fameuses Heroïnes dans la personne d'Anne d'Autriche leur niepce, qui n'est pas moins l'héritière de leur vertu, que de leur sang [133]. »

Anne, qui a fait du Louvre son « Oratoire », est le modèle de la reine catholique [134]. Son confesseur espagnol, Francisco Fernández, fait l'objet d'un éloge inspiré, car, au milieu des tourmentes de la Fronde, ce franciscain montre la voie de la vraie majesté, refusant de se « mêler des affaires de l'Estat [135] ». On n'hésite pas à rappeler sa formation spirituelle, assurée par sa tante Marguerite d'Autriche, au couvent Sainte-Claire à Madrid. C'est là que la jeune infante apprit à soumettre les raisons de la politique à la raison de la vraie foi : « [...] jamais la fausse politique ne l'emporta sur la véritable religion ; jamais la prudence du siècle sur l'autorité de l'Église ; jamais la raison d'État sur la Loy de Dieu [...] [136]. »

La maternité d'Anne d'Autriche, après une longue et angoissante stérilité de vingt-trois ans, constitue l'un des principaux miracles politiques de la France du XVIIe siècle [137]. Ceux qui ont écrit sur elle, en particulier après son veuvage, ont composé toutes sortes de figures pour rendre compte de cet événement providentiel. D'une part, il importe de souligner que la reine participe de la substance même du roi de gloire : « Un Enfant est tout hors de celui & de celle qui l'ont engendré : mais une Mere est dans son Fils, son Fils est une portion de sa substance, c'est en quelque façon elle-mesme [138]. » C'est pourquoi l'ambition et l'œuvre catholiques de Louis XIV sont attribuées à la filiation maternelle : « Si Louis âbat les Temples des Heretiques & qu'il rétablisse la Religion en plu-

133. Fernier, *Oraison funèbre d'Anne d'Autriche, Reyne de France et mère du Roy*, Paris, George Josse, 1666 [Auxerre], p. 15.

134. R.P. Charles Magnien, *La Bienvenue de Monseigneur le Dauphin à la Reine Mère*, Paris, Guillaume Sassier, 1662, p. 55.

135. R.P. Charles Magnien, *La Vie illustre et exemplaire du parfait religieux dans le cloistre et dans la Cour praticquée par le Rev. Pere François Fernandez*, Paris, Estienne Pepingué, 1654, p. 70.

136. Mgr Hyacinte Serrony, *Oraison funèbre [...] pour la Reyne Mere du Roy*, Paris, Antoine Vitré, 1666, p. 13.

137. Monsieur de Folleville, *Oraison funebre d'Anne d'Autriche Reine de France et de Navarre*, Paris, Pierre Pronne, 1666, présente cette stérilité comme « un torrent de larmes ».

138. René de Ceriziers [aumônier du roi], *Éloge d'Anne d'Autriche*, *op. cit.*, p. 8.

sieurs de ses États ou les guerres l'avoient ruinée. *Visio quâ erudivit eum mater sua.* S'il envoie ses Troupes contre les Infideles & qu'il délivre toute l'Allemagne du joug & de l'oppression qui la menaçoient, il ne désavoüera pas que c'est encore une veuë que luy a donné sa mere, *visio quâ erudivit eum mater sua*[139]. »

Le traumatisme collectif que provoqua, pendant plus de deux décennies, l'incapacité du couple royal à enfanter, c'est-à-dire dès la seconde génération de la nouvelle dynastie Bourbon, est aujourd'hui difficile à restituer. On en retrouve les signes dans l'exacerbation de la fonction maternelle attribuée à Anne d'Autriche, qui en fait non seulement la mère de Louis XIV mais aussi celle du Dauphin, fils de Louis : « Il est la production substancielle du Roy Louis XIV et de la Reine Marie-Anne-Therese. Il l'est aussi de la Reine-Mere, mais mediate, plus néanmoins que naturelle, parce qu'elle est spirituelle et divine [...][140]. » Le fils de Marie-Thérèse d'Autriche, sa bru et nièce, serait au fond « engendré pour vous et en votre faveur dans le sein de la reine ». Lorsque le père Charles Magnien salue la naissance du Dauphin, c'est à la reine mère qu'il dédie son ouvrage et non à Marie-Thérèse, avançant que les prières prononcées par Anne pour vaincre sa stérilité ont également ménagé la fécondité de sa bru[141].

Au total, Anne est la mère reine par qui le meilleur de l'héritage espagnol passe en Louis XIV. Un exemple particulièrement frappant concerne un thème volontiers décliné par les écrivains du XVIIe siècle, celui des mérites comparés du mouvement et de l'immobilité en politique. La sédentarité précoce – et toute relative, on l'a vu – de Philippe II constitue un lieu commun de la littérature politique, en ce qu'il souligne un écart entre les styles respectifs des cours de France et d'Espagne. Or, le bâtisseur de Versailles est le monarque par lequel, très progressivement, la sédentarité est venue à la cour de France. Mais, pour l'un des panégyristes d'Anne, c'est elle qui illustre le mieux le modèle de l'immobilité

139. Abbé de Fromentières, *Oraison funebre d'Anne d'Autriche*, *op. cit.*, p. 23-24.

140. *Le Dauphin dédie a madame la Mareschalle de la Mothe-Houdancourt*, Paris, Gilles Gourault, 1664, épître.

141. R.P. Charles Magnien, *La Bienvenue de Monseigneur le Dauphin à la Reine Mère*, *op. cit.*, épître.

active. Se livrant à un commentaire emblématique sur la devise « Je me meux sans me mouvoir », Chaumelz note : « Mais ce qui tient du surnaturel c'est de voir en un méme subjet les moyens & la fin, l'activité & la possession, le mouvement et le repos ; de voir des operations vigoureuses dans un agent immobile ; des exercices pénibles dans une Anne quiete & des applications d'État dans l'esprit d'une Reyne qui meut tout sans se mouvoir & qui donne toutes les formes aux choses sans jamais changer la sienne ; [...] regler les affaires de la Iustice sans monter sur les Tribunaux, celles de la Guerre sans faire l'Amazone celles des Finances sans faire la SurIntendante ; pacifier les troubles sans se troubler, defendre la Frontiere sans partir du Louvre, entretenir des alliances sans sortir du cercle[142]. » Cette énergie immobile, ce principe actif de la justice qui agit sans dresser un tribunal s'alignent bien plus sur la mythologie royale de Philippe II que sur l'image de Louis IX sous son chêne.

Après les oraisons funèbres consacrées à Anne d'Autriche, celles qui furent prononcées pour la reine Marie-Thérèse en 1683-1684, un an avant la révocation de l'édit de Nantes, portent à leur expression la plus sereine la fusion franco-hispanique, dans une perspective catholique. De ces textes oratoires, un nombre important fut envoyé chez les imprimeurs et mis en vente par les libraires de Paris et de province. Ils participent, en première ligne, de ces « cérémonies de l'information » qui diffusent auprès des sujets l'idéologie monarchique. Esprit Fléchier souligne l'inscription lignagère de Marie-Thérèse, fille d'Espagne autant que de France, fruit du mariage de Philippe IV et d'Isabelle de Bourbon : « Quoy-que Dieu par sa grace eust formé de si saintes inclinations dans son ame, il voulut qu'elle s'aidast des instructions et des exemples d'une mere, qu'une sincere pieté, une tendresse respectueuse pour son époux, une bonté officieuse et liberale pour ses sujets, un courage masle dans les pressans besoins de l'estat, et une sage patience dans les peines et les tribulations domestiques, avoient renduë vénérable et à l'Espagne où elle regnoit, et à la France d'où elle estoit sor-

142. Chaumelz, *Devises Panegyriques pour Anne d'Austriche*, Bordeaux, Jacques Mongiron Millanges, 1667, p. 108-109.

tie[143]. » Marie-Thérèse réconcilie ainsi l'héritage politique de Philippe II, monarque d'un empire mondial, et d'Henri IV, phénix d'une France relevée de ses cendres : « Elle estoit d'une maison auguste qui remplit plusieurs trônes à la fois, qui donne depuis long-temps des empereurs, des rois et des reines à toute l'Europe, et qui regarde la gloire et la pieté comme ses biens héréditaires. Elle estoit fille de ces rois, qui par la force des armes, par la prudence des conseils, ou par le droit des successions ont réuni plusieurs couronnes en une seule, qui portent leur domination au-delà des mers et des monts, qui se font obeïr dans l'ancien et le nouveau monde, et dont la puissance s'étend si loin, qu'ils gemissent, pour ainsi dire, sous le faix de tant de provinces et de royaumes, et que leur grandeur même leur est à charge. Mais ce qui relevoit sa naissance, c'est qu'elle la devoit à une fille de Henry le Grand, et que le sang de nos rois, ce sang le plus noble et le plus pur qui ait jamais coulé dans aucune maison royale, estoit heureusement meslé au sang d'Austriche et de Castille[144]. » La fusion symbolisée par la reine de France est tirée d'un schème de filiation rigoureusement symétrique de celui de Louis XIV lui-même, le roi comme son épouse étant nés des unions de 1615. Cette symétrie généalogique trouve sa traduction dans celle des appartements royaux, bien qu'elle demeure factice dans un palais tout entier centré sur la seule personne du roi à Versailles[145].

À la différence d'Anne d'Autriche, dont l'énergie politique fut éprouvée pendant la régence, Marie-Thérèse est reine dans sa fonction purement reproductrice et ses aspirations spirituelles. Alors qu'Anne a été applaudie pour sa capacité à saisir les rênes du pouvoir, la modestie de Marie-Thérèse lui aurait interdit de gouverner l'Espagne pendant les longues maladies de son père Philippe IV. Mais, après avoir donné un Dauphin à la France, elle rejoint Blanche de Castille et sa tante Anne d'Autriche, mères des deux

143. Esprit Fléchier, *Oraison funèbre de Marie-Thérèse d'Autriche, prononcée à Paris le 24e jour de novembre 1683*, in *Oraisons funèbres composées par M. Fléchier*, Paris, Dezallier, 1691, p. 15.

144. *Ibid.*, p. 11-12. Thématique identique dans R.P. David, *Oraison de Tres Haute et Tres-Puissante Princesse Marie-Therese*, Paris, Edme Couterot, 1684, p. 6.

145. Gérard Sabatier, *Versailles ou la figure du roi*, Paris, Albin Michel, 1999, p. 100-102 et 137-142.

Louis, au panthéon des génitrices[146]. Sa spiritualité se rattache explicitement à l'expérience mystique et politique hispanique : « Elle fut voüée à Sainte Therese, dont le nom luy fut imposé, & à laquelle vous sçavez qu'Elle eut toute sa vie tant de devotion[147]. » Elle associe à la lecture des œuvres de la sainte mystique dont elle porte le nom celle des ouvrages de saint Pierre d'Alcantara et de saint François de Sales[148]. Elle est, en outre, considérée comme l'héritière du modèle incarné par Isabelle la Catholique. Rattachée au catholicisme militant qui se déploie en France dès la deuxième décennie du XVIIe siècle, la reine se voit reconnaître une influence décisive dans la lutte pour la conversion des réformés du royaume et dans la défense du culte de l'Immaculée Conception[149]. Elle est ainsi perçue dans un registre proche de la sainteté, qui montre que la France du XVIIe siècle, après l'Espagne du XVIe siècle, est devenue une terre d'épanouissement pour l'héroïsme mystique : « [...] si l'Espagne s'honore d'avoir donné une Reyne si parfaite à la France, la France se peut vanter d'avoir rendu une sainte à l'Espagne[150]. »

Son refus de l'exercice politique n'est pas la manifestation d'une impuissance ou d'une incompétence, il s'agit au contraire d'un retrait actif, dont Bossuet relève le mérite : « Avec quelle application et quelle tendresse Philippe IV son père ne l'avait-il pas élevée ! On la regardait en Espagne non pas comme une infante mais comme un infant ; car c'est ainsi qu'on y appelle la princesse qu'on reconnaît comme héritière de tant de royaumes. Dans cette vue on approcha tout ce que l'Espagne avait de plus vertueux et de plus habile. Elle se vit, pour ainsi parler, dès son enfance toute environnée de vertus, et on voyait paraître en cette jeune princesse plus de belles qualités qu'elle n'attendait de couronnes. Philippe l'élève

146. Abbé de La Chambre, *Oraison funebre de Marie Thérese d'Austriche*, *op. cit.*

147. Abbé Anselme, *Oraison funebre de Marie-Thérèse d'Austriche, Infante d'Espagne, Reine de France et de Navarre*, Paris, Hélie Josset, 1684, p. 28-29.

148. Bonaventure de Soria, *Abrégé de la vie Tres-Auguste et Tres-Vertueuse Princesse Marie-Thérèse d'Austriche*, *op. cit.*, p. 43.

149. *Ibid.*, p. 16.

150. Armand de Béthune, *Oraison funebre de tres-haute, tres-puissante, tres-excellente Princesse, MarieThérèse d'Autriche, Infante d'Espagne, Reyne de France et de Navarre*, Le Puy, Pierre & Guy François Delagarde, 1683, p. 7.

ainsi pour ses états ; Dieu, qui nous aime, la destine à Louis [151]. » La réserve volontaire de la princesse, pourtant élevée par son père pour gouverner, est le contraire d'une non-politique, c'est une expression supérieure de la politique. Cependant, pour les auditeurs et les lecteurs de Bossuet, ce passage n'est pas exempt de perfidie, puisqu'il réactive le thème de la capacité des infantes – en position d'aînesse, elles sont des infants – à hériter de la couronne. Cet argument servit à défendre le point de vue de Louis XIV dans la période de la guerre de Dévolution et à marquer la distance entre une France protégée par sa loi salique et une Espagne privée de cette loi fondamentale.

Cette « colombe » venue dans le royaume avec le rameau d'olivier n'a jamais balancé entre les partis espagnol et français. Elle nourrit sa fidélité française de son héritage hispanique sans admettre de conflits d'intérêts [152]. Au total, mineure de la trinité qu'elle forme avec son époux et sa tante-belle-mère, Marie-Thérèse apparaît au soir de sa vie modeste comme le vecteur par lequel le Roi Très-Chrétien se pare de l'aura du Catholique : « Qu'on ne me distingue donc plus ces Titres sacrés & augustes de TRÈS-CHRESTIEN, & de CATHOLIQUE puisque la France me les montre reünis, ou plûtost heureusement confondus sur un même trône [153]. »

Parallèles et biographies croisées des ministres

Les évocations des rois et des reines font parfois appel à des comparaisons, mais elles sont rarement fondées sur elles. En

151. Jacques Bénigne de Bossuet, *Oraison funèbre de Marie Thérèze d'Autriche*, in *Oraisons funèbres*, Paris, Garnier, 1961, p. 212. Sur l'éducation madrilène de Marie-Thérèse, voir également : Monsieur Denise, *Oraison funebre de Marie Thérèse d'Autriche*, Paris, Veuve de George Josse, 1684, p. 9-10.

152. Abbé Baüyn, *Oraison funebre de Tres-Auguste et Tres-Vertueuse Princesse Marie Therese d'Austriche*, Paris, Veuve de George Josse, 1683, p. 36, et Des Alleurs, *Oraison funebre de Marie Therese d'Austriche*, Paris, Estienne Michallet, 1683, p. 46.

153. Estienne Patoüillet, *Oraison funebre de Tres-Haute, tres excellente et tres puissante princesse Marie Therese d'Austriche, infante d'Espagne, Reine de France et de Navarre*, Besançon, Louis Rigoine, 1684.

revanche, l'examen de l'œuvre des ministres, à l'époque des favoris, est souvent agencé sur le mode du parallèle des principaux ministres français et espagnols. Avec une belle simultanéité, les deux couronnes développent le régime du ministériat pendant les six ou sept premières décennies du XVIIe siècle[154]. Il n'est donc guère surprenant que les historiographes aient comparé les parcours de Richelieu et d'Olivares. De cette confrontation, Amelot de La Houssaie dresse son propre bilan, une fois encore tout en nuances. Le regard porté se veut aussi généreux pour le favori de Louis XIII que pour le *valido* de Philippe IV : « Richelieu & Olivares, les deux plus grands hommes de Cabinet du siecle passé. Il seroit difficile de décider, lequel des deux étoit le plus habile, ou le plus profond ; mais les Politiques & les Historiens de toutes les Nations n'ont point balancé à décider lequel étoit le plus heureux[155]. »

Comme toujours, ce fin connaisseur de la littérature politique espagnole a lu les textes pertinents, du *Nicandro* aux emblèmes de Saavedra Fajardo. Son examen critique distingue la fortune et l'éthique, comme n'aurait pas manqué de le faire tout auteur espagnol du temps. La victoire de Richelieu ne fait aucun doute sur le premier plan. Mais le portrait d'Olivares est moralement plus flatteur : « Je me conformerois volontiers au jugement de ceux qui disent que le Cardinal de Richelieu surpassoit de beaucoup le Comte-Duc en bonheur ; mais que le Comte-Duc le surpassoit en tout le reste, en naissance, en probité, en bonne foi, en modération, en constance, & peut-être même en prévoyance & en profondeur [...][156]. » Analysant le grand échec d'Olivares – les soulèvements catalan et portugais (1640) –, il relativise la leçon qu'on pouvait en tirer sur l'impuissance castillane et sur l'initiative française, tant l'organisation territoriale, juridique et politique des deux monarchies paraît dissemblable : « Enfin, si le Cardinal eût eû à

154. Tomás y Valiente, *Los validos en la monarquía española del siglo XVII* [1963], Madrid, Siglo XXI, 1980 ; Jean Bérenger, « Pour une enquête européenne : le problème du ministériat au XVIIe siècle », *Annales ESC*, 1974, p. 166-191 ; John H. Elliott et Lawrence W. Brockliss (éd.), *The World of the Favourite*, *op. cit.*

155. Amelot de La Houssaie, *Mémoires historiques, politiques, critiques et littéraires*, *op. cit.*, p. 318.

156. *Ibid.*, p. 339.

gouverner la Monarchie d'Espagne, composée de tant d'États séparez, & qui ont tous des loix & des coûtumes différentes, je ne sais s'il y auroit mieux réussi que le Comte-Duc : & quant aux Catelans, je dirai seulement que jaloux comme ils sont de leurs fueros, rien n'est plus facile, que de les soulever ; ni rien de plus difficile, que de les faire obéir [157]. »

Amelot reprenait, pour l'essentiel, des arguments qui avaient été formulés au milieu du siècle par Vincent Voiture, ce client de Gaston d'Orléans, dont l'hispanophilie militante était bien connue. Le poète insistait, lui aussi, sur le caractère antimachiavélien du comte-duc, par opposition implicite au cardinal de Richelieu : « En cette occasion, il tesmoigna, que toutes les raisons d'Estat ne pouvoient pas tant sur son esprit, que celles de la religion, & qu'il aimoit mieux estre mauvais Politique, que de n'estre pas bon Chrestien. [...] Pour faire imaginer la grandeur [de son esprit] il suffit de dire, qu'il s'estend aux deux bouts du monde, qu'il gouverne en Orient & en Occident, & conduit seul en mesme temps les plus importantes affaires de l'Europe. [...] Je luy ay veu recevoir d'un mesme visage la nouvelle de la prise de Mastric, & de la mort du roi de Suede [158]. » Cet éloge du favori de Philippe IV, pourtant principal adversaire de la France de Louis le Juste, reprend des traits qui sont aussi ceux qu'on attribue à Philippe II, la capacité à gouverner un immense empire territorial et le stoïcisme, voire l'immobilité corporelle, dans la joie comme dans l'adversité.

Il faut attendre la fin du XVIIe et le XVIIIe siècle pour voir surgir une réflexion sur les formes relativement douces de gouvernement qui caractérisèrent l'histoire politique de l'Espagne au XVIIe siècle [159]. À côté des décapitations qui ponctuèrent le gouvernement de Richelieu, à côté des régicides français et anglais, les Hispaniques ne connurent rien de tel, ou du moins pas à la même échelle. La conscience de ce différentiel de cruauté, au bénéfice de l'Espagne, n'a pas été cantonnée à un milieu hispanophile. C'est encore

157. *Ibid.*, p. 340.

158. *Lettres de Monsieur de Voiture*, Amsterdam, Jean de Ravesteyn, 1653, p. 647-652.

159. Sur la douceur du régime d'Olivares, voir *Abrégé nouveau de l'histoire générale d'Espagne*, *op. cit.*, t. III, p. 336.

chez Voltaire, critique féroce de l'hispanité, qu'on en trouve l'expression la plus nette : « Les pratiques de dévotion tenaient lieu d'occupation à des citoyens désœuvrés. On disait alors que la fierté, la dévotion, l'amour et l'oisiveté composaient le caractère de la nation ; mais aussi il n'y eut aucune de ces révolutions sanglantes, de ces conspirations, de ces châtiments cruels, qu'on voyait dans les autres cours de l'Europe. Ni le duc de Lerme, ni le comte Olivarès, ne répandirent le sang de leurs ennemis sur les échaffauts : les rois n'y furent point assassinés comme en France, et ne périrent point par la main du bourreau comme en Angleterre [160]. » Ainsi se conclut le chapitre consacré à l'Espagne du XVIIe siècle dans l'*Essai sur les mœurs*.

La comparaison des deux ministres contemporains n'est pas la seule entreprise importante au XVIIe siècle, et peut-être pas la plus riche. L'œuvre de Richelieu – et plus tard celles des ministres conseillers de Louis XIV – est aussi efficacement confrontée à celle d'un personnage qui est imaginé et placé à la source historique de la puissance espagnole moderne : Cisneros. Le « cardinal d'Espagne », Francisco Jiménez de Cisneros, est utilisé comme la pierre de touche de toute appréciation du travail politique et de la profondeur spirituelle des ministres successifs de Louis le Juste et Louis le Grand. Ce qui retient les auteurs, c'est, tout à la fois, le confesseur franciscain d'Isabelle, le lettré fondateur de l'université d'Alcalá de Henares, le promoteur de la Bible polyglotte, le régent de Castille, le croisé prenant la tête d'une expédition en Afrique, l'archevêque de Tolède, le prélat chargé de convertir en masse les habitants de Grenade et subissant leurs assauts. Cisneros incarne, comme peu de personnages de l'histoire récente de l'Europe, ce mélange de savoir-faire politique et d'idéal mystique, en une composition dans laquelle le premier est toujours soumis aux impératifs du second.

Pour bien saisir la portée des textes consacrés à « Ximénès », il faut songer que le parallèle de l'Espagne et de la France, sur des questions précises, est édifié avec autant de conviction par des auteurs catholiques intransigeants que par les hommes du Refuge

160. Voltaire, *Essay sur l'histoire générale et sur les mœurs et l'esprit des nations, depuis Charlemagne jusqu'à nos jours*, *op. cit.*, chap. 146, t. IV, p. 119.

protestant. Ainsi la Révocation peut-elle être interprétée à la lumière des grandes décisions affectant les populations musulmanes dans l'Espagne des Rois Catholiques et de leurs successeurs. Convertis en masse en 1492 puis expulsés en 1610, en tant que nouveaux-chrétiens soupçonnés d'islamiser en secret et de jouer le rôle de cinquième colonne de l'ennemi turc [161], les musulmans puis Morisques avaient fait l'expérience de l'intransigeance catholique. De la même façon, les protestants français, avec l'édit de Fontainebleau, devaient choisir entre la conversion et l'exil. D'une part, la défense des Morisques par analogie avec la recherche d'un compromis stable entre catholicisme dominant et dissidence huguenote est un thème formulé dès la fin du XVIe siècle [162]. D'autre part, on voit à cette occasion reparaître cette idée centrale que l'Espagne et la France sont les deux luminaires du monde, à une date bien tardive par rapport à la chronologie de l'âge d'or hispanique. Pierre Bayle, de son côté, propose une équivalence entre les dragonnades et les massacres perpétrés par les Espagnols lors des conquêtes américaine et asiatique [163].

Du côté des partisans de la Révocation, ces rapprochements sont parfaitement assumés. L'abbé Marsollier, dans les vies parallèles de Cisneros et Richelieu qu'il publie en 1693, observe que le roi Louis XIV est plus proche du cardinal d'Espagne que le fut Richelieu parce qu'il en a fini avec l'hérésie dans son royaume à la façon espagnole : « Il n'y a pas jusqu'aux événemens particuliers qui n'aient un raport surprenant. La conversion des Grénadins à quelque chose de si semblable avec ce qui s'est passé en France depuis la révocation de l'édit de Nantes, qu'il semble qu'il n'y ait que les noms de changez [164]. » Marsollier décline le parallèle sur

161. Bernard Vincent, « Le péril morisque », *in* Massimo Ganci et Ruggero Romano (éd.), *Governare il mondo. L'impero spagnolo dal XV al XIX secolo*, Palerme, 1991, p. 369-380.

162. La Popelinière, *Histoire de France*, *op. cit.*, t. II, p. 12.

163. Pierre Bayle, *Ce que c'est que la France toute catholique* [1686], éd. Élisabeth Labrousse, Hélène Himelfarb et Roger Zuber, Paris, Vrin, 1973, p. 63 et 73-74.

164. Marsollier, *Histoire du ministère du cardinal Ximenez, archevêque de Tolède et régent d'Espagne*, Paris, Guillaume-Louis Colomyez, 1693 ; le parallèle

plusieurs terrains qui parlent à ses lecteurs. Il compare les entreprises académiques de Cisneros, fondateur de l'université d'Alcalá de Henares, avec l'aventure de madame de Maintenon et le collège de Saint-Cyr : « Comme les grandes ames, par la sympatie de leurs génies, conçoivent souvent les mêmes desseins sans se les être communiquez, il s'est fait de nos jours en France un établissement pour l'éducation des filles de qualité, qui a tant de rapport à celui de Ximenez, qu'on diroit qu'on l'a pris pour modèle[165]. » Dans le domaine de la guerre, la conquête de la Navarre au sud des Pyrénées par Ferdinand d'Aragon est mise en vis-à-vis de celle du Palatinat par Louis XIV. Encore faut-il souligner, dans le cas de Marsollier, que le parallèle entre la politique morisque de l'Espagne et la persécution des huguenots en France commande l'ensemble des autres exemples, qui ne viennent que renforcer cette communion première.

Le Cisneros de Marsollier, parce qu'il reprend le thème du parallèle avec Richelieu, s'inscrit dans une tradition textuelle qui remonte à 1631. Cette année-là, en effet, était publié à Paris un opuscule sur la vie du cardinal espagnol dont tous les traits rappelaient ceux du principal ministre de Louis XIII[166]. Le récit détaillé de la prise d'Oran par Cisneros rappelle, on y reviendra, l'attrait des écrivains français pour les conquêtes mores des Espagnols depuis Villegagnon et Brantôme. Mais, en l'espèce, ce triomphe du prélat cuirassé évoque celui de Richelieu au siège de La Rochelle : « Le Cardinal Ximenès laissa la Mithre et la Crosse, pour endosser la cuirasse & prendre l'espée à son costé, mais ces Grands qui trouvoient cela estrange, n'avoient pas bien lu les Annales d'Espagne, où ils eussent trouvé des Évesques et des Prelats qui ne cédoient en rien en valeur & fidelité aux plus grands Cappitaines de leur temps[167]. » L'enracinement de l'entreprise oranaise dans la

---

de l'expulsion des Morisques et de la persécution des protestants français est également posé et assumé dans Galardi, *Raisons d'Estat et reflexions politiques sur l'histoire et vies des Roys du Portugal*, Liège, Pierre Du Champs, 1680, p. 279.

165. Marsollier, *Histoire du ministère du cardinal Ximenez*, *op. cit.*, p. 249.

166. *Histoire du cardinal Ximenès ou se voyent les marques les plus illustres des fideles Ministres d'Estat*, *op. cit.*

167. *Ibid.*, p. 20.

tradition mystique et politique de la *Reconquista* se trouve donc précisément enregistré.

Le rapprochement des prises d'Oran et de La Rochelle sera explicité et confirmé dans l'essai de l'abbé René Richard publié au début du XVIIIe siècle : « Comme cette place étoit plus importante à la France qu'Oran ne l'étoit à l'Espagne, la gloire que Richelieu remporta d'avoir soûmis La Rochelle est bien aussi grande, que celle qui revient à Ximenes de la prise d'Oran [168]. » Mais l'analogie, implicite dans le livre de 1631, entre Richelieu et le régent de Castille fonctionne dans le récit des intrigues des grands pour réduire l'influence de Cisneros auprès de Ferdinand d'Aragon, qui fait écho à la dramaturgie politique mieux connue sous le nom de « journée des Dupes » : « Ses ennemis voyans donc que toutes leurs entreprises & desseins contre luy n'estoient que toiles d'araignées, qui s'en aloient en fumée, proposerent au Conseil de Flandres d'establir en Espagne quelque Prince ou grand Seigneur auquel le Cardinal fust contraint de ceder le haut du pavé [...] prevoyant bien que l'envie de plusieurs essayoit d'empescher les bons desseins qu'il avoit de servir son Roy, & d'avancer le bien public, & ne tendoit à d'autre fin que faire naistre en Espagne quelque grand tumulte, duquel il aymoit mieux estre spectateur, que d'y estre meslé. [...] Après avoir remonstré ces choses, on luy respondit qu'il continuast à bien faire [...] [169]. » La supériorité de l'œuvre de Cisneros sur celle de Richelieu fut réaffirmée par l'abbé Richard dans un ouvrage consacré, lui, à un parallèle entre Richelieu et Mazarin. Il se félicitait alors de la réception espagnole de son précédent parallèle : « Il y a quelques années que je donnai au Public le Parallele du Cardinal Ximenés, & du Cardinal de Richelieu. Ce livre a été plusieurs fois imprimé en France, en Espagne, & en Hollande. La Jonte l'a fait traduire en Espagnol. Cette Nation fut charmée, qu'un Historien François eût donné la préference à leur premier Ministre. Les parens et amis de Richelieu m'en firent des reproches. Les Auteurs des Journaux (j'en excepte ceux de Tré-

168. Abbé René Richard, *Parallele du cardinal Ximenes et du cardinal de Richelieu*, Paris, Veuve de Claude Barbin, 1705, p. 77.

169. *Histoire du cardinal Ximenès ou se voyent les marques les plus illustres des fideles Ministres d'Estat*, *op. cit.*, p. 104-106.

voux) prirent leur parti. Je ne demeurai pas sans réponse, & sans réplique. La dispute fut vive, & dura long-tems. [...] Le fameux Bayle prit ma défense dans ses Remarques [...][170]. »

On ne doit pas s'étonner ici de l'appui manifesté par Pierre Bayle. Il prouve que le point de vue catholique militant et celui du protestantisme persécuté pouvaient converger dans une commune analyse du surgissement de la France espagnole. Sans doute le réformé français approuvait-il aussi les analyses de ce second parallèle franco-français (Richelieu-Mazarin), mais jamais éloigné de la confrontation avec le modèle espagnol. Pourquoi, en effet, l'auteur du *Dictionnaire* se serait-il privé d'accorder avec l'abbé René Richard que « Richelieu s'appliqua toute sa vie à ruiner le Parti Huguenot. Étant simple évêque de Luçon il s'attacha particulièrement à l'étude de la Controverse. [...] Dés qu'il fut en place, il inspira au Roy qu'il étoit de la gloire d'un Prince Chrêtien d'extirper l'heresie de ses États, & de ne point souffrir d'autre religion que la Catholique[171] ». On imagine qu'il ait trouvé piquant, lui qui connaissait si bien tout ce qui s'était écrit sur l'Inquisition d'Espagne, que, sur le plan religieux, Richelieu avait été un « sévère inquisiteur » du royaume de France[172]. Nourri de l'accusation faite à la maison de Habsbourg d'aspirer à la monarchie universelle, Bayle pouvait également accepter la formulation de l'abbé Richard comme un aveu maladroit : « Richelieu pensoit pour Louis XIII a la Monarchie universelle, & il ne se desesperoit pas d'y arriver par la ruine de l'Espagne[173]. » Dans le parallèle des deux ministres, c'est l'idée selon laquelle Richelieu incarnait une France gallicane tandis que la politique mazarine ouvrait les vannes de l'ultramontanisme qui devait conforter les huguenots français dans la vision rétrospective qu'ils pouvaient porter sur le siècle de l'édit de Fontainebleau[174].

Au vu de ce qui avait été produit sous Richelieu et avant que les biographies de Marsollier et de Richard eussent été publiées, Esprit

170. Monsieur l'abbé Richard, *Parallele du Cardinal de Richelieu et du Cardinal de Mazarin*, Paris, Jeremie Boüillerot, 1716, avertissement.
171. *Ibid.*, p. 207.
172. *Ibid.*, p. 231.
173. *Ibid.*, p. 229.
174. *Ibid.*, p. 193.

Fléchier offre au public la plus précise et la mieux informée des vies de Cisneros du XVIIe siècle français. La qualité de son texte est le résultat d'un travail de documentation puisant aux sources imprimées et manuscrites les plus variées. Mais le prélat courtisan récuse l'analogie qui pourrait être établie entre l'œuvre politique de Cisneros et celle de Louis XIV : « Au reste, si dans la conversion des Maures, dans l'institution des milices des villes, & dans d'autres endroits de cet ouvrage, il y a quelque chose qui ait rapport à ce qui se pratique aujourd'huy ; ce n'est pas mon dessein d'ajuster par des applications ingenieuses les évenemens passez à ceux de ce siecle, ni de peindre sous des formes antiques les images de nôtre temps. Qui ne sait que dans les revolutions du monde les mêmes scenes se presentent plusieurs fois ; qu'il n'y a rien qui ne se renouvelle sous le soleil ; que la Politique a des maximes qu'elle quitte & qu'elle reprend selon ses besoins, & qu'il y a des ressemblances d'affaires que le hazard, ou de pareilles conjonctures reproduisent de siecle en siecle ? J'ay rapporté les faits comme les Auteurs que je cite, les ont écrits sans pretendre marquer aucune circonstance du regne de Loüis le Grand, dans celuy de Ferdinand et Isabelle [175]. » Cette dénégation alambiquée vaut à la fois comme critique d'auteurs non cités et comme aveu de participation à cela même qui est dénoncé. Du point de vue de l'étude de l'ambivalence culturelle française à l'égard du monde hispanique, ce qui importe ici est le fait que Fléchier croit devoir corriger, par avance, une lecture qui se porterait naturellement à établir une analogie forte entre le parcours de Cisneros et les grandes actions du règne louis-quatorzien. Ce calcul n'est rien d'autre que la définition d'un horizon de réception qui renforce, à nos yeux, l'idée que cette analogie était pertinente pour le lecteur du XVIIe siècle.

Le Cisneros de Fléchier est un mystique en politique : plus encore que Juan de Palafox, le cardinal d'Espagne réconcilie à travers les tribulations de son existence les deux dimensions. Son intransigeance, son austérité personnelle, son ardeur dans la conduite d'une réforme catholique antérieure au déferlement luthérien, toutes ces vertus sont étroitement investies dans son action

175. Esprit Fléchier, *Histoire du cardinal Ximenes*, *op. cit.*, avertissement, p. VIII-IX.

comme évêque du diocèse le plus riche de la chrétienté après celui de Rome, dans son rôle de confesseur d'Isabelle la Catholique, de chef de guerre croisé en Afrique du Nord, et enfin de régent du royaume de Castille avant l'arrivée du jeune Charles de Gand en 1516. Le parallèle avec Richelieu s'efface donc au profit d'une méditation plus générale, et plus ambitieuse, sur l'actualité d'une théologie politique catholique capable de conduire la chrétienté vers un âge de gloire et de fusion mystique. Ainsi, l'évocation de la prise d'Oran, en 1509, renvoie à l'écriture sainte et aux *Gestae Dei per Francos* médiévales : « Un double Arc-en-ciel avoit paru sur la Ville quand on la prit ; [...] le Cardinal en levant les mains au Ciel, avoit obtenu la victoire comme Moyse, & fait arréter le Soleil comme Josué [176]. » Les habitants d'Oran, depuis la prise de la ville et bien après la mort du cardinal, se sont considérés sous sa protection. Sa présence bienveillante a été de tous les combats postérieurs pour le maintien de la présence chrétienne sur cette terre d'Afrique. Mores et chrétiens s'accordent à reconnaître sa présence tutélaire : « Ils attestent que dans les sièges qu'ils ont soutenus, dans les Combats qu'ils ont donnez, dans les courses qu'ils ont faites, les Maures aussi-bien que les Chrétiens l'ont souvent veu en l'air, tantost en habit de Religieux, tantost avec l'habit & le Chapeau de Cardinal, quelquefois revêtu des Ornements Pontificaux, l'épée nuë à la main droite, & le Crucifix à la gauche, jettant la terreur dans le cœur des Infidèles [177]. » Tel un dieu de l'Olympe dans les combats des Achéens contre les Troyens, tel un archange ou un Santiago « Matamoros », Ximénès participe sur un mode mystique à toutes les escarmouches qui constituent le quotidien des chrétiens d'Afrique.

La notoriété du personnage est devenue si considérable depuis la fin du siècle qu'un critique a pu, en 1708, faire grief à Marsollier de ne pas avoir assez souligné toutes les qualités du prélat. Il est reproché à Marsollier d'être encore trop « critique » et pas assez apologète. Son erreur principale est d'avoir voulu donner une interprétation « politique » de Cisneros : « Vous ne devés donc pas refuser au public un Traité de Theologie morale, dans lequel vous lui

176. *Ibid.*, t. II, p. 850.
177. *Ibid.*, t. II, p. 851.

expliqués vôtre sistême, en lui faisant voir qu'un homme pût faire profession d'une probité à toute épreuve, d'une piété exacte, & d'un zele pour la religion qui soit des plus agissants, & des plus sinceres, & en même tems être fier, ambitieux, vindicatif, & attaché à son propre sens. [...] Il est vray qu'il s'appliqua en plusieurs rencontres aux affaires politiques, surtout lorsqu'il voyoit qu'il s'agissoit du bien public, & du bon gouvernement du royaume ; mais cette obligation n'étoit-elle pas celle du prelat, qui par sa charge de Chef du Conseil des Estats de Castille, attaché aux Primats d'Espagne, étoit par conséquent obligé de soûtenir les interêts du public[178] ? »

Ainsi, le personnage de Cisneros, en faveur dès l'époque du ministériat de Richelieu, finit par l'emporter, sous la plume de ses biographes, sur le cardinal-ministre. À mesure que l'intransigeance catholique se consolide en France et que l'héritage espagnol s'approche, l'aura du conseiller mystique de Ferdinand et Isabelle s'épanouit. Le « cardinal d'Espagne » ainsi sanctifié par les écrivains les plus autorisés, sous régime de privilège royal, devient un modèle politique pour la France louisquatorzienne, au détriment de l'évêque de Luçon lui-même. Cette évolution indique assez bien dans quelle estime la catholicité politique espagnole est tenue à l'âge de l'absolutisme français. Il importe surtout de considérer que l'éloge de l'action implacable de Cisneros à l'égard des musulmans grenadins, centrale dans les textes écrits en France, signifie que le parallèle de la politique de Louis XIV avec celle des rois hispaniques réputés pour leur violence religieuse ne procède pas uniquement du Refuge protestant. Des auteurs catholiques français de la fin du XVIIe siècle acceptent que soit posée une équivalence entre, d'une part, la destruction des articles de l'édit de Nantes et les dragonnades, et, d'autre part, l'éradication des dissidences religieuses en Espagne.

Ces écrivains catholiques auraient pu contresigner les diatribes du protestant Quesnot de la Chesnée qui publie, en 1709, un *Paral-*

178. *Marsollier decouvert et confondu dans ses Contradictions écrivant sur l'histoire du Ministere du Cardinal Ximenez*, s.l., 1708, p. 149 et 246.

lèle de Philippe II et Louis XIV sur le renversement de la Monarchie Universelle, n'eût été le ton de dénonciation du pamphlet[179]. Ici encore, on retrouve l'analogie de la persécution des musulmans et crypto-musulmans espagnols avec celle des réformés français : « L'Espagne se ruïne & se perd par l'expulsion des Maures : la France ruine son commerce, diminuë considérablement ses finances, & s'affoiblit, par la perte de cinq ou six cent mille personnes que la rigueur de ses Édits a écartés ou fait périr[180]. » L'auteur suggère que les tribunaux de l'Inquisition d'Espagne et les dragons du roi Très-Chrétien sont comparables. Alors que la France, engagée dans la guerre de Succession d'Espagne, est confrontée à ses échecs militaires et à la dévastation intérieure du royaume, Quesnot de la Chesnée vaticine : « Pourquoi entreprendre une chose injuste qui n'appartient pas à César ? [...] Voilà l'écueil qui a déjà sauvé l'Europe deux fois, & contre lequel se sont brisées les deux Puissances du monde les plus formidables[181]. » Comment ne pas appliquer au Roi-Soleil, dans la conjoncture de 1709, la remarque acide de l'auteur sur le fait que Philippe II avait été un mauvais « ménager » de ses royaumes[182] ? Enfin, ce réformé français actualise le vieux schéma selon lequel l'équilibre de l'Europe ne repose que sur les deux maisons de France et d'Autriche[183]. Puis, par un formidable retour d'argument, il lance à celui qui n'est plus son roi depuis la Révocation une accusation de machiavélisme, identique à celle que les hommes de Richelieu adressaient à Philippe IV et Olivares. Pour Quesnot de la Chesnée, désormais au service des princes coalisés contre Louis XIV, la catholicité invoquée à Versailles n'est qu'un vieux masque, un « prétexte ridicule[184] ».

Le renversement par lequel les arguments forgés dans la France convalescente contre l'Espagne prépondérante sont ensuite mobi-

179. *Le Parallelle de Philippe II et de Louis XIV*, par Mr. I. I. Q., Cologne, Jacques Le Sincere, 1709.

180. *Ibid.*, p. 49-50.

181. *Ibid.*, p. 216-217.

182. *Ibid.*, p. 34.

183. *Ibid.*, p. 11.

184. *Ibid.*, p. 95.

lisés contre les ambitions de Versailles constitue l'un des phénomènes idéologiques les plus frappants du XVIIe siècle européen. Pour polémiques et pamphlétaires qu'ils soient, leur crédibilité repose sur la conviction partagée que la France, pour triompher, est devenue, à son tour, quelque peu espagnole. S'il est vrai qu'une part importante de la culture politique française adopte une posture mimétique par rapport à une monarchie hispanique tenue pour modèle, il importe de repérer quelques-unes des voies par lesquelles l'attachement à l'Espagne a pu s'exprimer.

6

France très-chrétienne ou France catholique ?

Le retournement pamphlétaire

François Rabelais témoigne de ce que le thème de l'aspiration à la monarchie universelle peut se décliner sur un mode élevé, parfois jusqu'aux étoiles du pronostic et de la divination, ou sur un ton plus ordinaire, celui qu'il affectionne. Ainsi, au chapitre XXXIII du *Gargantua*, les conseillers du roi Picrochole racontent-ils à leur patron les conquêtes futures qui placeront l'empire du monde dans ses mains. Une allusion appuyée aux Colonnes d'Hercule ne laisse aucun doute sur le fait que Charles Quint est la cible de la parodie [1]. Par un tour d'inversion, de ceux qu'a su analyser Bakhtine, cette épopée de l'avenir pricrocholin ne se rattache pas à la matrice narrative et prophétique du Livre de Daniel mais à la fable du pot de lait : « J'ay grand peur que toute ceste entreprinse sera semblable à la farce du pot au laict, duquel un cordouannier se faisoit riche par resverie ; puis, le pot cassé, n'eust de quoy disner [2]. » Mais il est un autre balancement surprenant dont les différents genres littéraires mobilisés par le thème sont les vecteurs, tout au long du XVIIe siècle. Il s'agit du mouvement par lequel les arguments forgés

1. Sur le sens du symbole des Colonnes d'Hercule dans le système de propagande de Charles Quint, voir : Frances Yates, *Astrée. Le symbolisme impérial au XVIe siècle*, Paris, Belin, 1989 ; Fernando Checa Cremades, *Carlos V : la imagen del poder en el Renacimiento* [1989], Madrid, El Viso, 1999.

2. François Rabelais, *La Vie très horrificque du grand Gargantua*, chap. XXXIII, Paris, Garnier-Flammarion, 1968, p. 150.

en France, mais aussi en Hollande, en Angleterre ou en Allemagne, contre l'aspiration hispanique à l'universalité, se retournent contre Louis XIV et lui sont renvoyés au visage.

Ce retournement fondamental, étudié par Franz Bosbach, à partir d'un inventaire consistant de textes européens des XVIe et XVIIe siècles, a l'allure d'une boucle dans laquelle le Roi-Soleil rejoint son trisaïeul Charles, avant l'affirmation d'une pensée de l'équilibre des puissances[3]. Cette confusion finale de l'*hybris* hispanique ancienne et de la nouvelle folie française est singulièrement favorisée, dans le contexte de la guerre de Succession d'Espagne, par l'union enfin réalisée des deux luminaires de la chrétienté dans la maison de Bourbon. Comme l'a montré Jean Schillinger, chez les pamphlétaires allemands de la fin du XVIIe et du début du XVIIIe siècle, notamment parmi les auteurs protestants, la dénonciation du projet louisquatorzien de domination européenne mobilise des arguments qui avaient déjà servi, en France, contre l'Espagne triomphante des XVIe et XVIIe siècles. Les libelles allemands rejettent d'un même mouvement les deux Campanella, celui de la *Monarchie d'Espagne* et celui de la *Monarchie de France*, car « la dénonciation de la Monarchie universelle française avait de fortes chances d'émaner d'auteurs protestants et [d'être] plus spécialement destinée à un public protestant[4] ». Et, à ce titre, il n'y avait aucune raison de préférer une domination à l'autre, voire de les distinguer. Un pamphlet attribué à un citoyen liégeois dans les dernières années du XVIIe siècle invalide la production symbolique commandée par Louis XIV comme la réédition d'un usage de la propagande qui avait été celui de Philippe II : « Nous méprisons ce que l'on fait à la louange de Philippe II [...] on verra la même chose avant la fin du siècle où nous allons entrer [...] les pièces du pasteur Claude, d'Innocent XI, la lettre de l'Empereur au roi Jacques, le manifeste du roi d'Angleterre, seront plus lues, plus estimées que les mémoires de Louis le Grand, qu'une Histoire de commande écrite sous ses yeux, que les Inscriptions mises partout,

3. Franz Bosbach, *Monarchia Universalis : storia di un concetto cardine della politica europea*, Milan, Vita e Pensiero, 1998.

4. Jean Schillinger, *Les Pamphlétaires allemands et la France de Louis XIV*, Berne-Berlin-Francfort, Peter Lang, 1999, p. 307.

que les beaux discours prononcez dans l'Académie françoise[5]. » Le parallèle des deux Rois Catholiques est alors devenu un lieu commun.

Au début du XVIIe siècle, l'œuvre politique du dominicain calabrais Tommaso Campanella apparaît exemplaire de ce retournement qui traverse tout le siècle. Il est l'auteur d'une *Monarchia di Spagna*, datée de 1598, puis d'une *Monarchia di Francia*, composée en 1634, textes considérés par la critique récente comme les deux volets d'un diptyque, en dépit des trente-cinq ans qui les séparent[6]. Entre les deux s'est écoulée la période de vingt-six années pendant lesquelles le religieux connut les geôles de Naples. Après l'exaltation de la mission catholique de l'Espagne reconnue dans le premier ouvrage, le second annonce la relève française dans l'Europe des années 1630. Dans une étude récente, Jean-Louis Fournel se demande si, dans un cadre théorique et eschatologique inchangé, d'un livre à l'autre Campanella s'est contenté de changer de champion, passant de l'Espagne à la France. Dans une réponse nuancée, il définit ainsi la démarche du Calabrais : « déterminer qui est le mieux à même de reprendre le rôle dévolu jusqu'alors à la couronne espagnole, puis, ensuite, saper les fondements de sa puissance[7] ». Le cheminement intellectuel de Campanella thématise donc le rapport entre Espagne et France en termes de substitution et d'héritage, dans une conjoncture européenne instable.

L'assomption d'éléments constitutifs du programme théologico-politique universaliste de l'Espagne est repérable dans la production textuelle française. La littérature pamphlétaire protestante hostile à Louis XIV et la production encomiastique liée à la cour de France, loin de se contredire sur ce point, semblent converger. La

5. *Lettre d'un gentilhomme françois sur l'établissement d'une capitation générale en France*, Liège, 1695, p. 67, cité par N. R. Johnson, « Louis XIV and the Age of the Enlightenment », art. cité.

6. On dispose désormais d'une excellente édition bilingue de ces deux textes en un volume : Tommaso Campanella, *Monarchie d'Espagne et Monarchie de France*, *op. cit.*

7. Jean-Louis Fournel, « Campanella et la monarchie de France : empire universel et équilibre des puissances », in *Tommaso Campanella e l'attesa del secolo aureo. III giornata Luigi Firpo*, Florence, Leo S. Olschki, 1998, p. 5-37, citation p. 29.

prise de relais par la France, face à une Espagne qui ne serait plus à la hauteur de la mission historique par elle remplie au XVIe siècle, se vérifie sur plusieurs terrains. Ainsi la guerre de Hollande de 1672-1674 paraît s'inscrire dans la succession des vains efforts de Philippe II, Philippe III et Philippe IV pour réduire l'hérésie et la rébellion des Provinces-Unies ; c'est également le cas de la politique d'endiguement de la puissance terrestre et navale de l'Empire ottoman en Méditerranée, dans le sillage des entreprises de Charles Quint et Philippe II.

Nous avons déjà eu l'occasion de vérifier que l'adoption par le roi de France d'une posture catholique aussi intransigeante que l'espagnole est largement antérieure à la promulgation de l'édit de Fontainebleau. De même, la formulation du projet impérial français paraît non seulement précoce, comme le rappelle Alexandre Y. Haran, mais encore conforme aux critiques adressées à la France triomphante. Ainsi *Le Désespoir de Barradas* (1626) présente le dessein historique de Louis XIII dans des termes que reprendraient, cinquante ans plus tard, les contempteurs de Louis XIV : « Est notable que toutes choses contribuent au dessein du Roy, à fin que par ses victoires il se rende père commun des Chrestiens, moderateur du monde, arbitre des croyans en nostre Europe. Il y a des esprits rares que Dieu a fait naistre pour cet effect en ce Royaume, qui ont des inventions merveilleuses pour l'eslever au plus haut degré d'honneur & de gloire. N'est-il pas digne de l'Empire ? Il peut faire de la France une Citadelle pour toute la Chrestienté, on luy en montre les moyens faciles, & sans qu'il emprunte rien de ses voisins. Ordinairement les Citadelles sont odieuses marques de violence, rejettées des peuples comme ennemies de la liberté, de Iustice, & de toutes sortes de vertus. Ce grand Roy reluisant de perfections Chrestiennes tiendra le monde en son devoir, de sorte que toute la Chrestienté ne semblera estre qu'une famille bien réglée, un Temple magnifique, dont toutes les coulonnes seront de piété & de justice. Il chastiera les meschans, recognoistra les bons, les advancera. Enfin, comme un autre Charlemagne il assemblera un iuste Concile pour oster les honteuses divisions qui sont parmy les Chrestiens [...] [8]. » Une telle prophétie vaut déclaration de candidature à la couronne du Saint Empire romain.

8. *Le Désespoir de Barradas*, *op. cit.*, p. 12-13.

L'idéologie royale française s'approprie la mémoire et la légitimité de Charlemagne. Ces propos prennent encore plus de relief si on les compare aux remarques formulées, à la même époque, par Jean-Louis Guez de Balzac sur l'aspiration symétrique attribuée aux Espagnols : « [...] le dessein de la monarchie universelle, qui a esté conçeu sous le Roy Ferdinand, qui s'est éclos sous l'Empereur Charles, et que le conseil d'Espagne a tousjours nourry dépuis ce temps-là, ne peut estre consideré sans horreur et sans indignation par un homme qui aime sa patrie[9]. »

Le combat contre la puissance de la double dynastie habsbourgeoise n'a plus pour unique objet de conjurer l'étau créé par l'encerclement du royaume de France entre terres hispaniques et domaine impérial. Il s'agit désormais de contester et de ravir la place échue aux Habsbourg : « La maison d'Austriche a violé les droicts de l'Empire qui estoit par election, elle l'a rendu hereditaire à force d'armes. Pourquoy ne sera il permis au Tres-Chrestien de reprendre justement ce qui a été usurpé à ses predecesseurs, si grands, si affectionnez à la gloire de Dieu ? Il y a plus de droict que tout autre, combien plus infiniment que ceux d'une maison si petite, si nouvelle, au prix de celle de France ? Que doncques mon victorieux Louis prenne hardiment ce titre d'Empereur, qu'il continue ses victoires, & dans peu de temps il se verra la Couronne Impérialle sur la teste. Qui le sçauroit empescher ? [...] À l'exemple de Charlemagne, il faut assembler un Concile legitime, oster les differents qui sont en la Religion, la corriger, reformer, & reünir par la parole de Dieu[10]. »

Louis XIV ne sera pas en retrait par rapport aux ambitions formulées sous le règne de son père. La stratégie de candidature impériale a fait l'objet de travaux érudits, depuis longtemps[11]. Mais les historiens n'ont pas souligné avec assez de vigueur que l'option impériale repose sur une vision universaliste et catholique qui rend

9. Jean-Louis Guez de Balzac, *Le Prince. Lettre à Monseigneur le cardinal de Richelieu*, *op. cit.*, p. 222-223.

10. *Le Désespoir de Barradas*, *op. cit.*, p. 20.

11. Gaston Zeller, « Les rois de France candidats à l'Empire : essai sur l'idéologie impériale en France », *Revue historique*, 1934, p. 237-311 et 497-534. Plus généralement, voir la bibliographie rassemblée par Alexandre Y. Haran in *Le Lys et le Globe*, *op. cit.*

compatibles la religion royale et la pratique de réunions territoriales et de fortification de zones frontières, mais se situe aux antipodes d'un travail de construction nationale.

La question hollandaise

La question de Hollande constitue le premier test, en vraie grandeur, du désir de la monarchie française d'exercer sa fonction de monarchie catholique, au détriment de l'Espagne et, pourtant, dans son sillage. Des publicistes hollandais, inquiets des progrès territoriaux de la France louisquatorzienne aux Pays-Bas du Sud, anticipaient sur l'impact d'une agression française : « Mais pour revenir à la Hollande, contre laquelle l'on invective si fort, elle en use avec nous sur le pied que nous nous sommes reglez contre l'Espagne, quand elle estoit formidable, & aspiroit à la conqueste du monde [12]. » Ainsi la Hollande attaquée par la France se trouverait-elle dans la situation de Louis XIII face à l'Espagne de Philippe IV. Versailles prendrait donc désormais la place de l'Escurial. Le rapprochement des régimes est évoqué dans un autre opuscule hollandais à travers une comparaison des politiques architecturales. Le chantier de Versailles est dénoncé en raison de son coût, par analogie avec le palais de Philippe II : « On objectoit celà mesme à Phlippes II en Espagne, 22 millions d'Écus qu'il dépensa à l'Escurial dans les grandes necessitez de l'Estat [13]. » La polémique hollandaise contre les entreprises hostiles de Louis XIV puisait donc dans le fonds de la dénonciation des ambitions espagnoles, créant un effet de continuité et de substitution parfait de l'Espagne à la France : « Les desseins relevés de la France, pour former dans la Chrestienté la Monarchie Universelle, requerroient avant toute chose d'avoir le pied sur le throne Imperial ; à quoy il y a d'autant plus d'apparence ; veu que la Maison d'Austriche, qui a depuis si long

12. *La France demasquée, ou ses irregularitez dans sa conduite et maximes*, La Haye, Jean Laurent, 1670, p. 18-19.

13. *Considérations politiques au sujet de la Guerre présente entre la France et la Hollande*, Amsterdam [selon la copie flamande], 1673, p. 14-15.

temps porté la Triple Couronne, a perdu son lustre & sa force[14]. » Cette conclusion formulée par un publiciste réformé, hostile aux ambitions du roi de France, répond presque terme à terme à l'espoir formulé par l'auteur du *Barradas* un demi-siècle plus tôt.

Ce registre n'est pas propre à la partie agressée et protestante. L'agresseur catholique qui entreprend, avec à terme aussi peu de succès que Philippe II, l'extirpation de l'hérésie et de la « rébellion » hollandaises assume et revendique, non sans quelque condescendance, l'héritage de la mission espagnole. Après les premières batailles de la guerre de Hollande, la muse d'Esprit Fléchier doit chanter la façon dont Louis a « foudroyé l'orgueil d'un peuple révolté[15] ». Cette désignation des Hollandais comme rebelles est singulière en ce qu'elle place le roi de France en position de suzerain de ces populations, comme l'avait été Philippe II, en toute légitimité patrimoniale. La troisième strophe du poème attribue à la guerre entreprise par la France une dimension religieuse :

> Dy-leur qu'il rétablit le culte dans nos Temples,
> Où quittant pour un tems sa guerriére fierté,
> Il laisse de fameux exemples
> D'une immortelle piété ;
> Qu'il rend victorieux l'auteur de sa Victoire,
> Et prenant le Ciel pour son plus ferme apuy,
> Au pié de ses Autels il consacre sa gloire,
> Et va faire pour Dieu, ce que Dieu fait pour luy.

Et pour qu'aucun doute ne subsiste sur le sens de la mission que remplit le roi face aux rebelles hérétiques, le prélat évoque, à la strophe sept, le succès de Louis sur un terrain qui avait été naguère perdu par les Espagnols :

> Tu nous vantes encor ces Conquerans illustres,
> Que l'Espagne orgueilleuse élevoit autrefois,
> Qui ne firent pas en dix lustres
> Ce que Louis fait en un mois.

14. *Ibid.*, p. 4.
15. Esprit Fléchier, *Ode sur les conquestes du Roy*, Paris, Sébastien Mabre-Cramoisy, 1672.

La même année, Corneille, Quinault et Montauban étaient requis de célébrer la gloire militaire de Louis dans les marais bataves[16]. Les succès de ses armes sont d'abord les signes de la Providence annonçant le destin universel de l'œuvre française. C'est ainsi que nos poètes glosent le distique :

Una dies Lotharos, Burgundos Hebdomas una,
Una domat Batavos ; quid annus erit ?

(Il dompte les Lorrains en un jour, les Bourguignons en une semaine [il s'agit de la Franche-Comté], les Hollandais en un mois ; que ne fera-t-il pas en une année ?) Comme chez Fléchier, la signification religieuse des campagnes de Hollande est placée en tête de la série des poèmes (*pro restituta apud Batavos Catholica fide* / « sur le restablissament de la Foy Catholique en ses Conquestes de Hollande ») :

C'est l'effet, c'est le prix des soins dont tu travailles
À r'animer la Foy qui s'y laisse étouffer :
Tu rétablis son culte, il se fait ton appuy,
Sur ton zele intrépide il répand ses miracles,
Et preste leurs secours à qui combat pour luy.
(P. 5.)

Un autre poète de cour, l'abbé Cassagnes, conclut une ode consacrée à la guerre de Hollande sur la dimension religieuse du conflit. Ses vers associent l'œuvre spirituelle de Louis à celle de Charlemagne :

L'Église voit enfin ses Tyrans confondus,
Et dans le sein des murs, ou forcez, ou rendus,
Un Prince revêtu de la Pourpre Romaine
Fait gemir à son tour l'Heresie inhumaine,
Et remet avec pompe en leur premier honneur
Les Autels prophanez des Temples du Seigneur.

16. *À la gloire de Louis le Grand conquerant de la Hollande*, par Mrs Corneille, Montauban, Quinault & autres, Paris, Olivier de Varennes et Pierre Bienfaict, 1672.

Sans aimer les Lauriers, qui couronnent sa teste,
Louis, en cet objet, comme en sa fin s'arreste.
Pareil à Charlemagne, Ayeul de ses Ayeux,
Il établit par tout le vray culte des Cieux,
Il consacre à la Foy son invincible Armée,
Comme Libérateur de l'Église opprimée [...][17].

Comme dans l'ode d'Esprit Fléchier, le recueil Quinault, Corneille, Montauban construit une comparaison avec l'Espagne qui demeure avantageuse :

Tout ce Païs qu'un Peuple égal aux fiers Titans,
En dépit de l'Espagne a conservé cent ans,
Est en moins de deux mois devenu ta Conqueste.
Prince, de la grandeur de ces exploits divers
L'apparence est menteuse, ou de tout l'Univers
La Couronne bien-tost doit tomber sur ta Teste.
(P. 9.)

Après coup, l'historiographe Varillas inscrirait le sens de son livre sur la jeunesse de Charles Quint dans la perspective d'une exaltation de l'œuvre religieuse de Louis XIV dans le monde flamand : « En fin la Religion Catholique fut establie dans Utrec & dans les autres Villes, d'où toutes les forces de la Maison d'Autriche n'avoient pu empescher qu'elle ne fût bannie durant pres de cent ans[18]. » Ces vers de commande, et cette épître au roi, montrent bien que les thèmes de la catholicité, de la rivalité avec l'Espagne mais en direction d'un même objectif, et de l'aspiration à la couronne impériale convergent dans les « cérémonies de l'information » que l'entourage poétique de la cour mettait en musique, dès l'époque des guerres de Hollande. Une fois identifiée la présence de ces thèmes dans la littérature d'exaltation de Louis, on ne peut guère alléguer que le parallèle entre l'action de l'Espagne et celle

17. Abbé Jacques Cassagnes, *Poeme sur la Guerre de Hollande*, Paris, Sébastien Mabre-Cramoisy, 1672, p. 33.

18. Antoine Varillas, *La Pratique de l'éducation de Charles-Quint*, *op. cit.*, épître au roi, s.f.

de la France aux Provinces-Unies ne serait qu'un motif polémique, forgé dans le Refuge protestant, pour combattre Versailles.

L'idée selon laquelle la France jouait un rôle abandonné par l'Espagne était d'autant plus crédible que la monarchie hispanique et les États des Provinces-Unies avaient amorcé un rapprochement diplomatique depuis le traité de Westphalie. La convergence d'intérêts hispano-hollandaise, en plus de la sphère commerciale, s'était manifestée avant même la tenue du grand congrès pacificateur, dans une commune hostilité au Portugal : en péninsule Ibérique, pour l'Espagne, parce qu'il s'était donné un roi autochtone et s'était séparé de l'union dynastique ; au Brésil, pour la Hollande, qui espérait s'établir durablement dans le Nordeste sucrier [19]. Cette alliance de fait a pour symétrique la bienveillance française à l'égard du nouveau roi de Portugal, Jean IV [20]. Depuis les années 1650, le rapprochement entre les rebelles hollandais et leur ancien suzerain espagnol est directement lié aux ambitions françaises sur les Pays-Bas catholiques [21]. Dans ces conditions, la propagande de Louis avait beau jeu de montrer que la France continuait une lutte sacrée à laquelle l'Espagne avait, elle, renoncé. Les motifs du programme iconographique de Versailles étudiés par Gérard Sabatier montrent combien le thème de l'impuissance et de l'aveuglement espagnol est associé à la célébration de la défaite des Hollandais et de leurs alliés impériaux [22]. Cette thématique jouait sur un argument polémique plus ancien : la catholicité hispanique avait dénoncé les alliances protestantes de la France alors que Philippe III lui-même avait signé la fameuse trêve de Douze Ans, de 1609 à 1621, avec les Hollandais, faisant la preuve de sa duplicité [23].

Ainsi les protestations espagnoles contre ses ambitions impériales pouvaient-elles être rejetées par un roi de France devenu le

19. Jonathan Israel, *The Dutch Republic and the Hispanic World*, Oxford, Clarendon Press, 1982.

20. Israël Salvator Révah, *Le Cardinal de Richelieu et la Restauration du Portugal*, Lisbonne, Institut français, 1950.

21. Manuel Herrero Sánchez, *El acercamiento hispano-neerlandés (1648-1678)*, Madrid, Consejo Superior de Investigaciones Científicas, 2000, p. 177 *sq.*

22. Gérard Sabatier, *Versailles ou la figure du roi*, *op. cit.*, p. 367-369.

23. Bernardo García García, *La Pax Hispanica. Política exterior del duque de Lerma*, Louvain, Leuven University Press, 1996.

champion de la catholicité romaine contre la Hollande hérétique : « Il fait des plaintes & des manifestes remplis d'injures, & publie partout que le roy de France veut usurper la couronne Imperiale, & aspirer à la Monarchie Universelle. [...] Il oublie en ce moment que les Hollandois qu'il prenoit en sa protection, étoient les plus constants Ennemis de la Religion Catholique, & que le Roy non seulement la retablissoit dans toutes les places qu'il prenoit sur eux, mais qu'il leur avoit même en partie declaré la guerre pour défendre deux Princes Ecclesiastiques, de leurs injustes oppressions [...] la plûpart de ces mêmes Princes qu'on avoit vû si tardifs & si paresseux à secourir l'Empire contre l'invasion des Turcs, se hâterent de r'assembler leurs forces pour s'opposer aux progrès du François [24]. »

Les arguments mobilisés pour justifier l'attaque contre la Hollande sont liés à la prédication catholique qui accompagnait la politique de destruction des articles de l'édit de Nantes. Mais, sous le règne précédent, la poursuite d'objectifs divergents semblait caractériser l'œuvre de Richelieu. Grâce à son action, la ruine du parti protestant a été « le chef-d'œuvre de Louis le Juste » à l'intérieur, mais elle s'articule à la lutte contre la principale maison catholique d'Europe à l'extérieur [25]. Cette apparente contradiction disparaît avec la paix des Pyrénées et le mariage espagnol. Pour Bossuet, le service funèbre et l'hommage rendu à Marie-Thérèse en 1683 fournissent l'occasion de projeter la politique de Louis XIV sur un horizon eschatologique associé à la gloire des Rois Catholiques, dont Marie-Thérèse symbolise l'union à la maison du Très-Chrétien : « N'oublions pas ce qui faisoit la joie de la reine. Louis est le rempart de la religion : c'est à la religion qu'il fait servir ses armes redoutées par mer et par terre. Mais songeons qu'il ne l'établit partout au dehors que parce qu'il la fait régner au dedans et au milieu de son cœur. C'est là qu'il abat des ennemis les plus terribles que ceux que tant de puissances, jalouses de sa grandeur, et l'Europe entière pourroit armer contre lui. Nos vrais ennemis sont en nous-mêmes, et Louis combat ceux-là plus que tous les autres.

24. *Campagne de Louis XIV*, par P. Pellisson, *op. cit.*, p. 21-22.

25. Jean-Louis Guez de Balzac, *Le Prince. Lettre à Monseigneur le cardinal de Richelieu*, *op. cit.*, p. 174.

Vous voyez tomber de toutes parts les temples de l'hérésie : ce qu'il renverse au dedans est un sacrifice bien plus agréable, et l'ouvrage du chrétien, c'est de détruire les passions qui feroient de nos cœurs un temple d'idoles[26]. »

La question more

La prise de Grenade, l'établissement durable de présides chrétiens sur la côte maghrébine, la prise de Tunis (1535), l'écrasement de la révolte morisque des Alpujarras (1568-1570), la victoire de Lépante (1572), l'expulsion des Morisques (1609-1610), la guerre de course méditerranéenne et atlantique contre les flottes barbaresques : si l'on se situe au milieu du XVIIe siècle, il paraît évident qu'aucun monarque européen n'a plus et mieux contribué que les rois d'Espagne à la poursuite de la croisade chrétienne contre l'islam. Cet engagement stratégique et spirituel contribue à légitimer la prétention idéologique de la monarchie hispanique à remplir une fonction impériale et universelle. Jean Boucher propose une formule qui pouvait être acceptée bien au-delà des cercles de ligueurs réfugiés aux Pays-Bas espagnols : « Aussi qu'il semble, que cette maison soit comme un contrepoix, destiné divinement à celle des Othomans. Lesquelz selon qu'ilz sont accreus, celle cy est accreüe aussi, non seulement en l'Europe, en l'Asie, & Afrique, mais aussi (ce qui luy est propre) en toute l'Amerique, & es Indes tant Orientales qu'Occidentales[27]. »

Lorsque Nicolas Perrot d'Ablancourt se lance dans l'entreprise de traduction de la *Description de l'Afrique* de Marmol Carvajal, il annonce prophétiquement l'action du Roi-Soleil en faveur de la croisade méditerranéenne : « Ces infidèles sont bien persuadés que les seules armes de V.M. sont plus redoutables pour eux que ne le furent autrefois ni les Martels, ni toute la foule de héros qui se

26. Jacques Bénigne de Bossuet, *Oraison funèbre de Marie Thérèze d'Autriche*, *op. cit.*, p. 216.

27. Jean Boucher, *Oraison funèbre sur le trespas de tres haut, très grand, et très puissant monarque Dom Philippe second roy d'Espaigne*, *op. cit.*, p. 22.

dévouèrent pour la Palestine[28]. » La naissance miraculeuse de Louis Dieudonné sonne le glas de la fortune ottomane : « Le superbe othoman à la veuë de ce mesme soleil se verra dans un honteux déclin, sans avoir passé par cette plénitude, que lui promettoit son superbe croissant[29]. » Dans *La Pucelle*, les alexandrins de Jean Chapelain, tout de pompe et de poudre, inventent à la France un ennemi musulman, comme si l'édification de sa monarchie passait par la guerre contre l'empire des infidèles. Alors que le poète, à travers l'épopée tragique de Jeanne, narre les vicissitudes du royaume pendant la guerre de Cent Ans, et alors que de l'envahisseur anglais on peut tout dire mais pas qu'il ait été hérétique, la libération du royaume est pensée comme la reprise d'une interminable *Reconquista* contre tous les ennemis de la foi et, donc, de la France :

> De tout temps le demon, en son ame inhumaine,
> nourrissoit pour la France une implacable haine,
> ayant veu, tant de fois, ses projets inhumains,
> à son grand deshonneur, par elle, rendus vains ;
> de l'effroyable hun les drapeaux mis en fuitte,
> du nombreux sarrazin la puissance destruitte,
> du profane lombard le regne aneanty,
> du saxon revolté l'orgueil assujetty,
> sur le fier musulman Solyme reconquise,
> l'albigeois egaré reconduit à l'Église,
> enfin malgré les flots, les escueils, et les vens,
> le more attaqué mesme en ses sables mouvans[30].

On connaît le célèbre soupir de Brantôme, évoquant la bataille de Lépante : « Hélas je n'y étois pas[31] ! » Il cristallise une frustra-

28. Nicolas Perrot d'Ablancourt (trad.), *L'Afrique de Marmol*, Paris, Billaine, 1667, épître. Cité par Guy Turbet Delof, *L'Afrique barbaresque dans la littérature française aux* XVIe *et* XVIIe *siècles*, Lille, Service de reproduction des thèses, 1973, p. 173.

29. Monsieur de Folleville, *Oraison funebre d'Anne d'Autriche Reine de France et de Navarre*, *op. cit.*, p. 13.

30. Jean Chapelain, *La Pucelle*, *op. cit.*, p. 107.

31. Pierre de Bourdeille, seigneur de Brantôme, *Œuvres complètes*, éd. Ludovic Lalane, *op. cit.*, t. I, p. 123.

tion française, indistinctement chevaleresque et spirituelle, dont se souviendraient, un siècle plus tard, ceux qui remarquaient la modestie du contingent français venu au secours de Vienne assiégée en 1683. Non seulement la France n'a pas pris part aux entreprises croisées de Charles Quint et Philippe II, mais elle a fait œuvre de diversion en faveur de la Sublime-Porte : « Mais pour tourner encor aux tentations que l'on a donné au roy d'Espaigne de nous tourmenter et nous persecuter en guerre, quelle charge de consciance est-ce à la France, amprès la victoire de ceste tant fameuse battaille de Lepanthe, que le Turc n'en pouvoit plus et ne battoit que d'un'aisle et prest à perdre Constantinople, aller rompre le cours de ceste victoire par le voyage qui se fit en Flandres, où fut pris Monts et Valenciennes par M. le conte Ludovic, M. de la Noue, Genlis, Le Poyet, Rouvray et Villandray, avecque une infinité d'autres honnestes et vaillans hommes ; et puis par nostre embarquement que nous estions prests à faire de Brouage sans la Sainct Barthelemy, où nous y menions douze mille hommes de guerre des bons de la France ? Il ne faut doubter, sans ces deux empeschemens et allarmes, que le Turc n'eust perdu la plus grande part des terres et isles du Levant. Et pourtant le roy d'Espaigne se tint coy, et ne voulut randre la pareille, car il ne manquoit nullement de moyens [32]. » L'ancien combattant de la conquête du Peñón de Vélez de la Gomera en 1564 se montre particulièrement sensible aux entreprises espagnoles contre l'islam méditerranéen. Il rend hommage à Philippe II d'avoir expulsé, éliminé et réduit en esclavage, après la guerre terrible des années 1568-1570, la population morisque du royaume de Grenade : « À ce coup il fist une chose très belle pour la religion d'Espaigne, car il chassa tous les Mores de Grenade ; de sorte qu'ilz n'ont plus infecté l'Espaigne despuis, et ne se ressantent plus du marrane, comm'ilz faisoient, au moins aucuns de leurs voisins, pour traicter par trop avecque eux [33]. »

L'occasion de rattraper l'absence à Lépante par une participation massive à la défense des territoires patrimoniaux de l'Autriche menacés en 1683 ne fut pas saisie. Louis XIV pouvait alors, à bon droit, être accusé d'imiter François Ier dans sa diplomatie ottomane,

32. *Ibid.*, p. 95-96.
33. *Ibid.*, p. 122.

et de suivre Richelieu dans ses alliances contre nature. L'embarras est manifeste, il s'exprime, par exemple, dans l'oraison funèbre de Marie-Thérèse prononcée par Esprit Fléchier : « Dés qu'on oûït gronder l'orage qui vient de fondre sur l'empire et sur la Hongrie, n'ajousta-t-elle pas à ses dévotions ordinaires une heure d'oraison par jour ? Ne dît-elle pas plusieurs fois, qu'étant chrestienne sur toutes choses, elle craignoit encore plus pour sa religion que pour sa maison ? Et peut-estre que ce coup du ciel qui vient de dissiper ce gros nuage, et d'arracher la couronne des empereurs des mains presque des infideles, est un effet des intercessions de cette princesse[34]. » Bossuet, comme Fléchier, attribue à Louis la fonction historique et spirituelle qui avait traditionnellement été reconnue au vainqueur de Lépante, alors que l'insolidarité chrétienne du Roi-Soleil était dénoncée par les propagandistes de la maison d'Autriche et, pis encore, par ceux des princes protestants d'Allemagne. Il le fait en exaltant cette croisade de substitution conduite contre les ports barbaresques d'Alger et de Tripoli qui tient lieu d'engagement contre la puissance ottomane : « Tu céderas ou tu tomberas sous ce vainqueur, Alger, riche des dépouilles de la chrétienté. Tu disais en ton cœur avare : je tiens la mer sous mes lois, et les nations sont ma proie. La légèreté de tes vaisseaux te donnait de la confiance ; mais tu te verras attaquée dans tes murailles [...].Tu rends déjà tes esclaves. Louis a brisé les fers dont tu accablais ses sujets, qui sont nés pour être libres sous son glorieux empire[35]. »

La même année, madame de La Roche Guilhen publiait une nouvelle traduction des *Guerres civiles de Grenade* de Pérez de Hita. Son œuvre est offerte à l'ambassadeur de Charles II, Gaspar de Teves y Córdoba, marquis de La Fuente, par ces mots : « C'est un portrait de l'Espagne triomphante d'une Nation superbe, dont la valeur de vos Ayeuls a souvent humilié les Rois[36]. » Mais le combat contre l'Afrique barbaresque, en dépit du maintien de plusieurs présides espagnols importants, est désormais l'affaire de

34. Esprit Fléchier, *Oraison funèbre de Marie-Thérèse d'Autriche*, *op. cit.*, p. 51-52.

35. Jacques Bénigne de Bossuet, *Oraison funèbre de Marie Thérèze d'Autriche*, *op. cit.*, p. 215.

36. La Roche Guilhen, *Histoire des guerres de Grenade*, Paris, Veuve de Loüis Billaine, 1683.

Louis. La protection du Saint-Sépulcre et des échelles du Levant est affichée comme une priorité qui efface la tradition d'arrangement avec la puissance ottomane [37]. Tandis que les pamphlétaires français reprochent à la cour de Madrid de recevoir avec tous les égards des diplomates du sultan, l'action du roi en Méditerranée contribue à affermir le rôle impérial que Louis XIV s'attribue en Europe [38]. Ainsi, une allégorie de la ville d'Alger bombardée par la flotte du roi de France en 1683 lui reconnaît précisément ce titre : « Je reviens de Paris de rendre grace à l'Empereur des François de ce qu'il m'a presques tout ruiné avec ses bombes [39]. »

Les victoires chrétiennes à Grenade, celle de 1492 et celle de 1570, et le triomphe de Lépante ont un pendant malheureux dans le désastre de la bataille des trois rois, à El-Ksar el-Kébir, en 1578 [40]. À la fin des années 1670, une nouvelle historique, à la manière du *Dom Carlos* de Saint-Réal, sur la vie du roi Sébastien de Portugal plaçait, comme chez La Calprenède un demi-siècle plus tôt, mais avec combien plus de sobriété, la croisade d'Afrique du Nord sur le devant de l'imaginaire [41]. Dans la nouvelle, le souvenir de la victoire de son oncle Philippe contre la flotte ottomane excite le désir de croisade de Sébastien : « Cette grande victoire acquit une gloire immortelle aux Chrêtiens, & causa une perte irreparable aux Infideles : on leur prit cent quatre-vingt Galeres, on en coula à fonds quatre vingt & dix, on delivra quinze mille Chrestiens esclaves, trente mille Turcs y furent noyez, dix mille prisonniers, & presque tous leurs Chefs y perirent [42]. » Tandis que le cardinal Henri, grand inquisiteur et oncle de Sébastien, se montre hostile à

37. Emmanuel Caron, « Défense de la chrétienté ou gallicanisme dans la politique de la France à l'égard de l'Empire ottoman à la fin du XVIIe siècle », *XVIIe Siècle*, n° 199, 1998, p. 359-372.

38. *La Meduse bouclier de Pallas ou deffence pour la France*, s.l., s.d. [1668 ?], préface.

39. *Dialogue de Genes & d'Algers. Villes foudroyées par les armes invincibles de Louis le Grand l'année 1684*, traduit de l'italien [Giovanni-Paulo Marana], Amsterdam, Henry Desbordes, 1685, p. 2.

40. Lucette Valensi, *Les Fables de la mémoire. La glorieuse bataille des trois rois*, Paris, Éd. du Seuil, 1992.

41. *Dom Sebastien roy de Portugal. Nouvelle historique*, Paris, Claude Barbin, 1679.

42. *Ibid.*, t. II, p. 8-9.

toute expédition, le jeune roi ne vit que pour son entreprise africaine. Sans doute les conventions du genre imposent-elles que Sébastien soit également mû par l'amour qu'il éprouve pour la princesse more Alméide. Cependant, la dimension spirituelle de son élan imprègne les trois volumes de la nouvelle. La vision qu'elle offre de Philippe II est très différente de celle que livre le texte de Saint-Réal qui est, pourtant, son modèle formel et thématique. Alors que l'historiographie opposée au roi prudent avait dénoncé le cynisme d'un monarque poussant son neveu sans descendance à se lancer dans une expédition sans espoir, pour ravir sa couronne, l'auteur de la nouvelle inverse le point de vue : « Le Roy d'Espagne [...] receut Dom Sebastien avec de grands témoignages de joye & d'affection : Il fit ses efforts pour le dissuader d'une entreprise si perilleuse ; mais le danger ne fait qu'irriter les grands cœurs. Il le pria ensuite de ne pas aller en personne à cette guerre [...][43]. » Le refus de Philippe de prendre part à l'aventure marocaine est expliqué par le duc de Medinaceli en ces termes : « La rebellion des Flandres augmentant de jour en jour, & donnant beaucoup à craindre au Roy son maistre, il se trouvoit obligé de conclure une Tréve avec les Turcs[44]. » En somme, les deux rois ibériques consentent, chacun de son côté, à supporter le poids d'une croisade.

Jacques Bruslé de Montpleinchamp, dans son histoire de l'archiduc Albert, affirmait, lui aussi, que jamais Philippe II n'avait trahi son neveu dans l'affaire marocaine. L'auteur de la nouvelle sur Sébastien transpose les débats qui agitent la cour de France à propos de l'attitude à adopter face aux percées turques en Europe centrale. Par là, il montre une sensibilité remarquable à l'angoisse de l'insécurité qui a imprégné l'Espagne et ses territoires italiens depuis la chute de Grenade jusqu'à la fin du XVIIe siècle. C'est le registre que Sébastien déploie pour convaincre les Castillans qu'ils commettent une erreur en temporisant avec la Porte et avec les Barbaresques : « Dom Sébastien répondit à cet Ambassadeur ; qu'il étoit fort surpris de ce que Philippe faisoit une Tréve de trois ans avec les Turcs ; qu'en croyant éviter leurs incursions en Italie, il

43. *Ibid.*, t. II, p. 55-56.
44. *Ibid.*, t. II, p. 69.

leur donnoit le tems de se fortifier en Afrique, & de la remplir de Troupes, qui porteroient dans le sein de l'Espagne, aprés cette Tréve, une guerre plus cruelle, que celle qu'il craignoit[45]. »

Les récits plus ou moins fantaisistes des combats conduits par Sébastien renouent avec le genre du « vieux roman » (Chapelain) et offrent l'occasion d'exalter le lecteur, en le faisant participer à une croisade par procuration. L'auteur s'ingénie à confondre l'histoire politique du Maroc et celle de l'Empire ottoman. Pourtant, la connaissance des conflits dynastiques marocains dont il fait preuve invite à voir là une confusion délibérée[46]. Le procédé lui permet de tout mêler et, en particulier, d'accréditer l'idée, bien fragile, selon laquelle l'agressivité maritime de Louis XIV contre les cités-États maghrébines, elle aussi, peut tenir lieu de politique anti-ottomane. La mémoire de l'histoire ibérique agit ici comme une ressource imaginaire. Sa mobilisation romanesque range la France du Roi-Soleil dans l'héritage des triomphes de la catholicité hispanique – et ici portugaise – contre l'islam.

Louis XIV l'Américain

On peut enfin trouver dans la littérature de la seconde moitié du XVIIe siècle les signes d'une fascination pour l'Amérique, continent qui ne saurait échapper au périmètre indéfini de la gloire promise à Louis XIV. Encore faut-il insister sur le fait qu'il s'agit moins d'une attraction dictée par les ressources minières ou par des considérations géostratégiques que de l'hommage rendu à la plus formidable expansion de l'Église chrétienne depuis la *Reconquista*. Le maître de Versailles, comme le seul héritier digne d'ancêtres tels que Charles Quint et Philippe II, ne saurait être tenu à l'écart d'un rêve évangélique et impérial tendu vers les Amériques et accompli en elles :

> Tous les peuples à bras ouvers,
> Souhaitent que tu sois leur maistre ;

45. *Ibid.*, t. II, p. 71.
46. *Ibid.*, t. I, p. 85.

Mais de toutes les Nations,
Qui cherchent tes affections,
La plus ardente est l'AMÉRIQUE,
Qui te voyant pour elle né,
Comme un bel ASTRE COURONNÉ,
DÉSIRE TA FOY Catholique[47].

Et pour qu'on ne s'y trompe pas, l'auteur de ce triomphe de Louis par emblèmes précise que l'Amérique promise au roi de France n'est pas seulement celle des rives du fleuve Saint-Laurent, mais tout un continent borné par les « Isles de terres Neuves » et les « Isles Magellaniques »[48]. Ainsi, tout comme la virtualité d'une union des couronnes avait pu être désirée sans façons, la dévolution de l'Amérique chrétienne à Louis s'installait comme un horizon possible.

Les milieux dévots français ne pouvaient être insensibles à l'épopée de l'Église militante conduite par les monarques ibériques dans le continent jamais atteint par la parole évangélique avant 1492. Toute la littérature apologétique des ordres missionnaires, jésuites, dominicains ou séraphiques, avec leur série de martyrs des temps nouveaux, assurait à la pastorale de l'outre-mer une proximité et une centralité par rapport à la catholicité européenne. En témoigne la ferveur suscitée par la béatification (1668) et la canonisation (1672) de la première sainte américaine, sainte Rose de Lima[49]. Cet événement considérable, célébré sur toutes les terres hispaniques des deux hémisphères, est rattaché par un des apologètes français de la sainte à la maison de France, car Rose de Lima, comme sujette des Habsbourg, « appartient » de ce fait à la reine Marie-Thérèse[50]. Par un glissement imaginaire facile à comprendre, l'Amérique dans son expérience péruvienne peut être

47. Jean-Baptiste Cassillac, *Heureux augure du triomphe de Louis Quatorziesme*, Paris, Gilles Tompere, 1675, p. 91.

48. *Ibid.*, p. 92.

49. Voir le livre de Ramón Mujica Pinilla, *Rosa limensis. Mística, política e iconografía en torno a la patrona de América*, Lima, Institut français d'études andines, 2001. Je remercie Jacques Poloni-Simard de m'avoir signalé et communiqué cet ouvrage.

50. Jean-Baptiste Feüillet, *La Vie de la bienheureuse épouse de Jésus-Christ sœur Rose de Sainte-Marie*, Paris, André Cramoisy, 1667, épître à la reine.

saisie comme une « mine » spirituelle, à la hauteur de sa richesse argentifère [51].

« N'ay-je pas encore une fois grand sujet d'appréhender que la religion Chrestienne, ayant passé de l'Asie où elle est née, dans l'Afrique, et qu'estant depuis sortie d'Afrique où elle paroissait si bien enracinée, pour entrer dans l'Europe, elle ne quitte quelque jour l'Europe, pour se retirer et s'étendre dans l'Amérique, et dans ces terres Australes fraîchement découvertes. C'est maintenant le tour et la révolution de vostre continent. [...] ils sont dans la ferveur des premiers siècles de l'Église, non dans la tiédeur et la nonchalance des derniers : ils sont dans l'éclat et la splendeur, et nous vivons dans la désolation et dans l'opprobre, où nous réduisent la séparation et le divorce de nos freres. [...] Ce qui s'accorde bien encore avec l'observation curieuse, que quelques contemplatifs ont faite, sur ce que Fernand Cortez, qui conquit le Pérou [*sic*], naquit la mesme année que Luther [...] et que dans le mesme temps que cet apostat levoit le bouclier contre l'Église, et bouleversant toute l'Europe avec tant de cruauté et de barbarie, dans ce mesme temps Fernand Cortez arborait l'étendard de la Croisade dans les Indes [...] [52]. » La France catholique des premières années du règne de Louis XIV peut ainsi exalter l'œuvre d'Hernán Cortés comme réponse providentielle à la fracture réformée. Dans un tel contexte idéologique, l'Amérique apparaît bien comme un horizon spirituel et politique qui ne peut échapper au rayonnement du roi [53]. En dépit de la cristallisation littéraire d'une hostilité politique et culturelle à l'égard de l'Espagne, on retrouve la complexité du phénomène de répulsion et d'attraction ainsi que la puissance de l'utopie d'une unité chrétienne retrouvée à travers une alliance hispano-française, mais sur une base moins « politique » que romaine. Les auteurs qui ont été sollicités ici expriment de façon très nette leur propre droit à l'ambivalence à l'égard de la puissance hispanique. Ils manifestent le rejet d'une activité d'écriture dictée par la caricature et la

51. Pierre Cureau de La Chambre, *Panégyrique de la Bienheureuse Rose de Sainte-Marie de Lima du Pérou*, Paris, Edme Martin, 1669, p. 11 ; *La Béatification de sœur Rose de Sainte Marie de Lima*, Grenoble, Philippe Charvys, 1669.

52. Pierre Cureau de La Chambre, *Panégyrique...*, *op. cit.*, p. 36-37.

53. Gérard Sabatier, *Versailles ou la figure du roi*, *op. cit.*, p. 367.

cécité. Ainsi le traducteur de l'*Histoire de la conquête du Mexique*, dans son édition de 1691, exprime-t-il, à propos de la vie d'Hernán Cortés, la volonté de ne pas céder aux représentations monolithiques : « [...] on doit juger de leur conduite, dont un Auteur nous montre comme il luy plaît, le bon et le méchant côté, lorsqu'il sçait emploïer adroitement les talens d'un habile Écrivain : mais on ne prétend point donner ce nom à ceux qui ne debitent que des éloges, chargez de lâches flateries, ou des Satyres noircies d'impostures, & de traits d'une passion interessée[54]. »

Du plus réel – la Hollande –, au plus virtuel – l'Amérique –, en passant par les demi-réalisations – la Méditerranée musulmane –, l'œuvre croisée de Louis XIV s'inscrit bien, suivant les écrivains et les artistes chargés de l'exalter, dans le sillage hispanique. L'avènement du régime personnel est accompagné d'un intense travail symbolique qui a fait l'objet d'études fondamentales pour l'intelligence de la politisation des sociétés d'Ancien Régime. L'*hybris* de la personne de Louis, le régime de croyance en une religion royale qui en est le fondement ont été abondamment commentés. Nous nous sommes arrêté sur la fonction exercée, dans ce vaste dispositif culturel, par l'affirmation du dépassement de la grandeur espagnole déchue. Mais encore fallait-il comprendre que cette victoire était alors comprise comme une prise de relais, comme une substitution. L'ambivalence constante de l'appréciation portée sur l'Espagne moderne en découle. La gloire de Louis procède par une synthèse de l'héritage très-chrétien et de la captation de la légitimité catholique. Il importait donc d'identifier les manifestations d'une assomption par Versailles de l'idéal longtemps porté par la monarchie hispanique.

France jésuite et jansénisme espagnol

Pour rendre compte du mimétisme par rapport à l'héritage espagnol, il convient sans doute d'intégrer la variable gallicane, dont on a vu ce qu'Edgar Quinet en faisait. Deux perspectives méritent

54. *Histoire de la conquête du Mexique ou de la Nouvelle Espagne, traduite de l'espagnol de Don Antoine Solis*, Paris, Maurice Villery, 1691, préface, p. 2.

d'être toujours rappelées : d'une part, la fin du règne de Louis XIV est caractérisée par un puissant engagement ultramontain de la couronne ; d'autre part, l'Espagne, tenue pour le parangon de l'orthodoxie romaine, a entretenu des relations orageuses avec le Saint-Siège à l'époque moderne[55]. Le différentiel d'ultramontanisme ou de régalisme ne permet raisonnablement pas, dans ces conditions, de distinguer les évolutions française et espagnole comme deux expériences opposées. Pourtant, une part de l'épopée nationale française s'est forgée sur l'idée selon laquelle une forme de catholicité proprement nationale, le jansénisme de Port-Royal, procédait du rejet d'un style spirituel et pastoral attribué aux jésuites, agents de l'étranger, d'un étranger à coloration hispano-romaine. Mais quelques indices tirés de textes français du XVIIe siècle invitent à récuser ce schéma trop simple, élaboré après coup.

Ainsi, à côté des raisonnements déployés pour rendre acceptable la sensibilité hispanophile dans la France pacifiée de Louis XIII, Jean-Pierre Camus s'est-il attaché à montrer, par une inversion d'argument, que l'équivalence postulée entre jésuites et espagnols était erronée. Le propos n'est pas dénué d'audace lorsqu'on sait combien cette association a tenu lieu d'évidence polémique, depuis la fin du XVIe siècle. Une de ses homélies panégyriques, citée par Henri Brémond[56], développe cet argument, à travers la démonstration du caractère français d'Ignace de Loyola : « Quant au corps, il est donc navarrais : quant à l'esprit vrai français (la Sorbonne l'a formé) ; et, de corps et d'esprit, vrai naturel et légitime sujet du Roi très chrétien de France et de Navarre. [...] De sorte qu'un célèbre personnage de ce temps avait raison d'appeler la sainte Compagnie de Jésus, Compagnie française, fille bien-aimée et bien-aimante de l'Église gallicane, conçue et née au beau milieu de son cœur. [...] Notre Ignace est donc, quoique remâchent les contrariants, vrai français et, pour étouffer toute opposition, je dis hautement que Dieu l'a dit [...] par la bouche de ses œuvres. » Une preuve de nature surnaturelle vient renforcer le propos, puisque la dépouille

55. Ignasi Fernández Terricabras, *Philippe II et la Contre-Réforme. L'Église espagnole à l'heure du concile de Trente*, Paris, Publisud, 2001.

56. Henri Brémond, *Histoire littéraire du sentiment religieux en France*, t. I, *op. cit.*, p. 68-69.

mortelle du saint fondateur de la Compagnie est réputée, tout comme la main du roi de France, guérir des écrouelles. Sur ce registre, le romancier dévot ne vient qu'abonder sur le thème du vœu de Montmartre grâce auquel les jésuites développent l'argument du caractère français de leur compagnie[57].

Tout au long du siècle, les jésuites français travaillent à effacer les effets d'une identification de leur société comme une compagnie espagnole. Lorsque le père Bouhours rédige sa biographie du fondateur, il la dédie à la reine de France, née espagnole, Marie-Thérèse, par ces mots : « Madame, la qualité de Fille du Roy Catholique & celle d'Épouse du Roy Tres-Chrestien, qui relevent Vostre Majesté au dessus de toutes les Princesses de la terre, m'obligent à luy dédier cet ouvrage. C'est la vie d'un Saint Fondateur que l'Espagne & la France ont donné au monde. Car, Madame, si Ignace de Loyola est né sujet de vos illustres Ayeuls, la Compagnie qui le reconnoist pour son chef est originairement Françoise[58]. » Le jésuite ne construit pas un Ignace français, par opposition au Loyola espagnol, tout au contraire il s'attache à articuler les deux dimensions du personnage, en parallèle avec l'union matrimoniale des maisons de Bourbon et de Habsbourg. Cependant, il accorde une sorte de priorité à l'entente de la Compagnie de Jésus et de la maison de France. Cette intention est manifeste dans le passage consacré à la procédure de canonisation d'Ignace : « Mais le Roy de France Loûïs XIII fut de tous les Princes Crestiens, celuy qui écrivit là-dessus avec le plus de chaleur [...] une telle demande estoit digne du Fils aisné de l'Église ; que ce titre glorieux qu'il avoit hérité de ses prédecesseurs, & qui luy donnoit du zele pour l'avancement de la Religion catholique, l'obligeoit de poursuivre la canonisation d'Ignace, dans l'esperance que l'intercession de ce Bienheureux luy seroit un puissant secours pour bannir de son Royaume les hérésies & les vices ; enfin que la France ayant eû le bonheur de voir ce serviteur de Dieu, non seulement

57. Pierre-Antoine Fabre, « La Compagnie de Jésus et le souvenir du vœu de Montmartre. État d'une recherche », *Cahiers du Centre de recherches historiques*, n° 24, avril 2000, p. 101-119.

58. Dominique Bouhours, *La Vie de Saint Ignace, fondateur de la Compagnie de Jésus*, Paris, Sébastien Mabre-Cramoisy, 1679.

faire ses études, & choisir des compagnons dans l'Université de Paris, mais aussi jetter les fondemens de sa Société à Montmartre, dans l'Église des Martyrs [...][59]. »

On ne peut, en effet, accepter l'idée facile et trop commune selon laquelle l'antijésuitisme et l'hostilité à l'égard de l'Espagne se sont rigoureusement superposés. Sous le règne d'Henri IV et, plus tard, dans le feu des controverses sur le molinisme, cette confusion est partiellement opératoire, mais elle ne l'est pas mécaniquement. Un exemple célèbre permet de s'en convaincre. Antoine Arnauld, en adaptant une biographie de l'évêque et magistrat espagnol don Juan de Palafox, notamment à propos de son action en Nouvelle-Espagne dans les années 1640, démontre que l'on peut bien être engagé dans une lutte contre la Compagnie et néanmoins affirmer son admiration pour le modèle hispanique de prélature militante et volontariste[60]. On ne s'étonnera pas du choix d'Arnauld lorsqu'on sait que la vie de l'évêque espagnol avait quelques points communs avec celle de saint Augustin. Après une jeunesse dissipée et une formation qui le destinait à exercer des tâches essentiellement administratives, Palafox est touché par la grâce et entame, à vingt-huit ans, une vie de laïc pénitent, aussi réglée que celle d'un prêtre, avant de recevoir les sacrements et de s'engager tout à fait dans la carrière ecclésiastique. Les sources d'Arnauld, il le reconnaît, sont espagnoles[61]. Il a également pris connaissance du manuscrit de Champion, père jésuite du collège de Rennes, qui n'a jamais fait éditer son texte. Mais, tout comme un autre personnage profondément admiré dans la France du XVIIe siècle, Cisneros, Palafox est à la fois un mystique et un politique. Comme le régent de Castille auprès d'Isabelle la Catholique, l'évêque Palafox exerça la fonction d'aumônier auprès de la sœur de Philippe IV, Marie d'Autriche, reine de Hongrie. Son action réformatrice à Mexico s'étendit à tous les aspects de la vie sociale, et pas uniquement à la moralité du clergé. Cette dimension de son œuvre n'est pas négligée par

59. *Ibid.*, p. 490-491.

60. Antoine Arnauld, *Histoire de Dom Jean de Palafox, évêque d'Angelopolis, & depuis d'Osme et des differens qu'il a eus avec les PP Jesuites*, 1690. Je remercie Jean-Pierre Berthe d'avoir attiré mon attention sur cet ouvrage.

61. Antonio González de Resende, *Vida i virtudes del señor D. Juan de Palafox*, Madrid, J. de Paredes, 1666.

Arnauld, qui s'emploie même à expliquer à son lecteur français ce qu'était une visite dans l'arsenal juridictionnel de la magistrature castillane, pour lui faire comprendre les modes d'action du personnage. Ce versant de l'éloge biographique est, bien entendu, fort important, car il suggère que, pour un auteur français du XVIIe siècle, même pénétré d'expérience mystique, la référence positive à l'Espagne ne se limite pas à l'admiration pour les formes les plus bouleversantes de la spiritualité, ce qui pourrait être le cas, par exemple, avec la traduction des œuvres de sainte Thérèse par Arnauld d'Andilly[62]. C'est tout à la fois le prélat et le magistrat catholique qui est, en Palafox, donné en exemple au lecteur français. En fait, Palafox et Cisneros permettent de penser, à la façon dont Michel de Certeau explique le double registre, mystique et politique, sur lequel s'est construite la vie publique de Le Voyer d'Argenson[63], que la société espagnole laisse place à des personnages qui déploient une véritable expertise politique institutionnelle, mais toujours soumise aux impératifs d'une expérience spirituelle intense.

On ne s'étonnera pas qu'Arnauld ait privilégié la dimension missionnaire de l'œuvre : « Il menoit avec luy deux Chappelains qui sçavoient la langue Mexiquaine, & les autres langues des Indes, Prestres vertueux, d'une sagesse & d'une fidelité reconnuë. [...] Souvent après avoir donné la confirmation à plus de mille Indiens dans une après-disnée, il se mettoit à entendre les Confessions jusques à 9 & 10 heures du soir[64]. » C'est ici l'un des patrimoines symboliques les plus efficaces de la société politique hispanique à l'âge moderne qui est activé. L'œuvre d'évangélisation paraissait pouvoir justifier la prétention hispanique à la monarchie universelle. La visite de Palafox est acceptée par Arnauld comme une œuvre de correction et de réparation des injustices infligées aux Indiens : « Tous les vices y regnoient impunément. Les Grands & la Noblesse y exerçoient une cruelle tyrannie. Les pauvres Indiens

62. *Œuvres de sainte Therese, divisées en trois parties*, de la traduction de M. Arnaud d'Andilly, Anvers, Van Dunewald, 1688.

63. Michel de Certeau, « Politique et mystique : René d'Argenson (1596-1651) », *Revue d'ascétique et de mystique*, 1963.

64. Antoine Arnauld, *Histoire de Dom Jean de Palafox*, *op. cit.*, p. 29-30.

gemissoient sous une servitude insupportable. [...] Il retrancha une infinité de dereglemens dans toutes sortes d'états, sans épargner personne. [...] Il soulagea les Indiens de plusieurs pesantes charges & contributions dont ils êtoient opprimez par l'avarice insatiable des Receveurs & des Commis, à l'insçu de Sa majesté, & contre son intention et ses ordres exprés. » Ce passage exonère le roi d'Espagne de toute culpabilité en matière d'abus exercés sur les populations indigènes d'Amérique et présente le prélat espagnol comme un justicier.

Mais ce qui fait tout le sel du développement d'Arnauld, c'est qu'il contribue à articuler cette politique chrétienne de la charité à un programme de gouvernement d'inspiration bien plus séculière : « Il etablit & distingua plusieurs Chambres de Justice, pour rendre l'expedition des affaires publiques & des procés plus courte & plus aisée ; & par ce moyen il épargna des frais immenses aux plaideurs. [...] Ce désordre venoit de ce que les Officiers & les Ministres de la Justice tiroient chacun de leur côté les déniers du Roy, s'attribuant pour leur salaire, non ce qui leur appartenoit de droit, mais autant qu'il leur plaisoit, leur avarice leur servant de règle. En quoi les Vice-rois connivoient à leurs volleries, les uns et les autres se prétant la main pour voler le Roy. Dom Juan de Palafox entreprit d'exterminer ce brigandage public. Il fit faire d'exactes recherches des malversations des Receveurs, punissant les coupables. Il taxa les gages des Officiers, & les vacations des gens de Justice. Il apporta de sages précautions pour empécher à l'avenir la diversion & la dissipation des Finances, ajoûtant à tout cela de belles ordonnances pour maintenir le bon ordre qu'il avoit établi. Tellement que par cette réforme on fut bien-tôt en état d'envoyer en Espagne de tres-grosses sommes, sans avoir fait aucune nouvelle imposition [...] [65]. » Si à toutes ces belles actions on ajoute la réfection des canaux, la création d'un arsenal, l'organisation de milices permanentes et la destruction des dernières idoles présentes dans la ville de Mexico, c'est tout à la fois les œuvres de Colbert, de Louvois et de Jean-Baptiste Thiers qui trouvent en Palafox une pieuse correspondance. On constate, en tout cas, la facilité avec laquelle Arnauld traduit l'œuvre de correction de Palafox en Nou-

65. Antoine Arnauld, *Histoire de Dom Jean de Palafox*, *op. cit.*, p. 32.

velle-Espagne dans des termes qui sont ceux de la politique louis-quatorzienne. Mais l'intérêt du personnage, en fait, réside bien plus dans l'affrontement qui l'oppose pendant son séjour en Amérique, puis après son retour en Espagne, aux jésuites, notamment sur la question de la dîme ecclésiastique. Ce conflit emblématique permet de distinguer de façon définitive jésuitisme et hispanité, et cela alors même que le casuisme de Molina apparaît comme la quintessence de ce qu'il convient de rejeter dans la pastorale des membres de la milice du pape.

Si la tentation de définir l'augustinisme comme une réaction nationale française contre un jésuitisme simultanément espagnol et apatride se manifestait encore, l'hommage rendu, dans un occasionnel d'inspiration janséniste, à l'Inquisition d'Espagne pour son combat contre la Compagnie de Jésus suffirait à en écarter quiconque : « On apprend par diverses relations que les Inquisiteurs d'Espagne sont merveilleusement bien informez du mauvais esprit & de la mauvaise doctrine des Jesuites. [...] Plusieurs de ceux qui liront cette Censure, seront, sans doute, bien ayses d'apprendre cette nouvelle[66]. »

La contribution du jansénisme au dégagement de la nation politique au XVIIIe siècle ne peut pas servir de grille de lecture unique pour comprendre les premières générations de jansénistes. En tout cas, on ne peut ignorer que les contradicteurs français de la grande querelle théologique sur la grâce, jésuites et jansénistes, se sont référés, les uns comme les autres, à des auteurs espagnols ou hispaniques. On ne peut, à cet égard, oublier que Corneille Jansen, sujet flamand du Roi Catholique, est avant tout un auteur dont la doctrine participe du travail intellectuel des théologiens de la monarchie hispanique. La lecture du *Mars françois* montre que Jansen pouvait ramasser, en un fort volume, l'essentiel de ce que la pensée politique espagnole avait à dire sur les ambitions européennes de Richelieu. Le retour de la France sur le devant de la scène ne peut, selon Jansen, effacer l'œuvre croisée des rois d'Espagne : « Que la France loüe maintenant les braves faits de ses Rois, à l'encontre des infidelles, je ne veux rien diminuer de leur vertu, j'y applaudi-

66. *Censure des sentimens des Jesuites touchant la doctrine et l'autorité, de Saint Augustin, faitte par l'inquisition de Valladolid*, s.l., s.d.

rai : mais je leurs mettrai en tête douze Rois d'Espagne, sans hyperbole, et encore plus, qui égaleront et surpasseront toute leur gloire par la valeur génereuse de leurs actions. [...] Et les vertus guerrieres contre les Sarazins ont encore doné à d'autres les tîtres de Belliqueux, d'Empereur, d'Expugnateur, de Magnanime, de Noble, de Fort. [...] Tellement qu'ils n'ont pas seulement esclaté en vertus Roiales, mais semblent avoir disputé entr'eux, à qui en feroit le plus paroître. C'est pour cela que les uns ont traversé les mers pour passer en Mauritanie, les autres en Affrique, ou en Palestine pour planter la Croix de leur Maître sur les terres des Rois Idolatres[67]. »

Jansen pointe le doigt là où les blessures de la France demeurent ouvertes. Que valent, en effet, les rites de la royauté française et les cérémonies de la thaumaturgie à côté de l'impuissance à abattre l'hérésie : « Outre cela, quelle plus grande merveille, que quoi que l'Espagne ait esté autresfois en plusieurs Monarchies, il ne s'est pas trouvé un seul de tous les Rois, qui les ont tenues depuis le premier Roi Catholique Recaredus, jusques à Philippe Quatrième regnant aujourd'hui, qui ait esté taché d'aucune héresie : privilege qui ne convient qu'au Siege de Rome parmi tous les autres Patriarchats. Car si quelqu'un d'entre eux, estant parvenu a la Roiauté par le secours des Heretiques, les a voulu remettre en pleine liberté, comme fit il y a quelque temps en France Henri Quatrieme ; cette faute regarde les mœurs, mais elle n'altere point la Foi qu'ils ont professée. J'excepte icy les Rois de la Navarre Gauloise, car depuis que ce Roiaume fut partagé, ils perdirent cette benediction du ciel. [...] si la main des Rois de France guerit des escroüelles, les yeux des nôtres sont la mort asseurée des heresies[68]. » Après une telle diatribe, il n'est plus d'idéologie royale française qui tienne, il n'y faudra pas moins que des Cardin Lebret, les artistes de Versailles et les compagnies de Louvois pour affirmer et affermir la majesté du roi de France. Tout dans ce traité théologique et politique relève de la posture « espagnole ».

Il ne fait aucun doute que les amis d'Arnauld, en Jansen, révéraient d'abord l'auteur de l'*Augustinus*. Ils ne méconnaissaient

67. Cornelius Jansénius, *Le Mars françois ou la guerre de France*, s.l., 1637, p. 150 et 109.

68. *Ibid.*, p. 117.

pourtant pas son extraordinaire pamphlet. On imagine que plus tard, sous le manteau, ces chapitres au vitriol contre l'enflure de la maison de France aient réconforté – mais peut-être aussi angoissé – les amis de Port-Royal persécutés. La charge sur les ambitions européennes de Richelieu, et plus précisément sur ses alliances inacceptables du point de vue de la défense de la catholicité, a donc pour corollaire l'exaltation de l'œuvre de l'Espagne, placée par Jansen à la tête de la chrétienté militante. S'il est une couronne qui mérite la distinction impériale, celle-là est l'espagnole : « Cette gloire & cet emploi estoit sans doute reservé aux Rois d'Espagne, qui ont plus haut élevée la Crois de IÉSVS-CHRIST, & qui ont plus estendu son Empire & son Église, que tous les Rois & les Empereurs qui ont vescu depuis le regne de Constantin le Grand. Et qu'on ne die pas que l'interest de la gloire de Dieu, ou de mon Prince m'emporte au delà de la raison, & me fasse parler par hyperboles ; [...] Car ni l'Italie, ni la France, ni l'Angleterre, ni une grande partie de l'Allemagne ne tient la foi d'aucuns de ses Princes, & ne l'a point recouvrée par leur moien apres l'avoir perdue. [...] À tout le moins il est hors de doute, que les autres Rois n'ont point estendu les bornes de l'Église par delà l'Europe, les nôtres non contents de lui avoir rendu les plus belles Provinces qu'elle y possede, l'ont encore poussé dans l'Asie, & dans l'Afrique, dans des Isles auparavant inconnuës, dans une bonne partie de l'Amérique [...] [69]. » Les sacrifices consentis par les Espagnols en faveur de la prédication de la vraie foi les exonèrent de l'accusation de machiavélisme, c'est-à-dire, dans les coordonnées des polémiques du premier XVIIe siècle, d'usage instrumental de la religion : « Mais j'entends desja les reproches de nos ennemis. Les Espagnols, disent ils, ne cherchent pas la propagation de la Foi, mais l'accroissement de leur Empire. Et je leurs respons, que quand il seroit vrai, ils meriteroient pour le moins autant de gloire, que Pepin & quelques Rois de France, qui n'ont obligé les Papes que pour leurs interests particuliers [70]. » Quelques extraits du *Mars Gallicus* montrent que le discours politique de Corneille Jansen relève exactement de la doctrine hispanique. Partant, il semble tout naturel

69. *Ibid.*, p. 111.
70. *Ibid.*, p. 112.

que les jansénistes français mobilisent des références intellectuelles et politiques espagnoles dans leur propre production. Le cas de l'usage polémique du personnage de Juan de Palafox, de ce point de vue, ne saurait surprendre.

Mais l'engouement relatif pour la trajectoire et l'œuvre de Palafox ne se limite pas à un argument efficace pour miner les positions de la Compagnie de Jésus. La diffusion et la traduction de ses œuvres de spiritualité et de pastorale dénotent un goût prononcé pour son appréhension de la mission épiscopale, dans le contexte plus général d'une mise en marche des principes réformateurs tridentins. C'est ainsi que, pour ne prendre qu'un exemple, du Perron le Hayer traduit et présente, en le dédiant à la reine Marie-Thérèse, quelques mois à peine après son intronisation, un traité de spiritualité de l'évêque d'Angelopolis [71]. L'ouvrage est présenté comme ayant reçu les approbations successives, et en quelque sorte cumulées, des censures de Madrid, Alcalá, Tolède, Bruxelles et de la faculté de théologie de Paris. Plus tard encore, dans une France qui découvre que l'éradication du protestantisme français n'a pas délivré le royaume des querelles religieuses, Amelot de La Houssaie, traducteur, on l'a rappelé, de Gracián, livre au lecteur sa version des homélies théologiques de Palafox, à l'intention des prélats et des « politiques » pour les aider à concilier leur action dans le siècle et la spiritualité d'un catholicisme conquérant : « Le Vulgaire a si mauvaise opinion des Politiques en matière de Religion & de Christianisme, que six ou sept ans, que j'ai promis de faire un livre de piété, je n'ai jamais pu me résoudre à en composer de mon propre fonds. [...] Comme chacun manie la dévotion à sa mode, & que chacun croit la sienne la meilleure, & la plus utile, il n'y a rien qu'on fasse aujourd'hui plus volontiers que ces sortes d'ouvrages, j'ai crû devoir prendre un guide expert, qui me conduisît par la main, & sous la direction duquel je fusse assuré de ne point m'égarer [72]. » C'est ainsi qu'un authentique magistère est accordé à

71. Jean de Palafox de Mendoza, *De la connoissance, de la bonté et de la miséricorde de Dieu, de nostre Misere et de nostre Foiblesse*, trad. fr. de M. du Perron le Hayer, Paris, Savreux, 1660.

72. *Homelies téologiques et morales de feu Monsieur de Palafox*, traduites par le sieur Amelot de La Houssaie, Paris, Jean Boudot, 1691, avertissement, s.f.

l'évêque espagnol, face aux incertitudes que la conciliation de l'action politique et de la foi catholique engendre dans un climat caractérisé par la multiplication des formes de spiritualité, qui paraît démentir l'aspiration à l'unité dont la monarchie française a fait sa marque.

La France catholique

L'idée de l'inversion et de la substitution de la France à l'Espagne est thématisée dès l'époque de Louis XIV, au point de devenir un lieu commun : « Ce fut dès lors que les deux puissantes Maisons de France, & d'Autriche commencerent à s'élever, l'une contre l'autre, & que la France a enfin prevalu car ils sçavoient bien que dans la ruine de l'une, l'autre étoit toute assurée. Si bien que les Français sont aujourd'huy ce qu'étoient les Espagnols il y a cent ans, c'est a dire la terreur de l'Europe[73]. » Les discours d'exaltation et de critique de Louis, sur le point de son rapport à l'héritage espagnol, se ressemblent sur ce point. Cette thématique commune, en outre, réduit la crédibilité des discours sur l'antipathie réciproque, démentis par le style politique français du second XVIIe siècle autant que par les alliances dynastiques austro-bourboniennes. Comme le souligne le panégyriste Chaulmez, le « Monde [qui] n'a plus de Pyrénées » est mille fois plus riche que le Potosí[74]. Un pamphlet politique de 1701 associe étroitement les deux dimensions du problème : « Croyez vous de bonne foi, que ni moi, ni mes peres ayons jamais haï un Espagnol, parce qu'il étoit Espagnol ? Croyez vous de méme qu'un Espagnol haïsse un François, parce qu'il est François ? Toute cette antipathie n'est jamais venuë, que parce que tous tant que nous sommes, nous entrons d'ordinaire avec d'autant de chaleur dans les intérêts de nôtre Souverain, que si c'étaient les nôtres propres. Avant que Charles-Quint heritât de l'Espagne, il n'étoit point mention de cette antipathie dont on parle aujourd'hui. On n'en parleroit pas méme encore presentement, si

73. J. N. Parival, *Histoire de ce siècle de Fer*, Lyon, Jean Girin et Barthélemy Riviere, 1683, t. IV, p. 342-343.

74. Chaumelz, *Devises Panegyriques pour Anne d'Austriche*, *op. cit.*, p. 275.

ce n'est qu'on crût reconnoître dans cet Empereur un dessein pour la Monarchie Universelle. [...] Si nous voulons méme après avoir remonté jusques au siecle passé, nous arrêter sur celui-ci, nous trouverons que nôtre Nation, qui étoit aimée autrefois de tous nos voisins, ou peut s'en faut, en est haïe aujourd'hui mortellement, parce qu'ils attribuent au Roi le méme dessein, que l'on attribuoit en ce tems là aux deux Monarques Espagnols dont je viens de parler [Charles Quint et Philippe II][75]. » Dans le droit-fil de l'exaltation de *La France espagnole*, placard composé par Tristan Lhermitte en 1659, le texte montre que l'antipathie n'est pas essentielle : ce qui demeure en jeu, c'est la tension de la France et de l'Espagne vers un même objectif[76].

Le thème de l'antipathie est d'autant moins pertinent que la monarchie française s'éloigne d'un style « politique » pour rejoindre une manière « catholique ». Cette évolution est enregistrée par de nombreux auteurs pendant tout le siècle. Elle constitue notamment le bilan attribué à Anne d'Autriche, Louis XIV et Marie-Thérèse par leurs panégyristes. L'ère austro-bourbonienne marque un tournant pour la France par rapport aux accommodements avec le siècle et l'hérésie qu'avaient dû consentir les derniers Valois et même le premier des Bourbons : « Je ne veux pas dire que trois Roys Tres-Chrestiens n'ayent point esté touchez des interests de la Religion, mais il faut avoüer que leurs Provinces occupées, leur Domaine envahy, la Majesté Royale méprisée, leur authorité foulée aux pieds, a esté la principale cause qui leur a mis le fer à la main contre les rebelles : Disons vray, leur interest a esté le principal, [mais avec Louis XIII] celuy de Dieu, de la Religion, de la Foy Catholique, a précédé de bien loin incomparablement celuy de l'Estat & de la Couronne. Voire mesme il eust dissimulé les injures faites à l'Estat & à la Couronne, si elles n'eussent esté conjointes avec l'opprobre de Jesus-Christ & de son Église[77]. » Désormais, à l'image d'un roi castillan ou aragonais de la *Recon-*

75. *Entretien de M. Colbert ministre et secrétaire d'Estat avec Bouin fameux partisan*, Cologne, Pierre Marteau, 1701, t. III, p. 163-165.

76. Tristan Lhermitte de Soliers, *La France espagnole*, Paris, Jacques le Gentil, 1659.

77. François Ogier, *Oraison funebre de Louis XIII Roy de France et de Navarre*, *op. cit.*, p. 15-16.

quista, le monarque français soumet sa politique de puissance aux impératifs de la religion. Il « s'est roidi pour le bien de la Religion, en des choses où il pouvoit se relâcher légitimement, pour celui de ses affaires [78] ». Et il ne faut pas attendre les dernières années du règne pour que la liquidation de l'option politique soit tenue pour réalisée par certains représentants du clergé de France : « [...] dans le Conseil du Roy, ce Fils aîné de l'Église, la Politique cedoit la premiere place a la Religion, & [...] la reünion de tous les sujets au centre de l'Unité Catholique, on pouvoit appliquer à son Regne, ce qu'on a dit de l'Empire, que ce n'est plus l'Église qui est dans le Royaume, mais le Royaume qui est dans l'Église [79]. » Cet idéal mystique, sans nul doute inspiré de l'expérience hispanique dont il constitue un lieu commun, doit être tenu pour l'une des façons dont l'absolutisme français accepte officiellement d'être interprété.

Il n'est pas surprenant que la réversibilité des arguments forgés contre l'Espagne prépondérante se vérifie dès la publication de traités hostiles aux prétentions de Louis XIV, au nom de sa femme, au Brabant. Ici, nulle gradation dans la mise en cause des ambitions françaises : cette première initiative en direction des Pays-Bas du Sud, sous couvert de restitution patrimoniale, trahit le « dessein de la Monarchie Universelle [80] ». L'amalgame était rendu possible par la diffusion de livres sur les prétentions impériales du Roi-Soleil, publiés avec l'aveu de la cour. Louis XIV fait figure de prince sans scrupules, agissant contre la foi jurée, par exemple, dans son soutien au roi de Portugal, en dépit des engagements pris au traité des Pyrénées [81]. Les écrivains mobilisés par le roi pour accompagner sa campagne de rapine aux Pays-Bas font figure de rhéteurs mercenaires, capables d'orchestrer les représentations les plus mensongères et de faire perdre aux mots les sens les plus évidents. Ces pompeux poètes et ces juristes à la solde méritent cette cinglante

78. Jean de Silhon, *Apologie du traité de Monçon*, in *Divers mémoires concernant les dernières guerres d'Italie*, Paris, s.e., 1669, p. 105.

79. Ponsemothe de l'Estoille, *Oraison funebre de Marie-Therese d'Autriche infante d'Espagne Reine de France et de Navarre*, Maiens Le Bel, 1684, p. 24.

80. *Bouclier d'Estat et de justice contre le dessein manifestement découvert de la Monarchie Universelle sous le vain prétexte des pretentions de la Reyne de France*, 1667.

81. *Ibid.*, p. 27-28 et 38-48.

ironie : « L'Academie Françoise a travaillé depuis quelques années à la politesse de leur langue, & s'est donné la liberté d'y reformer beaucoup de mots, d'y en adjouster quelques uns, & de l'enrichir de plusieurs belles expressions ; mais je n'ay point appris qu'elle ait jamais appelé la Guerre du nom de Paix[82]. »

La perspective d'une union des couronnes de France et d'Espagne, dont on a vu que l'hypothèse circule dès les premières années du règne personnel de Louis XIV, mérite un double commentaire. En termes de politique de puissance, il s'agit d'une preuve de l'appétit insatiable du roi ; en termes d'eschatologie, il s'agit de la reconnaissance de la filiation espagnole de l'absolutisme français. Très tôt, donc, l'avenir de la monarchie hispanique s'écrit ainsi en langue française : « Seroit-ce un mal pour tout le corps politique de ce grand Estat, s'il estoit uny avec la France, & si ces deux Nations meres de tant de Heros ne faisoient qu'un mesme peuple, qu'un mesme Empire, & qu'une mesme puissance ? [...] Le Prince qui seroit heritier de France & d'Espagne feroit que les deux Nations n'en feroient plus qu'une seule[83]. »

Nul mieux que le – tardif – biographe de Philippe II[84], l'Italien Gregorio Leti, ne pouvait lancer des salves polémiques contre l'ambition européenne de Louis XIV[85]. Polygraphe vénal, longtemps disposé à se faire loger dans l'orbite du Roi-Soleil et déçu de ne pas avoir été récompensé de son zèle louangeur, Leti se retourne contre un maître qui ne l'a pas remarqué. Ce protestant que Colbert envoya au père La Chaise, dans l'espoir de le convertir, trouve sa place à Londres, puis à Amsterdam comme historiographe de la ville. Son texte sur la monarchie universelle de Louis XIV constitue un complet renversement de son discours encomiastique à la gloire de Louis, *La Fama Gelosa*, qui non seulement tressait des lauriers à l'ambition universelle de Louis, mais encore plaçait son règne très au-dessus de

82. *Ibid.*, p. 32.

83. *Considérations sur le contract de mariage de la Reine pour monstrer quel est le droit de Sa Majesté sur le duché de Brabant, & sur les Comtez de Henaut, Namur, &c.*, *op. cit.*, p. 5-6 et 10.

84. Gregorio Leti, *La Vie de Philippe II roi d'Espagne*, traduite de l'italien, Amsterdam, Pierre Mortier, 1734.

85. Gregorio Leti, *La Monarchie Universelle de Louis XIV*, Amsterdam, Abraham Wolgang, 1689.

celui d'Henri IV[86]. Dans son livre postérieur, Leti distingue la personne de Louis et son entourage néfaste et demande au lecteur de ne pas confondre la monarchie universelle de Louis XIV qu'il faut détruire et la couronne de France qu'il faut préserver. Tout comme les publicistes de Louis XIV distinguaient l'Espagne, parée de toutes les vertus, de la maison d'Autriche réputée étrangère au génie espagnol, Leti appelle à ne pas confondre la couronne de France et l'ambition du troisième des Bourbons : « Cette Monarchie que Louis XIV a fondée sur le sang, les biens des Peuples, & en arrachant s'il faut ainsi dire jusqu'aux entrailles des Princes, injuste par conséquent & qui mérite d'être détruite : Mais non pas cette Auguste Couronne qui n'a pas un pied de terre, qui ne mérite respect. Cette Monarchie nouvelle, & qui n'est que depuis 50 ans, mais non pas la Couronne, qui est ancienne de plus de douze siècles[87]. »

Mais c'est encore chez Leibniz que l'on trouve, à la fin du XVIIe siècle, l'argumentation la plus serrée et la posture la plus férocement caustique sur l'enflure franco-catholique. Son célèbre pamphlet, *Mars Christianissimus*, dont le titre renvoie au *Mars Gallicus* de Jansénius, dégage l'essentiel des motifs qui plaquent les prétentions françaises de son temps sur la folie espagnole de l'époque antérieure[88]. Le texte se construit autour d'une astuce qui l'imprègne, de part en part, d'une ironie mordante : puisque la France ne donne plus à connaître des arguments pour justifier ses actions militaires, Leibniz le fait à sa place.

L'auteur date le grand changement du règne de l'année 1672. La guerre de Hollande est donc l'événement par lequel Louis XIV négocie un tournant fondamental : « Il renversera ces boutefeux qui pretendent d'empecher que le peuple Chrestien ait un chef contre les infideles, que les heretiques soyent détruits, et qu'il n'y ait qu'*un Roy, une foy, une loy*[89]. » L'invasion des Provinces-Unies, sous la plume de Leibniz, s'explique d'abord en termes religieux : « Tout le monde sçait que le Roy n'a fait la guerre aux Hollandois,

86. Gregorio Leti, *La Fama Gelosa della Fortuna*, Gex, Leti, 1680, p. 11.
87. Gregorio Leti, *La Monarchie Universelle de Louis XIV*, *op. cit.*, p. 43.
88. Leibniz, *Mars Christianissimus Autore Germano Gallo-Graeco ou Apologie des Armes du Roy tres Chrestien contre les Chrestiens*, in *Œuvres de Leibniz*, t. III, *Histoire et politique*, éd. A. Foucher de Careil, Paris, Firmin-Didot, 1861.
89. *Ibid.*, p. 474.

que pour aider les Évesques de Cologne et de Munster à poursuivre les droits de leurs Églises [...][90]. » La remarque est moqueuse : le philosophe diplomate ne croit évidemment pas à cette explication, mais il se fait l'écho des discours de justification produits par la cour de France. L'ambition de Louis est présentée dans les termes d'une rudimentaire théologie politique. Dès lors qu'il s'est attaqué aux Provinces-Unies, le roi de France a montré qu'il prétend succéder à l'Espagne et incarner mieux qu'elle la politique de l'intransigeance catholique. Dans ce cas, il n'y a plus ni édit de Nantes ni même crise gallicane des Quatre Articles qui vaillent. Versailles a fait de la France le paradis de l'ultramontanisme dont l'Espagne avait été le modèle : « C'est donc à moy maintenant de monstrer que le Roy porte un tel caractere, et qu'il n'y a point d'homme aujourdhuy qui ait receu de Dieu un plus grand pouvoir dans les matieres temporelles, que Louys Quatorze. [...] j'espere d'autant plus aisement d'en venir à bout, que j'ay en quelque façon de mon costé les Casuistes ou auteurs de la Theologie morale, et particulierement les Jesuites, qui voyent bien, estants fins comme ils sont qu'il y a maintenant bien plus à esperer pour eux du costé de la Monarchie Françoise, que de l'Espagnolle[91]. » Une remarque sur la façon dont Louis XIV a laissé écraser les Messinois révoltés, après les avoir encouragés, offre l'occasion d'une autre allusion venimeuse aux jésuites : « toute grande secte doit avoir ses martyrs au commencement », commente l'auteur à propos de ces citoyens siciliens qui crurent en la grandeur de leur allié français[92].

L'expansion territoriale de la France, appuyée sur la justification catholique, excède même les victoires et les conquêtes de l'Espagne triomphante du XVIe siècle : « Le pape Alexandre VI en qualité de Vicaire de Dieu pretendit de partager le nouveau monde entre les Castillans et les Portugais, quoyque son pouvoir n'allât pas jusqu'au temporel. Au lieu que je monstreray que le Roy tres Chrestien qui vit aujourd'huy est le veritable et unique Vicaire de Dieu à l'egard de toutes les matieres temporelles[93]. » Louis est ce roi qui pense gagner

90. *Ibid.*, p. 484.
91. *Ibid.*, p. 477-478.
92. *Ibid.*, p. 484.
93. *Ibid.*, p. 478.

sur tous les tableaux. La soumission à l'orthodoxie catholique ne le fait pas renoncer aux éléments constitutifs de la religion royale, à commencer par le mythe de la thaumaturgie[94]. Le respect jaloux de l'orthodoxie ne le fait pas non plus renoncer aux prophéties de toute origine, occultistes, astrologiques et autres, sur l'annonce de la croisade antiturque. Ces remarques sont accompagnées de citations tirées de Grotius sur le fait que l'usage des prophéties constitue un obstacle majeur à la rationalisation des relations entre nations[95]. L'idéologie royale de Versailles ne retranche rien des modes de justification les plus enracinés dans une tradition magique et leur ajoute la prétention à détenir la vérité théologique. Les théories de la souveraineté ne bénéficient d'aucune priorité, et la recherche d'un concours rationnel, voire d'un équilibre, entre les nations, peut attendre des temps meilleurs. Ainsi, la royauté de Louis se manifeste comme une sorte de césaropapisme impérial aux dimensions de toute la chrétienté : « Tous les Roys et Princes sont obligés en conscience d'avoir une entiere deference pour luy, de le reconnoistre pour arbitre de leurs differens, et de luy laisser la direction des affaires generales de la Chrestienté ; et [...] ceux qui s'y opposent, resistent à la volonté de Dieu[96]. »

Reste alors à comprendre pourquoi la maison de France a choisi comme cible de ses premières foudres celle d'Autriche, pourtant réputée pour son œuvre catholique. Leibniz, en porte-parole caustique de Louis, répond que le Bourbon l'emporte de loin sur le Habsbourg dans la défense de l'unité catholique : « Que si quelques uns doutent encor de la sincerité et des bonnes intentions du Roy, voyant qu'il prend à tache de tourmenter la maison d'Austriche, qui est tres catholique, ils doivent considerer, que les Austrichiens sont devenus fauteurs des heretiques, depuis qu'ils croyent de se pouvoir maintenir par leur assistance. De sorte qu'il faut commencer par la ruine de cette maison, pour renverser les fondemens de l'heresie que Charles V a jettés par sa complaisance politique[97]. » Il s'agit d'un argument bien rodé dans le discours français sur

94. *Ibid.*, p. 479.
95. *Ibid.*, p. 480.
96. *Ibid.*, p. 483-484.
97. *Ibid.*, p. 485.

l'échec de Charles Quint face à l'expansion de la Réforme en Allemagne. Le renversement qui se produit en Europe inverse également les rôles. Désormais, l'Espagne est l'alliée de la Hollande, l'Autriche celle des princes protestants disposés à l'aider à contenir les avancées de l'Empire ottoman. Quant à la France, assurée de sa puissance, elle n'a plus à s'embarrasser d'alliances hétérodoxes.

Sur cette base, Leibniz imagine la présentation que le père La Chaise peut former de ce roi-César : « Car il est Vicaire General de Dieu pour exercer souverainement toute la juridiction et puissance temporelle, et puisque Dieu l'a fait declarer Liberateur des Chrestiens, et Protecteur de l'Église contre les heretiques et contre les barbares, sa charge est heroique, les loix ordinaires ne l'obligent point, et sa grandeur est la seule mesure de sa justice, puisque tout ce qui sert à l'augmenter, sert à la gloire de Dieu, et au bien de l'Église. [...] Je m'imagine que le R.P. de la Chaise Jesuite Confesseur ordinaire du Roy, dont le sçavoir et la prudence est reconnue generalement sera à peu prés dans les mêmes sentimens [98]. » L'action de Louis n'est rien de moins que la reconduction de l'Empire carolingien : il faut alors imaginer que la prochaine étape de l'expansion se heurtera à la Réforme en terre allemande et prétendra lui réserver le même sort qu'aux huguenots français [99]. C'est là que, d'après un autre texte de Leibniz, Louis rencontrera une résistance dont les guerres de Hollande lui ont offert un bel exemple. Le roi a sans doute subjugué la plupart des royaumes et principautés catholiques d'Europe et pris leur tête de force ; mais la coalition des royaumes et territoires réformés est un os plus dur à ronger. Le philosophe, répondant à un traité politique paru chez Marteau à Cologne, souligne : « Il n'y a, dit-il (p. 190), que des Estats protestans qui se puissent opposer au dessein qu'a le Roy de France de devenir Empereur d'Occident. Il conte donc pour rien l'Empereur, l'Espagne, le Pape et tous les princes d'Italie, Venise, Ferrare, et autre [100]. »

Depuis que l'Espagne a diversifié ses alliances pour se protéger des ambitions françaises, le paysage diplomatique européen semble

98. *Ibid.*, p. 491-492.
99. *Ibid.*, p. 497.
100. Leibniz, *Remarques sur un livre intitulé Nouveaux intérests des princes de l'Europe*, in *Œuvres de Leibniz*, t. III, *Histoire et politique*, *op. cit.*, p. 67.

s'être inversé au miroir. Désormais, c'est la monarchie hispanique qui fait figure d'assiégée. Elle l'est, en outre, par une puissance qui peut, après la révocation de l'édit de Nantes, passer pour aussi catholique que la Castille de Philippe II. Tour à tour, la Hollande, l'Angleterre et les princes protestants d'Allemagne négocient avec Charles II d'Espagne. Les royaumes qui ont contribué pendant la première moitié du siècle à réduire la puissance hispanique, au bénéfice de la France, peuvent regretter leurs choix d'alors : « En effet, â qui devons nous attribuer la foiblesse des Espagnols, qu'a nous mesmes, qui avons contribué si souvent à les reduire en l'estat, ou ils sont aujourd'huy ? Ne nous estoit il pas facile de voir, qu'ils ne se soutenoient plus, que par le moyen des cabales qui subsistoient encore en France contre le Cardinal Mazarin, & que si le Prince de Condé les eut abandonnés, c'estoit fait de leur fortune, & de leur reputation [101]. »

Dans cette perspective, la situation qui avait été créée par la signature du traité des Pyrénées, comme modèle de « Pacte solennel », marquait une limite que la France n'aurait pas dû franchir : « Le Cardinal Mazarin, & Dom Louïs de Haro, premiers Ministres des deux Couronnes, y avoient voulu mettre la main eux mesmes ; tellement qu'on pouvoit dire, que c'estoit le Traité le plus solemnel, & le plus authentique, qui se fut fait depuis longtemps. On y avoit observé dailleurs toutes les circonstances imaginables, comme de faire les conferences dans un lieu, qui n'estoit ny à la France, ny à l'Espagne, ce qui est néanmoins à remarquer. Car par là on vouloit bien que l'Espagne allast du Païr alors avec la France, mais depuis on ne le vouloit plus [...] [102]. » Désormais, c'est la maison de France qui joue simultanément sur l'esprit de conquête catholique universaliste et sur l'intérêt bien compris de son extension patrimoniale. La dimension impériale et le magistère spirituel de l'Espagne du XVIe siècle ne sont plus menaçants, et la monarchie hispanique, au moins dans sa dimension européenne, devient un royaume ordinaire. Le remplacement par la France se trouve ainsi accompli.

101. *La France sans bornes, comment arrivée à ce pouvoir supreme, & par la faute de qui*, Cologne, Pierre Marteau, 1684, p. 4-5.

102. *Ibid.*, p. 28-29.

Le dernier mot pourrait revenir à Montesquieu. Lui qui avait raillé l'incapacité de l'Espagne à faire fructifier l'avantage que représentait l'Amérique et ses métaux précieux (*Esprit des lois*, XXI, 22) vaticine l'échec historique du rêve de monarchie universelle : « Un grand Empire suppose nécessairement une autorité despotique dans celui qui le gouverne, il faut que la promptitude des résolutions supplée à la distance des lieux où elles sont envoyées, que la crainte empêche la négligence du Gouverneur & du Magistrat éloigné, que la Loi soit dans une seule tête, c'est a dire, changeante sans cesse, comme les accidens qui se multiplient toujours dans l'État à proportion de sa grandeur. [...] Sans cela, il se feroit un demembrement des parties de la Monarchie ; & les divers Peuples, lassés d'une domination qu'ils regarderoient comme étrangere, commenceroient à vivre sous leurs propres Loix. [...] En Europe, le partage naturel forme des États d'une étenduë médiocre dans lesquels le gouvernement des Loix n'est pas incompatible avec le maintien de l'État ; au contraire il y est si favorable que sans elles cet État tombe dans la décadence & devient inférieur à tous les autres[103]. » Sans nul doute, le modèle idéal critiqué est celui de la monarchie hispanique guidée par la politique de cabinet, mâtiné de système français aspirant à l'unification juridictionnelle de l'ensemble des territoires. Ces projets sont voués à un déclin inévitable : l'avènement des États médiocres et l'organisation de leur concert sonne le glas des universalismes, aussi bien pour la France que pour l'Espagne. Et lorsque Voltaire dénonce le mythe de la poursuite de la monarchie universelle, c'est encore à travers un parallèle entre Louis XIV et Charles Quint qu'il le fait : « La prise de Rome, et la captivité du pape, ne servirent pas plus à rendre Charles-Quint maitre absolu de l'Italie, que la prise de François I ne lui avait donné une entrée en France. L'idée de la monarchie universelle qu'on attribuë à Charles-Quint, est donc aussi fausse et aussi chimerique que celle qu'on imputa depuis à Louis XIV[104]. »

103. Montesquieu, *Réflexions sur la Monarchie Universelle en Europe*, *op. cit.*, XI.

104. Voltaire, *Essay sur l'histoire générale et sur les mœurs et l'esprit des nations, depuis Charlemagne jusqu'à nos jours*, *op. cit.*, chap. 66, t. II, p. 66.

La connivence catholique et politique entre la France et l'Espagne trouve son accomplissement dans la succession de 1700. Mais, si l'on s'est ici beaucoup penché sur la volonté française d'occuper la place impériale de l'Espagne, on s'est moins interrogé sur le désir espagnol d'une présence française. Sans doute les expériences des différents royaumes de la monarchie hispanique divergent-elles sur ce point. C'est en Catalogne qu'on a toute chance de trouver les discours les plus nettement hostiles au voisin du Nord, dans la mesure où l'annexion du Roussillon à la France coupe la Catalogne historique de sa partie transpyrénéenne depuis 1652. L'arsenal des arguments antifrançais qui sont mobilisés par le parti autrichien dans la couronne d'Aragon, pendant la guerre civile inscrite dans la guerre de Succession d'Espagne, est déjà rodé à la fin du XVIIe siècle, notamment en raison des incursions de la soldatesque française. L'option francophile, telle que l'incarne, par exemple, le cardinal Portocarrero, le plus ferme partisan de la succession bourbonienne dans l'entourage de Charles II, est fondée sur des jugements politiques en termes de puissance et de catholicité. Le désir de mettre fin au *desgobierno* (mauvais gouvernement) s'exprime en des termes qui renvoient à la littérature arbitriste de la fin du XVIe siècle, ou à la polémique pamphlétaire telle qu'elle a pu s'épanouir à l'occasion des conflits qui ont opposé don Juan José de Austria et le père Nithard pendant la minorité de Charles II. Mais la vision d'une régénération politique et administrative attendue d'une France déjà installée dans la modernité relève d'une projection téléologique qui mêle les époques, comme le fait – mais avec brio – Victor Hugo dans *Ruy Blas*.

La France qu'attendent les partisans des Bourbons de la fin du XVIIe siècle n'est certainement pas celle des Lumières, ce qui semble une évidence mais mérite d'être rappelé, comme le fait François Lopez : « Manifestement ce n'est pas la France des Philosophes qui a pu les séduire ni les attirer, mais une autre France, antérieure, dont les traits, après le règne de Louis XIV, vont subitement s'altérer, ce qui suscitera en Espagne (et en France, évidemment) un indéniable désarroi. Pour les hommes de savoir qui ont conscience d'être si peu nombreux en Espagne au début du XVIIIe siècle, la France est fondamentalement la fille aînée de l'Église, que l'on admire pour son érudition et sa piété, c'est la France du catholicisme classique, de Fleury, ministre de Louis XV, de Bossuet, de Fénelon et aussi celle de cette armée de savants que sont les bénédictins de Saint-Maur[1]. » L'auteur a pu montrer l'importance du volume des ouvrages de piété français arrivés et traduits en Espagne dès la fin du XVIIe siècle et tout au long du XVIIIe siècle. Les lettrés espagnols eux-mêmes tenaient la France pour un pays dont la culture, en particulier la pensée théologico-politique, méritait d'être incorporée au patrimoine intellectuel de l'Espagne, précisément en raison de sa proximité. L'aisance avec laquelle la nouvelle dynastie bourbonienne s'installe à la tête des institutions de la société hispanique est une marque puissante de cette familiarité ancienne. Manifestement, Versailles était un excellent lieu de formation pour un futur roi d'Espagne. En somme, il n'est pas jusqu'à l'accomplissement final du renversement de puissance, par l'installation du petit-fils de Louis XIV sur le trône des Espagnes, qui ne signale l'intensité du travail de transferts culturels et d'interaction entre les deux pays.

La présence espagnole dans la France d'un long XVIIe siècle ne relève pas seulement d'une consommation littéraire circonscrite à

1. François Lopez, « Ce qu'une Espagne a attendu de la France, de la fin du XVIIe siècle à l'époque des Lumières », *in* Jean-René Aymes (éd.), *La imagen de Francia en España en la segunda mitad del siglo XVIII*, Alicante-Paris, Instituto de Cultura « Juan Gil-Albert » – Diputación Provincial de Alicante – Presses de la Sorbonne Nouvelle, 1996, p. 17-28.

la période du *Siglo de Oro* littéraire et contemporaine de la vie d'Anne d'Autriche. L'« esprit » reconnu à Cervantès, le langage dramatique emprunté à Lope de Vega et à Calderón ne sont que des éléments, sans doute essentiels, d'un phénomène beaucoup plus vaste et complexe. L'Espagne en France, c'est aussi le magistère politique des rois et des ministres espagnols, la prédication et la raison des titulaires des chaires de théologie et de droit canon des universités hispaniques, le témoignage vertigineux des grands mystiques, le réseau diplomatique de la monarchie hispanique, son immensité territoriale présente à tous les esprits, l'engagement non démenti dans l'intransigeance catholique face à l'islam, au judaïsme et à la Réforme. Principale puissance politique de l'Europe pendant plus d'un siècle et demi, l'Espagne est ce monstre par rapport auquel tout retour de la France sur la scène européenne, après les déchirements du XVIe siècle, doit se définir. À partir d'un point initial de rejet maximal, lorsque l'appui de Philippe II aux États de la Ligue menaçait la succession dynastique du Bourbon aux Valois, le renforcement du royaume de France s'accompagne d'abord d'une diversification des types de discours tenus sur l'Espagne. Puis, lorsque le renversement des forces s'amorce, on constate une aisance croissante à reconnaître dans la monarchie hispanique déclinante un modèle théologico-politique pour la France. La présence de la culture espagnole en France ne se mesure pas uniquement à la proportion de livres espagnols dans les bibliothèques. Il faut également être attentif au processus de métabolisation de la culture hispanique, notamment de ses montages théologico-politiques, par une production littéraire française contrainte d'accompagner le durcissement de l'engagement catholique de Louis XIII et surtout de Louis XIV.

La France restaurée du XVIIe siècle se forme au détriment de la monarchie hispanique et contre sa puissance territoriale, mais, en même temps, les lys rivalisent avec les lions pour occuper une même place et conduire une action identique dans le monde. Cette dynamique politique commande une production symbolique et culturelle qui peut paraître contradictoire. On a pu le constater, à propos des objets les plus divers : le regard français sur le monde hispanique est marqué par une constante ambivalence. Sauf exception, le XVIIe siècle n'est plus propice ni à la virulence anti-espagnole d'Agrippa d'Aubigné ni à l'hispanofolie de Jean Boucher. L'examen de divers types de textes suggère que l'admiration suscitée par l'Espagne compense largement la diffusion de représentations hostiles, notamment pendant les guerres hispano-françaises. Mais il faut insister ici sur le fait que les propos favorables à l'Espagne, même en temps de guerre, ne sont pas issus d'une littérature clandestine ou seulement marginale. Les examens que nous avons conduits n'invitent pas à valider l'idée selon laquelle l'hispanophilie serait la marque d'un parti dévot, héritier pacifié de la Ligue, par opposition à une posture ministérielle machiavélienne et nationale. De même, contre toute tentation d'embarquer Saint-Cyran, Arnauld et Pascal dans l'épopée nationale française, il est assez instructif de voir les jansénistes reconnaître et revendiquer leurs racines hispaniques, et les jésuites faire d'Ignace un saint gaulois et de la Compagnie une société française.

Le renversement du rapport de forces entre les deux monarchies ne réduit pas significativement l'ambivalence des représentations. Lorsque la France se trouvait en position dominée sur les champs de bataille, agressivité et admiration étaient déjà mêlées. Après le traité des Pyrénées, hommage et condescendance deviennent indissociables. Que la succession d'Espagne ait été ou non inscrite dans le programme louisquatorzien depuis le début de son règne personnel, il reste qu'il existe un mouvement d'enlacement lignager cohérent et continué qui associe la branche espagnole de la maison d'Autriche aussi étroitement à la maison de France qu'à la branche viennoise. Le fantasme d'une union des couronnes court durant des décennies. À défaut d'imaginer un titulaire unique, le rêve d'une commune action de reconquête catholique nourrit les imaginations, dans une France qui poursuit, comme y insiste Michelet, les guerres de Religion sans pause jusqu'à la révocation de l'édit de Nantes. L'opposition est devenue émulation et, sur certains points, imitation. En outre, la formidable puissance hispanique ne s'est pas effondrée en quelques décennies. L'ombre portée de la « prépondérance espagnole » couvre tout le XVIIe siècle et au-delà. L'histoire des règnes successifs des monarques hispaniques demeure longtemps un réservoir d'*exempla*, d'autant plus volontiers médités en France que les lignages royaux se sont presque confondus. L'ambivalence de l'attitude des écrivains, des ministres et des rois français à l'égard de l'Espagne plonge ses racines dans l'ensemble complexe de ces phénomènes. La reconstitution historiographique tardive de l'histoire nationale française nous a rendus trop insensibles à cette part de notre propre passé.

Conclusion

Longtemps, aux temps héroïques de l'historiographie conquérante, il ne faisait guère de doute que la formation des monarchies absolues européennes avait été une étape nécessaire, par laquelle le monde féodal s'était réformé pour donner place aux États contemporains. Que les Temps modernes aient été une sorte de longue phase de transition entre fief et modernité citoyenne, voilà ce que confirmait l'étiquette rétrospective et négative d'Ancien Régime. Entre deux mondes apparemment plus intelligibles, le contemporain parce que familier, l'Occident médiéval parce que admirablement analysé par l'anthropologie historique, cet entre-deux, scandé par le triptyque Renaissance-Absolutisme-Lumières, est longtemps demeuré embarqué dans l'exposé de la genèse des sociétés politiques post-révolutionnaires. L'État, dont la « pesée » mettait en évidence la croissance continue des effectifs en personnels, entraînait toute l'histoire moderne vers l'âge des Révolutions. Les révoltes qui parsemèrent l'histoire du long XVIIe siècle, quant à elles, étaient interprétées, en tant qu'événements réactifs, comme autant de signes du poids croissant que l'institution monarchique infligeait aux sociétés européennes. L'« État baroque » et l'« État classique » se succédaient sur un chemin de modernisation, porteur de cette « Amérique » de la France, pour reprendre l'expression de Pierre Chaunu, qu'est l'État central. De la société ecclésiale telle que la définit Alain Guerreau à la société des individus-citoyens, les processus à l'œuvre concernent, en chaque étape, la question religieuse. Il est encore assez piquant de constater que le dépassement des affrontements entre Églises, catholique tridentine et réformée, passe par l'institutionnalisation vigoureuse de la religion royale et que cette solution soit tenue pour l'une des contributions majeures de la France à la modernisation politique de l'Europe. La guerre civile permanente conduite par la couronne contre les grands, les villes et les communautés paysannes, la production d'une législation par ordonnances, le déploiement ultraviolent de la contrainte militaire, autant d'évolutions qui ne peuvent être séparées des rapports du trône et de l'autel. La sublimation autoritaire du toucher des écrouelles et la conduite d'une reconquête catholique contre les articles de l'édit de Nantes, jusqu'aux délices de l'ultramontanisme royal, signalent, elles aussi, la dynamique politique dont l'absolutisme français est le moteur. Mais, dans ce cas, pourquoi ne pas évaluer la dette de la culture politique française à l'égard de la monarchie hispanique, cet adversaire qui avait porté à son apogée l'impulsion impériale fondée sur un catholicisme militant ?

L'assertion d'Ernest Lavisse sur le caractère essentiellement espagnol du « moi » de Louis XIV, pour inattendue qu'elle puisse paraître dans le contexte de l'étude monumentale que l'historien républicain consacre au roi de gloire, s'inscrit en réalité dans un ensemble de traditions textuelles qui ont développé leurs principaux thèmes au XVIIe siècle. Cet essai n'avait pas pour objet de vérifier la pertinence de ce jugement, c'est-à-dire de proposer une France espagnole contre la France française de nos manuels. En revanche, les analyses des hommes de lettres du XVIIe siècle, mieux recueillies et mieux considérées par l'historiographie savante du XIXe siècle que par la critique postérieure, ont la vertu de nous faire douter des généalogies trop linéaires qui fondent l'absolutisme triomphant sur l'option « politique » et l'État à la française sur le triomphe de l'absolutisme. Cette histoire glorieuse des institutions françaises de gouvernement a amplement mobilisé l'idée d'un basculement, effectué à la mi-temps du XVIIe siècle, par lequel la prépondérance espagnole, corsetée dans son intransigeance théologico-politique, cède le pas devant un rayonnement français, fondé sur le dépassement royal de la contrainte religieuse. Il ne fait aucun doute qu'un siècle français succède, en Europe, à un siècle espagnol, sur le plan de la puissance économique, militaire et diplomatique. Mais il n'est pas certain que cette substitution ait été interprétée par les acteurs et témoins de ce vaste mouvement comme une succession de modèles contrastés, le premier archaïque, le second moderne. Les modes de justification de la domination française, préparée par les cardinaux-ministres et accomplie par Louis XIV, recourent à des arguments qui appartiennent également, dans l'ensemble, au patrimoine de la culture politique hispanique. Imposition de la hiérarchie royale aux grandes maisons de l'aristocratie, inscription de l'institution de la couronne dans la perspective de l'édification d'une monarchie universelle chrétienne, monopolisation du rôle d'avant-garde de la catholicité militante : autant de formulations qui, en leur temps, servirent à légitimer la monarchie hispanique puis la française. La réversibilité des arguments accusatoires lancés par les écrivains français contre la maison d'Autriche de la fin du XVIe au milieu du XVIIe siècle et par les écrivains européens, pas uniquement protestants, contre l'ambition continentale de Louis XIV montre assez l'intensité du phénomène mimétique.

Si l'on ne peut prétendre renverser, du tout au tout, la lecture nationale de l'absolutisme à la française par son biais espagnol, il ne faudrait pas, pour autant, interpréter les textes mobilisés par cette enquête comme un ensemble de propositions sans portée profonde. D'une part, on ne saurait accepter l'idée que ces discours politiques, encomiastiques et historiographiques se sont déployés, en régime de censure de la librairie, sans relation avec l'institution royale, ou encore que la propagande ne serait pas, dans sa dimension imaginaire même, une part de la vérité du système politique qui l'a portée. D'autre part, comme l'avait fait Michelet avec une vigueur admirable, on peut à bon droit présenter le XVIIe siècle français comme une longue phase de reconquête catholique intérieure assumée par la royauté jusqu'à la revendication ultramontaine de la bulle *Unigenitus* (1713). L'éradication du protestantisme français et la *damnatio memoriae* de l'édit de Nantes, au vrai, dès l'époque de Richelieu, sont pensées comme les complémentaires de la lutte, à l'extérieur, contre la maison d'Autriche. Très vite, si l'on en croit le manuscrit de Campanella sur la *Monarchie de France*, est accréditée l'idée que les Habsbourg, stigmatisés en la personne de Charles Quint comme cet empereur qui transigea avec le protestantisme allemand, seraient des monarques incapables de ramener l'unité catholique de l'Europe. Le roi de France, dans un royaume ramené à l'unité ecclésiale des croyants, serait providentiellement appelé à se substituer à celui d'Espagne, pour obtenir celle de toute la chrétienté. Dans cette mesure, la lutte contre l'hérésie en dedans et contre la catholicité espagnole au-dehors ne souffre d'aucune contradiction. Elle se développe, dans les vicissitudes de la guerre intérieure et extérieure, en tournant le dos, de façon de plus en plus explicite, à l'héritage « politique » des hommes, à commencer par Henri IV lui-même, qui inventèrent, dans la fumée des ruines, une sortie provisoire aux guerres de Religion.

La réception de la littérature espagnole doit être évoquée dans ce contexte particulier. Le génie romanesque et satirique de Cervantès, la puissance de la *comedia* de Lope, la beauté des vers de Thérèse et Jean de la Croix n'expliquent pas seuls le déferlement hispanique dans la société française du XVIIe siècle. Si, selon l'équation simple de Bassompierre, toute hispanophobie est une manifestation d'adhésion à la Réforme, alors l'hispanomanie française dominante est une des marques de la reconquête catholique en marche. Les mariages espagnols, inaugurant les règnes de Louis XIII et Louis XIV, ont spectaculairement mis en scène le concours de la France et de l'Espagne au sein d'une commune culture. Manifestations d'une profonde convergence et passage de relais, les cérémonies matrimoniales ont joué le rôle de révélateur et d'accélérateur de la circulation des idéaux partagés. Le traitement réservé à l'Espagne dans les ouvrages des écrivains français du XVIIe siècle illustre la complexité du phénomène. Sans doute, cela est bien connu, une littérature hispanophobe, dont la publication est scandée par les affrontements majeurs entre les deux royaumes, a-t-elle fleuri dans la France du XVIIe siècle. Cependant, jusqu'au cœur des argumentaires hostiles, sous la plume d'hommes qui se sont prêtés à l'exercice de l'« anti-espagnol » pamphlétaire, il est possible de mettre en évidence les signes d'une profonde admiration pour l'Espagne. L'ambivalence des lettrés français se donne à lire dans toutes les gammes de discours. Au début du siècle, l'attaque fait bon ménage avec la considération, l'hommage rendu avec la condescendance, à la fin du siècle. Mais au plus pressé des crises, l'agression ne s'exprime jamais sans son contrepoint effusif. Si la victoire sur la maison de Habsbourg prend une forme, c'est bien celle d'un surpassement. Du coup, pour ne prendre que cet exemple, alors que Louis XIV fait de l'humiliation de Philippe IV vieillissant un moment fondateur de son règne, sa propre inscription dans la lignée de son trisaïeul Charles Quint n'en est que plus fortement mise en avant.

Ces remarques n'affectent pas seulement l'interprétation historiographique de l'évolution de la monarchie française, à travers la reconnaissance de son enracinement dans ce qu'elle prétend abattre. Elles invitent également à revenir sur le thème, si séduisant, de la légende noire antihispanique. Le paradigme du rejet global, de l'acharnement, de la caricature, qui prétend décrire un certain rapport de l'hispanité au reste de l'Europe, a été construit, en ce qui concerne la France, sur plusieurs équivoques. D'une part, les textes français ont été additionnés aux anglais, hollandais ou allemands, sans précaution, notamment du point de vue religieux. D'autre part, cet amalgame entraîne la négation de l'ambivalence fondamentale qui affecte les traditions textuelles françaises. À cela, il faudrait ajouter que la légende noire est un objet culturel rétroactif, cristallisé au XIXe siècle, et dont certaines des sources les plus virulentes procèdent de l'espace hispanique lui-même : des Flandres, de Catalogne, du Portugal restauré, de Naples, d'Amérique – Las Casas –, et même de Castille. L'ambivalence française, ce mélange, plus stabilisé qu'il n'y paraît à première vue, d'hostilité et d'admiration, ne répond aucunement au paradigme de la *leyenda negra*. Ce dernier repose sur un travers méthodologique fondamental. Il procède à une sélection exclusive des textes hostiles, en les arrachant à l'espace intertextuel qui leur donne sens et dans lequel les manifestations d'estime pour le monde hispanique occupent une place au moins aussi importante. La complexité du regard français porté sur l'Espagne ne saurait être chronologiquement confinée aux cinq décades qui séparent la mort d'Henri IV du règne personnel de Louis XIV. L'« âge d'or » des relations culturelles et politiques franco-espagnoles n'est donc pas borné par le début du règne personnel de Louis XIV. La catholicité militante assumée par la royauté française, la pérennité de la puissance impériale espagnole en dépit des échecs européens, le goût pour une tradition littéraire admirée dans toute l'Europe, la communauté dynastique renforcée au XVIIIe siècle : autant de facteurs qui rendent intelligible cette relative stabilité, cette longue durée.

Du coup, c'est la place même de l'histoire espagnole dans l'histoire européenne qui mérite d'être réinterrogée. L'interminable guerre civile qui accompagne l'impossible avènement du libéralisme politique en Espagne, de l'invasion napoléonienne à la mort de Franco, accrédite l'idée d'un écart ontologique ou métaphysique de l'hispanité par rapport au reste des nations de l'Europe occidentale. Ce thème, de part en part idéologique, a été porté de l'intérieur par un certain régénérationnisme espagnol, par le sordide isolement franquiste, et de l'extérieur par certains des amoureux de l'Espagne qui ont fait de ce pays un conservatoire de la catholicité perdue, de l'héroïsme idéaliste, de la fête primitive libre d'euphémisations bourgeoises, des luttes sociales et nationales exprimant encore leur brutalité première. Autant de ressources pour bâtir une « Espagne différente », selon le slogan du régime de Franco. Ainsi l'admiration que suscitent la littérature ou la peinture espagnoles n'est pas toujours portée par la perspective de l'universalité spirituelle et esthétique à laquelle pourtant elles ont aspiré. La contemplation obsessionnelle, et parfois intéressée, de la singularité espagnole interdit de saisir ce désir d'universalité bien qu'il se trouve explicitement revendiqué au cœur des plus grandes entreprises des artistes, des écrivains et des politiques espagnols. De son côté, l'expertise philologique a pu dégénérer en un fétichisme de la langue castillane, alors que tout au long de l'Ancien Régime la culture hispanique s'exprime également en latin, en catalan, en portugais, en italien, mais aussi en français depuis les Pays-Bas. On se prive de pans entiers de la culture politique et littéraire espagnole lorsqu'on l'identifie avec la langue des poètes, qui ont porté le castillan à un degré d'excellence reconnu de toute la critique. L'envergure véritablement impériale de la monarchie hispanique dans l'espace européen interdit de penser la « prépondérance espagnole » comme un parenthèse limitée aux règnes et aux victoires de Charles Quint et Philippe II. La monarchie hispanique a été durablement un ensemble composite que rien n'autorise à réduire, par métonymie, à la seule Castille.

Même s'il fallait que « l'Espagne ne fût rien pour que la France fût tout », pour reprendre en l'inversant la formule de Jean-Pierre

Camus, l'historien ne doit plus envisager la présence européenne de l'Espagne sur le mode de l'alternance brutale du tout au rien. La culture et le modèle politique hispaniques se sont nourris de l'histoire de la chrétienté et ont enregistré les réceptions dont ils ont fait l'objet partout, en Europe et au loin. Le traité des Pyrénées a sanctionné un échec militaire mais certainement pas une disparition. La rivalité stratégique de la France et de l'Espagne a été d'autant plus vive qu'elle opposait deux mondes extrêmement proches et dont les idéologies royales forgèrent des représentations politiques, pour partie, communes. La construction du contraste entre ces deux univers ou ces deux histoires, tout comme celle de leur cousinage, est le fruit d'une élaboration intéressée. Ainsi s'est élaborée l'idée que chacun des deux pays représentait le contre-modèle de l'autre. Le regard critique que nous pouvons porter sur ces demi-évidences héritées consiste d'abord à nous affranchir d'elles. Il suppose que l'on n'accepte plus sans prudence l'idée selon laquelle l'absolutisme français constituerait une expérience politique superlative, porteuse d'une exceptionnalité que les réalisations inouïes de l'époque révolutionnaire ne viendraient qu'amplifier et confirmer. Il suppose aussi que l'on cesse d'écarteler l'histoire du monde hispanique entre hispanomanie béate et projection sur le passé européen de l'annulation – toute provisoire, si ce n'est toute relative – de l'Espagne sous la dictature de Franco. Sans doute le temps est-il venu de se demander si le fantasme de l'exception française et le mythe de la différence espagnole ne se sont pas épaulés l'un l'autre, et avec quelle efficacité idéologique, dans nos imaginaires.

Remerciements

Cette enquête a été conduite en liaison étroite avec le séminaire « Histoire des pratiques politiques et juridiques d'Ancien Régime », que j'anime à l'École des hautes études en sciences sociales. Plusieurs étudiants et collègues ont régulièrement participé aux discussions sur cette France espagnole : Mathieu Bernier, Guida Marques, Antonio de Almeida Mendes, Élodie Richard, Violette Auriol, Gabriela Vallejo, Alexandre Dupilet, Cécile d'Albis.

Bernard Vincent a suivi toutes les étapes de ce travail et c'est ensemble que nous avons entrepris de réfléchir à nouveaux frais sur le thème de la « légende noire ».

Plus largement, le projet s'est précisé au fil de conversations avec Lucien Bély, Pierre Bouretz, Philippe Boutry, Frédéric Bozo, Fernando Bouza, Roger Chartier, Fanny Cosandey, Robert Descimon, Pierre-Antoine Fabre, Pablo Fernández Albaladejo, Richard Figuier, Alain Guéry, Yves Hersant, Jonathan Israel, Christian Jouhaud, Richard Kagan, Philippe Minard, Guiomar Hautcœur, Juan Pro Ruiz, José Javier Ruiz Ibañez, Gérard Sabatier, Marianne Schaub.

Pascale Alzial, Florence Delteil et Caroline Béraud ont beaucoup contribué à mettre en forme ce travail, à mesure qu'il avançait : leur aide a été providentielle et amicale.

Enfin, je tiens à dire mon amitié à François Hartog, Jacques Revel, Françoise Sabban et Philippe Urfalino qui ont accompagné, au quotidien, la préparation et la rédaction de ce livre.

Marthe Torre-Schaub sait assez ce que lui doit cette entreprise, et toutes les autres.

Index

Table

II. Antipathie et sympathie

COMPOSITION : NORD COMPO
REPRODUIT ET ACHEVÉ D'IMPRIMER SUR ROTO-PAGE
PAR L'IMPRIMERIE FLOCH À MAYENNE
DÉPÔT LÉGAL : JANVIER 2003. N° 40769 (55895)

DANS LA COLLECTION
L'UNIVERS HISTORIQUE

Pour une histoire politique
sous la direction de René Rémond
1988

Les Juifs en France au XIXe siècle
De la Révolution française
à l'Alliance israélite universelle
par Michael Graetz
1989

L'Homme médiéval
sous la direction de Jacques Le Goff
1989

L'État en France
de 1789 à nos jours
par Pierre Rosanvallon
1989

L'Opinion française sous Vichy
par Pierre Laborie
1990

L'Homme de la Renaissance
sous la direction d'Eugenio Garin
1990

L'Histoire médiévale en France
collectif
1991

L'Orient romain
par Maurice Sartre
1991

Augustin Cochin et la République française
Fred E. Schrader
1992

L'Homme romain
sous la direction d'Andrea Giardina
1992

Fables de la mémoire
La glorieuse bataille des trois rois
par Lucette Valensi
1992

L'Homme égyptien
sous la direction de Sergio Donadoni
1992

Histoire de la France religieuse
sous la direction de Jacques Le Goff et René Rémond
reliés, 4 volumes
1992

Gouverner la misère
La question sociale en France, 1789-1848
par Giovanna Procacci
1993

Les Intellectuels, le Socialisme et la Guerre
1900-1938
par Christophe Prochasson
1993

Essais de mémoire
1943-1983
par Philippe Ariès
1993

Le Sain et le Malsain
Santé et mieux-être depuis le Moyen Âge
par Georges Vigarello
1993

La France des années noires
collectif dirigé par
Jean-Pierre Azéma et François Bédarida
relié, deux volumes
1993

L'Homme grec
sous la direction de Jean-Pierre Vernant
1993

Les Fictions du politique chez L.-F. Céline
par Yves Pagès
1994

Aux marges de la ville
1815-1870
par John M. Merriman
1994

La République des universitaires
1870-1940
par Christophe Charle
1994

Histoire des colonisations
Des conquêtes aux indépendances, XIIIe-XXe siècle
par Marc Ferro
1994

Histoire de l'industrie en France
du XVIe siècle à nos jours
par Denis Woronoff
1994

La France à l'heure allemande
1940-1944
par Philippe Burrin
1995

La Tragédie soviétique
Histoire du socialisme en Russie, 1917-1991
par Martin Malia
1995

Histoire de l'eugénisme en France
Les médecins et la procréation, XIXe-XXe siècle
par Anne Carol
1995

Une certaine idée de la Résistance
Défense de la France, 1940-1949
par Olivier Wieviorka
1995

L'Homme des lumières
sous la direction de Michel Vovelle
1996

Machiavel et Guichardin
par Felix Gilbert
1996

Histoire des jeunes
1. De l'Antiquité à l'époque moderne
2. L'Époque contemporaine
sous la direction de Jean-Claude Schmitt
et Giovanni Levi
1996

Les Intellectuels en Europe au XIXe siècle
par Christophe Charle
1996

Le Temps des Chemises vertes
Révoltes paysannes et fascisme rural, 1929-1939
par Robert O. Paxton
1996

Pour une histoire culturelle
sous la direction de Jean-Pierre Rioux
et Jean-François Sirinelli
1997

Connaissez-vous Brunetière ?
Enquête sur un antidreyfusard et ses amis
par Antoine Compagnon
1997

Histoire de la lecture dans le monde occidental
sous la direction de Roger Chartier
et Guglielmo Cavallo
1997

Histoire culturelle de la France
sous la direction de
Jean-Pierre Rioux et Jean-François Sirinelli
1. Le Moyen Âge
par Michel Sot, Jean-Patrice Boudet,
Anita Guerreau-Jalabert
2. De la Renaissance à l'aube des Lumières
par Alain Croix, Jean Quéniart
1997

Histoire du viol
XVIe-XXe siècle
par Georges Vigarello
1998

Paris fin de siècle
Culture et politique
par Christophe Charle
1998

La Société allemande sous le IIIe Reich
1933-1945
par Pierre Ayçoberry
1998

Histoire de l'enfance en Occident, tomes 1 et 2
sous la direction d'Egle Becchi
et Dominique Julia
1998

Du Sentier à la 7e Avenue
La confection et les immigrés
Paris-New York 1880-1980
par Nancy Green
1998

La Société policée
Politique et politesse en France du XVIe au XXe siècle
par Robert Muchembled
1998

La Création des identités nationales
Europe XVIIIe-XXe siècle
par Anne-Marie Thiesse
1999

Napoléon, de la mythologie à l'histoire
par Natalie Petiteau
1999

Écrire à Sumer
L'invention du cunéiforme
par Jean-Jacques Glassner
2000

L'Abbé Grégoire
La politique et la vérité
par Rita Hermon-Belot
2000

Histoire de l'homosexualité en Europe
Berlin, Londres, Paris, 1919-1939
par Florence Tamagne
2000

Islam et Voyage au Moyen Âge
par Houari Touati
2000

série HISTOIRE DE LA FRANCE POLITIQUE
La Monarchie entre Renaissance et Révolution
1515-1792
sous la direction de Joël Cornette
2000

La Hiérarchie des égaux
La noblesse russe d'Ancien Régime
XVIe-XVIIe siècle
par André Berelowitch
2001

La Crise des sociétés impériales
Allemagne, France, Grande-Bretagne, 1900-1940
Essai d'histoire sociale comparée
par Christophe Charle
2001

Les Orphelins de la République
Destinées des députés et sénateurs français
1940-1945
par Olivier Wieviorka
2001

Histoire de France des régions
La périphérie française, des origines à nos jours
par Emmanuel Le Roy Ladurie
2001

Histoire de l'automobile française
par Jean-Louis Loubet
2001

Histoire de l'Adriatique
sous la direction de Pierre Cabanes
2001

Les Patriotes
La gauche républicaine et la Nation, 1830-1870
par Philippe Darriulat
2001

Ni bourgeois ni prolétaires
La défense des classes moyennes en France au XXe siècle
par Jean Ruhlmann
2001

La Rébellion française
Mouvements populaires et conscience sociale, 1661-1789
par Jean Nicolas
2002

Les Fondations de l'Islam
Entre écriture et histoire
par Alfred-Louis de Prémare
2002

L'Amnistie. De la Commune à la guerre d'Algérie
par Stéphane Gacon
2002

Histoire des paysans français
De la Peste noire à la Révolution
par Emmanuel Le Roy Ladurie
2002

La République anticléricale
XIXe-XXe siècles
par Jacqueline Lalouette
2002

Histoire des peurs alimentaires
du Moyen Âge à l'aube du XXe siècle
par Madeleine Ferrières
2002

série HISTOIRE DE LA FRANCE POLITIQUE
L'Invention de la démocratie
1789-1914
sous la direction de Serge Berstein et Michel Winock
2002

Le Moyen Âge
Le roi, l'Église, les grands, le peuple
481-1514
sous la direction de Philippe Contamine
2002

Les Origines religieuses de la Révolution française
1560-1791
par Dale K. van Kley
2002

